あいうえお
かきくけこ
さしすせそ
たちつてと
なにぬねの
はひふへほ
まみむめも
やゆよ
らりるれろ
わ
をろ
ん

INTENSIVE COURSE IN
JAPANESE
ELEMENTARY

DIALOGUES and DRILLS Part 1

EDITOR : JAPANESE LANGUAGE PROMOTION CENTER

PUBLISHER : LANGUAGE SERVICES CO., LTD.

MORI BUILDING NO. 19, 40, SHIBA KOTOHIRA-CHO, MINATO-KU, TOKYO, JAPAN

OVERSEAS SOLE AGENTS : MARUZEN CO., LTD.

6, TORI-NICHOME, NIHONBASHI, CHUO-KU, TOKYO, JAPAN

Foreword

This textbook is an intensive course designed to give the student a sound basis in spoken and written modern Japanese in a minimum amount of time, utilizing the latest, most advanced techniques in teaching Japanese.

One of the chief attractions of this course is the prerecorded tapes which accompany the text. Teachers of Japanese must usually devote a great amount of classroom time to oral work, for the students have only the teacher's voice for a model. The amount of drill the student can do is limited to the time the teacher can give to it during class. But with the tapes that come with this text, the student will be able to listen over and over to native speakers saying the dialogues, and will be able to repeat the drills again and again with the tape as a partner. Besides allowing the teacher to concentrate on explanations and the checking of his students' progress during class time, this method also makes available to the student many more hours of listening and drilling than he otherwise would get.

In addition, we are proud of the arrangement of the study plan provided by this text. All items included were selected on the basis of the necessity for the student to know them if he is to continue on to intermediate and advanced Japanese. In arranging the order of study, the utmost care was taken to avoid anything that might confuse the student. The lessons advance steadily and step by step, to prevent the student from being frustrated by abrupt and incomprehensible leaps from one lesson to the next. Since each newly introduced item is presented and applied only in the most natural situations, the student will be able to acquire new language habits quickly.

Furthermore, this textbook is thoroughly reinforced by its Notes, in which vocabulary and structural analyses, and explanations of the linguistic and cultural characteristics of the Japanese language are provided. These Notes, together with the systematic study plans mentioned above, guarantee a mastery of Japanese to the student learning on his own. The uniqueness of this textbook lies in the fact that it has successfully combined, for the first time, the best techniques possible for both classroom teaching and self-study.

The English translations used here are written in natural, ordinary English. The primary aim was to translate the situational meaning of the Japanese phrases and sentences, rather than to merely give a literal rendition of the Japanese. This helps the student get the true feeling of the Japanese, and avoids the stilted and often quaint results of the overzealous attempts to be literal frequently seen in Japanese language textbooks.

Finally, only modern Japanese is used in this text. The attached prerecorded tapes give distinct articulation, correct accentuation and natural intonation.

We gratefully acknowledge the generous assistance of Mr. Toku Tachibana, President of Language Services Co., Ltd.

Kazuo Takahashi
Chairman of the Compilation Board

Those who have participated in the development of this textbook and the attached taped materials are:

Members of the Compilation Board

Mr. Kazuo Takahashi (Chairman)	Professor at the Tokyo University of Foreign Studies
Mrs. Yukiko Sakata	Associate Professor at the Tokyo University of Foreign Studies
Mr. Osamu Mizutani	Language Program Director at the Inter-University Center for Japanese Language Studies in Tokyo (administered by Stanford University)
Mr. Shūichi Saitō	Associate Professor at Keio University
Mr. Yasuo Kuramochi	Associate Professor at Keio University

Advisors to the Compilation Board

Miss Tsuruko Asano	Principal of the School of Japanese Language in Tokyo
Mr. Muneo Kimura	Professor at Waseda University
Mr. Eiichi Kiyooka	Professor Emeritus at Keio University
Mr. Hisaharu Kugimoto*	Professor at the Tokyo University of Foreign Studies
Miss Fumiko Koide	Associate Professor at International Christian University
Mr. Shinobu Suzuki	Professor at the Japanese Language School attached to the Tokyo University of Foreign Studies
Mr. Kōitsu Mochizuki	Professor at Chiba University

*Mr. Kugimoto was an advisor until his death in 1968.

Assistants to the Compilation Board

Mr. Kazuo Ōtsubo	Instructor at the Inter-University Center for Japanese Lauguage Studies in Tokyo (administered by Stanford University.)
Mr. Yasuhiro Ōwa	Instructor at Keio University
Mr. Mikio Kawarazaki	Instructor at the Japanese Language School of the International Students Institute
Mr. Hiroshi Harado	Instructor at International Christian University
Mr. Haruo Ichikawa	Lecturer at the International Center of Keio University
Mrs. Motoko Nozawa	Lecturer at the International Center of Keio University

Translators

Mrs. Reiko Itami	Associate Professor at Keio University: Lecturer at the University of British Columbia 1959-61
Mr. Shin'ichi Yamashita	Europe-American Division, Overseas Service, Japan Broadcasting Corporation (NHK): Lecturer at Harvard University 1965-67
Mr. Chiaki Kaise	Europe-American Division, Overseas Service, Japan Broadcasting Corporation (NHK)

Mr. William S. Bailey	Mainichi Daily News, Tokyo
Mrs. Marti Bailey	

Production Personnel

Mr. Shin'ichi Yamashita	NHK producer
Mr. Kunihiro Akiyama	NHK announcer
Mr. Hirotsugu Kagono	NHK announcer
Mr. Atsushi Wada	NHK announcer
Mrs. Miyoko Gotō	NHK announcer
Mrs. Junko Hashimoto	NHK announcer
Miss Sachiko Yamada	NHK announcer
Mr. Richard Foster	Lecturer at Tokyo Metropolitan University

Intensive Course in Japanese

—Elementary Course—

Table of Contents

Volume 1: Dialogues and Drills Part 1

Volume 2: Dialogues and Drills Part 2

Volume 3: Notes

Volume 4: Writing Workbook

Volume 5: Glossary

Volume 1: Dialogues and Drills Part 1

Contents

Foreword ·· 1

Introduction—Format and Objectives ···································· 11

Romanization and Writing Conventions Used in This Text··················· 17

Pronunciation and Syllabaries ······························(Tape No. 1)··· 19

How to Use the ICJ Elementary Course·································· 64

    For the Teacher (In Japanese) ·································· 64

    For the Student ·· 67

Classroom Expressions and Pronunciation Exercise ·············(Tape No. 2)··· 69

Lesson 1·· (Tape No. 3)··· 75

    Key Sentences

    Index to New Words, Expressions and Patterns

    Dialogues

    Drills

    Pronunciation Drill

Lesson 2·· (Tape No. 4)··· 93

    Key Sentences

    Index to New Words, Expressions and Patterns

    Dialogues

    Drills

    Pronunciation Drill

Lesson 3·· (Tape No. 5)···113

    Key Sentences

    Index to New Words, Expressions and Patterns

    Dialogues

    Drills

    Pronunciation Drill

Lesson 4·· (Tape No. 6)···131

    Key Sentences

    Index to New Words, Expressions and Patterns

    Dialogues

    Drills

    Pronunciation Drill

Lesson 5·· (Tape No. 7)···153

    Key Sentences

    Index to New Words, Expressions and Patterns

    Dialogues

    Drills

Pronunciation Drill

Lesson 6 ··· (**Tape No. 8**)··· 177
    Key Sentences
    Index to New Words, Expressions and Patterns
    Dialogues
    Drills
    Pronunciation Drill

Lesson 7 ··· (**Tape No. 9**)··· 199
    Key Sentences
    Index to New Words, Expressions and Patterns
    Dialogues
    Drills
    Pronunciation Drill

Lesson 8 ··· (**Tape No. 10**)··· 221
    Key Sentences
    Index to New Words, Expressions and Patterns
    Dialogues
    Drills
    Pronunciation Drill

Lesson 9 ··· (**Tape No. 11**)··· 241
    Key Sentences
    Index to New Words, Expressions and Patterns
    Dialogues
    Drills
    Pronunciation Drill

Lesson 10 ··· (**Tape No. 12**)··· 263
    Key Sentences
    Index to New Words, Expressions and Patterns
    Dialogues
    Drills
    Pronunciation Drill

Review Lesson I ··· (**Tape No. 13**)··· 284
    Index to New Words and Expressions
    Dialogues
    Comprehension Test
    Drills

Lesson 11 ··· (**Tape No. 14**)··· 293
    Key Sentences
    Index to New Words, Expressions and Patterns
    Dialogues
    Drills
    Pronunciation Drill

Lesson 12 ··· (**Tape No. 15**)··· 309

Key Sentences

Index to New Words, Expressions and Patterns

Dialogues

Drills

Pronunciation Drill

Lesson 13···(Tape No. 16)··· 327

    Key Sentences

    Index to New Words, Expressions and Patterns

    Dialogues

    Drills

    Pronunciation Drill

Lesson 14···(Tape No. 17)··· 345

    Key Sentences

    Index to New Words, Expressions and Patterns

    Dialogues

    Drills

    Pronunciation Drill

Lesson 15···(Tape No. 18)··· 367

    Key Sentences

    Index to New Words, Expressions and Patterns

    Dialogues

    Drills

    Pronunciation Drill

Review Lesson II ···(Tape No. 19)··· 387

    Index to New Words and Expressions

    Dialogues

    Comprehension Test

    Drills

Lesson 16···(Tape No. 20)··· 399

    Key Sentences

    Index to New Words, Expressions and Patterns

    Dialogues

    Drills

    Pronunciation Drill

Lesson 17···(Tape No. 21)··· 419

    Key Sentences

    Index to New Words, Expressions and Patterns

    Dialogues

    Drills

    Pronunciation Drill

Lesson 18···(Tape No. 22)··· 441

    Key Sentences

  Index to New Words, Expressions and Patterns

  Dialogues

  Drills

  Pronunciation Drill

Lesson 19···(Tape No. 23)··· 463

  Key Sentences

  Index to New Words, Expressions and Patterns

  Dialogues

  Drills

  Pronunciation Drill

Lesson 20···(Tape No. 24)··· 483

  Key Sentences

  Index to New Words, Expressions and Patterns

  Dialogues

  Drills

  Pronunciation Drill

Review Lesson Ⅲ ···(Tape No. 25)··· 500

  Index to New Words and Expressions

  Dialogues

  Comprehension Test

  Drills

INTRODUCTION

—Format and Objectives—

Volumes 1 and 2 — Dialogues and Drills

Pronunciation and Syllabaries

The use of the Roman alphabet in this section was avoided for two reasons. First, Roman letters do not transcribe Japanese sounds accurately. Second, the student is more apt to mispronounce Japanese when it is written in Roman letters because of the tendency to equate the Romanization to sounds in his own language. Experience has shown that the use of the Japanese syllabaries from the very beginning, far from being a hindrance, is an aid and a stimulant to the serious student. The taped pronunciation exercises included in this section have made it possible to eliminate the use of the Roman alphabet.

The purpose of this section is to introduce all the symbols used in the Japanese syllabaries, and to explain and contrast the pronunciation of each. Though important for the thorough study of Japanese, the explanations of intonation, rhythm and pitch accent are minimized. The student at this stage is encouraged to concentrate on recognizing and correctly pronouncing the syllabary symbols.

Key Sentences

The Key Sentences are excerpts from the Dialogues of each lesson and appear at the beginning of each lesson. They were selected because they contain the new patterns and phrases introduced in the lesson. It is hoped that the student will review them carefully after the lesson is completed.

Index to New Words, Expressions and Patterns

The new words, expressions and patterns introduced in the Dialogues are listed according to their order of appearance in the Index to New Words, Expressions and Patterns in each lesson. Where possible, words and expressions are translated into English. In many cases, where grammatical or contextual explanations are necessary for the full understanding of the indexed items, the student is referred to the Notes for complete descriptions.

Sometimes the name or name substitute of a participant in a dialogue does not come up in the dialogue. Therefore, it is not recorded on the tape. The asterisk is placed after such a name or name substitute in the Index to New Words, Expressions and Patterns.

Dialogues (Lessons 1—50)

(1) Purpose: The Dialogues are aimed at helping the student familiarize himself with the basic patterns of Japanese from the very start. With a mastery of the basic patterns introduced in the fifty lessons of this text, the student will be able to handle most everyday situations. Tapes of the Dialogues will allow the student to learn not just from the printed page, but by active aural-oral participation.

(2) Philosophy behind pattern choice: Only simple substitution patterns are introduced in the beginning lessons. Then, as the lessons advance, patterns which require morphological or situational changes are taken up. The patterns at the beginning give the student the basic structure of Japanese. Then, applying these basic structural patterns, more complicated patterns can be derived.

The Dialogues use only the 'masu' and 'desu' forms. In everyday speech, Japanese often use abbreviated or contracted forms, and there are also words and word endings that are used depending on the speaker's sex. However, to whom and in what situations such abbreviated forms are used is strictly governed. The result of improper use of these forms can be very humorous, very rude or uncouth, or at best, just peculiar. Because the explanations of when and to whom a speaker should use what forms are very complicated and require a complete understanding of Japanese social rules and customs, it is considered inadvisable to teach the beginning student these abbreviated and contracted, male and female, forms and words.

The 'masu' and 'desu' forms have the advantage of being "neutral". In other words, they can be used by anybody (male or female), when speaking to anybody in any situation. Using the 'masu' and 'desu' forms, the student will not have to worry about being rude or uncouth or peculiar.

Another advantage of using the 'masu' and 'desu' forms is that, while they are natural, often-used spoken forms, they are also forms that are used in the written language.

The basic grammer patterns of Japanese are the same, whether the abrupt forms, or the 'masu' and 'desu' forms are used. Therefore, if the student has a firm understanding of the 'masu' and 'desu' forms and can use them in practical conversation, he will have no trouble in converting to the abrupt forms when he feels he safely can.

(3) Situations: On the whole, the situations and themes in the Dialogues are typical of the situations the student might actually find himself in if he were in Japan.

(4) Miscellany: Some of the dialogues are followed by a paragraph. Such paragraphs are not part of the dialogues, and are separated from them by three stars. These paragraphs are included to familiarize the student with Japanese written style.

The Dialogues are written in Hiragana, Katakana, or combinations of Hiragana, Katakana and Chinese characters. Instructions on how to write Japanese are given in Volume 3 in the Reading and Writing section.

Drills

Fluency in any foreign language is achieved by practice. Only when the student can express his thoughts unhesitantly and automatically, is he really fluent. In this course the student obtains this needed practice through use of the taped drills. The patterns used in the drills were chosen for their usefulness and high frequency of occurrence.

In the main, the drills are composed of the words introduced in previous lessons. However, new words are introduced when necessary, and their definitions are given on the bottom of the drill section page on which they appear.

Pronunciation Drills

Pronunciation drills are included in Lessons 1–20 to review and reinforce the material given in the Pronunciation and Syllabaries section.

The pronunciation drills are based on the use of minimal pairs of sounds which are difficult to distinguish. Emphasis is put on saying each syllable in the same amount of time.

The Japanese sounds covered are mainly ones that English-speaking persons have particular trouble with; for instance, the difference between Japanese consecutive vowel sounds and English diphthongs, and the distinction between the Japanese sounds す and つ, ら and だ.

Review Lessons

The first review lesson comes after Lesson 10, and thereafter review lessons come after every five lessons. The purpose of the review lessons is to help apply basic grammatical patterns to practical situations.

The dialogues in the review lessons develop a story of an American called Johnson, who comes to Japan, meets a friend, looks for a place to live, etc. The situations are ones that any foreign visitor might find himself in. The dialogues contain natural, unstrained Japanese.

Each review lesson is composed of an Index to New Words and Expressions with references to the Notes in Volume 3, Dialogues, a Comprehension Test, and Drills. The drills of this section give the student a chance to practice patterns that he can use in practical situations.

Classroom Expressions

This is a collection of the expressions most frequently used in class by Japanese teachers. It is best if only Japanese is used in the classroom. These expressions will help both the teacher and the student accomplish this.

Most of the expressions are idiomatic. All that is expected of the student is that he understands what the expressions mean. He is not expected to be able to analyze them grammatically.

Volume 3—Notes

An Outline of the Japanese Language

This section presents brief summaries of Japanese sounds, syllabaries, vocabularies, and usage which are intended to give the student a basic overall understanding of the Japanese language.

Notes I

These notes explain the rules of grammar governing the basic forms presented in each lesson. They try not only to give grammatical analyses, but also to describe the nuances implicit in the words and expressions with which the speaker chooses to express his ideas.

A careful reading of the Notes should allow the student to actually participate in, and thus gain experience in coping with, various language situations.

Notes II

Many of the entries found in the Index to New Words, Expressions and Patterns, are treated in Notes II, particularly when their usage in the Japanese language and cultural environment is unique. The subtleties of expression in any language are peculiar to that language. Thus, differences in meaning between specific Japanese words and their English counterparts, and processes of word formation are explained here.

Notes III

Charts showing conjugations and declensions, and lists of numbers, counters, etc. constitute Notes Ⅲ.

Grammar Index

This index should be referred to freely and frequently as the student studies the lessons and the notes.

Quizzes

The quizzes are designed to serve as guides to tell the student how well he is progressing. Each lesson contains about twenty quizzes, focused on grammar. It should be possible to complete each quiz in seven or eight minutes.

Reading and Writing

This section gives the student instruction in reading and writing the Kana syllabaries and the Chinese characters used in this book. It is divided into fifty lessons which correspond to the fifty lessons in Volumes 1 and 2 (Dialogues and Drills). For each symbol or character, the order and direction of each stroke is shown in a diagram. The Chinese characters are presented systematically, from the simple to the more complex.

Volume 4—Writing Workbook

The mastery of written Japanese does not end with the acquisition of Chinese characters. Constant practice and review are indispensable to the maintenance of one's level of language capability. The format used in the Reading and Writing section in Volume 3 is also used in the exercises in the Writing Workbook to make certain that the information given in the Reading and Writing section is fully understood and digested. Each lesson is provided with an exercise which reviews the preceding lessons.

Volume 5—Glossary

The words listed in the Index to New Words, Expressions and Patterns and the words analyzed in the Notes are gathered in this collection in "a-i-u-e-o" order (the order of the Kana syllabaries). The glossary is to be used as a word index as well as a reference for the whole text.

About the Tapes

Recording

1. Good sound quality was our primary concern. To this end, the studios of a broadcasting corporation were used.

2. Radio and television announcers were used to ensure clear and accurate pronunciation of the words, phrases, and sentences on the tapes.

3. The drills are simple and easy to follow. Aural aids such as bells, buzzes and filtering were utilized to tell the student when it is his turn to participate orally.

4. The drills and dialogues gradually become more difficult as the lessons progress. The speaking speed is increased and the length of pauses decreased as the lessons advance.

5. All the tapes faithfully follow the textbook. Some instructions and directions have been abbreviated when they are self-explanatory.

Pronunciation

1. The "Japanese Pronunciation and Accentuation Dictionary" compiled by NHK was used as the source of information and authority on pitch accent in the ICJ text. When such variations in pitch accent as in densha and densha, both of which are regarded as belonging to standard Tokyo speech, are possible, the first of the variants given in the abovementioned dictionary is adopted.

2. Words in which the syllables of Line 11 are pronounced nasally and words containing softened vowel sounds are always pronounced the same whenever they occur on any of the tapes to avoid confusing the student.

3. In the pronunciation of the Japanese words and sentences, it is important to say each syllable in the same amount of time. This rule is repeatedly emphasized because it is considered the best way for the student to familiarize himself with natural Japanese intonation and to avoid making sounds foreign to Japanese. However, as the lessons progress, the speakers in the dialogues begin to express themselves more forcefully and naturally. At this point, the lengths of syllables may be slightly varied. This phenomenon is particularly conspicuous in exclamatory expressions and in linking words that are not usually stressed.

Romanization and Writing Conventions
Used in This Text

Modern Japanese Writing uses Chinese characters and two Kana syllabaries, called Hiragana and Katakana. When necessary, the Roman alphabet and Arabic numerals are used. The written line in official documents and scientific publications is horizontal, left to right, while newspapers and books in general preserve the traditional vertical way of writing lines top to bottom, right to left. Books that contain a great many foreign words and Arabic numerals are usually written horizontally, as in the case of this text.

In Japanese sentences, the Kana symbols and Chinese characters are evenly spaced, with no special spacing between words. However, books for pre-school children and primary school textbooks use spacing. The ICJ Elementary Course also uses spacing to help the beginner learn to read. The spacing is done according to the rules customarily observed in Japanese elementary school reading materials. That is, particles and auxiliary verbs are not separated from the words they accompany.

The ICJ Elementary Course is so organized that the student is expected to be able to write Hiragana by Lesson 13, and Katakana by Lesson 17. After Lesson 17, approximately 300 Chinese characters are introduced in easy steps.

∗   ∗   ∗

Romanized Japanese is simply auxiliary in this book and is written below the Hiragana symbols in the Key Sentences and Dialogues only through Lesson 9. It is included to assist those who continue to find it difficult to identify the Hiragana symbols. The general rules of spacing usually used in Romanization are not necessarily employed here. In this text, words and word groups are not written separately but are connected by hyphens. In addition, hyphens are used between component units of words.

The Romanization system used in the text is the official New National System (Shin-kunreishiki) designated for use in Japanese elementary schools. The older Hepburn system is still widely used, and therefore, the Romanized syllables on which the two systems differ are compared in Table 2 on page 18.

∗   ∗   ∗

The Chinese characters in the Key Sentences and Dialogues have small Kana placed alongside, giving their readings. This is done to assist the student in reading. It is common practice to use Arabic numerals in horizontal writing, but in the ICJ Elementary Course, most numbers are written in characters to give the student practice in recognizing them. Even when Arabic numerals are used, the student should be able to read them in Japanese.

Table 1　The Romanization used in ICJ.

Line 1 :	a	i	u	e	o				
Line 2 :	ka	ki	ku	ke	ko	Line 16 :	kya	kyu	kyo
Line 3 :	sa	si	su	se	so	Line 17 :	sya	syu	syo
Line 4 :	ta	ti	tu	te	to	Line 18 :	tya	tyu	tyo
Line 5 :	na	ni	nu	ne	no	Line 19 :	nya	nyu	nyo
Line 6 :	ha	hi	hu	he	ho	Line 20 :	hya	hyu	hyo
Line 7 :	ma	mi	mu	me	mo	Line 21 :	mya	myu	myo
Line 8 :	ya	—[1]	yu	—[1]	yo				
Line 9 :	ra	ri	ru	re	ro	Line 22 :	rya	ryu	ryo
Line 10 :	wa	—[1]	—[1]	—[1]	(o)[2]				
Line 11 :	ga	gi	gu	ge	go	Line 23 :	gya	gyu	gyo
Line 12 :	za	zi	zu	ze	zo	Line 24 :	zya	zyu	zyo
Line 13 :	da	(zi)[2]	(zu)[2]	de	do	Line 25 :	(zya)[2]	(zyu)[2]	(zyo)[2]
Line 14 :	ba	bi	bu	be	bo	Line 26 :	bya	byu	byo
Line 15 :	pa	pi	pu	pe	po	Line 27 :	pya	pyu	pyo
						Line 28 :	n[3]/n'[4]		

[1] These syllables do not occur in Japanese.

[2] ( ) means the syllable appears more than once.

[3] "n" is used to indicate a syllabic nasal.

[4] "n'" represents a syllabic nasal when it precedes a vowel or a "y".

Note : a—Double consonants (except "nn") indicate the presence of a small っ.

b—When two identical vowels are written together, the vowel sound is long with the exception that long e is written ei.

Table 2　Romanization Conversion Table

Hepburn Romanization	Romanization in ICJ.	Hepburn Romanization	Romanization in ICJ.
ā	aa	ju	zyu
ī	ii	jo	zyo
ū	uu	chi	ti
ē	ei *or* ee	cha	tya
ō	oo	chu	tyu
shi	si	cho	tyo
sha	sya	tsu	tu
shu	syu	fu	hu
sho	syo	-mp-	-np-
ji	zi	-mb-	-nb-
ja	zya	-mm-	-nm-

Pronunciation and Syllabaries

(The exercises marked with an asterisk are recorded on tape.)

Standard Japanese is a syllabic language of 103 syllables, which are represented by two syllabaries— Hiragana and Katakana, each consisting of 46 symbols and two auxilliary signs. Katakana is used primarily for foreign words, and Hiragana is used for most general purposes.

The chart on next page gives the Hiragana syllables arranged in their traditional order. This is the order used in most Japanese dictionaries today.

*Exercise A: While looking at the symbols in the vertical lines on the chart, listen to the tape. The lines will be read in numerical order. Try to distinguish between the different sounds.

Notice that in some cases two symbols have exactly the same sound value. Historically, these pairs of symbols were pronounced differently. In modern Japanese, however, the pronunciations are the same although the differences in writing the symbols have been preserved. The pairs of symbols with identical pronunciations are as follows:

を	(Line 10) is pronounced the same as	お	(Line 1)
ぢ	(Line 13)	〃	じ	(Line 12)
づ	(Line 13)	〃	ず	(Line 12)
ぢゃ	(Line 25)	〃	じゃ	(Line 24)
ぢゅ	(Line 25)	〃	じゅ	(Line 24)
ぢょ	(Line 25)	〃	じょ	(Line 24)

Although pronounced the same, the above pairs are not interchangeable. お is the symbol used when the single vowel syllable [o] occurs in a word; を is used only as a grammatical particle to denote the object of some verbs. In the remaining pairs, the symbols じ, ず, じゃ, じゅ, and じょ are used much more frequently than ぢ, づ, ぢゃ, ぢゅ, and ぢょ, respectively. An

Hiragana Syllabary (L. means Line)

L. 1	L. 2	L. 3	L. 4	L. 5	L. 6	L. 7	L. 8	L. 9	L.10	L.28	L.29	L.30
あいうえお	かきくけこ	さしすせそ	たちつてと	なにぬねの	はひふへほ	まみむめも	や—ゆ—よ	らりるれろ	わ———を	ん	っ	*

L.11	L.12	L.13	L.14
がぎぐげご	ざじずぜぞ	だぢづでど	ばびぶべぼ

L.15
ぱぴぷぺぽ

L.16	L.17	L.18	L.19	L.20	L.21	L.22
きゃ きゅ きょ	しゃ しゅ しょ	ちゃ ちゅ ちょ	にゃ にゅ にょ	ひゃ ひゅ ひょ	みゃ みゅ みょ	りゃ りゅ りょ

L.23	L.24	L.25	L.26
ぎゃ ぎゅ ぎょ	じゃ じゅ じょ	ぢゃ ぢゅ ぢょ	びゃ びゅ びょ

L.27
ぴゃ ぴゅ ぴょ

* The syllables in this line are graphically represented by using the symbols in Line 1. For further explanation, see page 54—56.

explanation of when the symbols ぢ, づ, ぢゃ, ぢゅ, and ぢょ are used will be found in Volume 3, Lesson 25, Notes Ⅲ.

All Japanese syllables belong to one of the following five categories:

1) one vowel: Line 1

2) one consonant: Lines 28, 29

3) a consonant and a vowel: Lines 2—7, 9, 11—15

4) a semi-vowel and a vowel: Lines 8, 10

5) a consonant, a semi-vowel and a vowel: Lines 16—27

Notice that there are only five vowel sounds in Japanese. These vowel sounds are "pure" vowels, not diphthongs. Listen carefully to how the vowel sounds are pronounced on the tape. Notice that the voice does not "sink down" and "trail off". This is true for all vowel sounds in Japanese, no matter in what type of syllable they may be; for instance, it is just as true for the vowel sounds in the consonant-vowel syllables as for the vowel sounds in the single-vowel syllables. Be especially careful not to pronounce the vowel sound in the symbols お, こ, そ, と, よ, etc., like the English diphthong [ow] and also, do not pronounce the vowel sound in the symbols え, け, て, etc., like the English diphthong [ej].

When two single vowel symbols occur side-by-side in a word, or when a single vowel symbol follows a consonant-vowel (or semivowel-vowel) symbol, the vowel sounds are not combined or diphthongized, but are pronounced as parts of their respective syllables. Indeed, Japanese syllables always retain their distinct identities and pronunciations, whether said as separate, unconnected syllables as in Exercise A, or combined into words and sentences.

The English-speaking student may have noted that the consonant sounds in the consonant-vowel syllables that have a vowel sound as in い, sound somewhat different from the English ones; for instance, き, し, ち, に, ひ, み, etc. The Japanese vowel sound in い is said with the mouth stretched wide. When this vowel sound is paired with a consonant in a consonant-vowel syllable, the mouth is stretched wide *before* the consonant sound is started. The shape of the lips in the English word "me" and the Japanese み are very different. A good way to approximate these Japanese syllables is to grin before you start to say them.

In some of the following exercises, there are lists of words written in Hiragana, so we give a warning to the student on how to read Japanese words. Not only does each syllable retain its distinct pronunciation, as mentioned above, but in general, all syllables in a word and in a sentence have almost the same time value, i.e., the length of time used to say a syllable. Compared to many other languages, Japanese is even-tempoed. Although there are some exceptions (see page 26), it is a good rule for the beginner to strive to give each syllable in a word or sentence exactly the same time value.

Exercise B: Rewind the tape and repeat Exercise A.

Now we will examine each of the lines in Exercise A more closely. The student should strive 1) to pronounce each syllable correctly; 2) to pronounce correctly words made up of the symbols already learned; and 3) to identify each symbol visually. Exercises B and E use the same taped materials as Exercises A and D, respectively. Therefore you will have to rewind the tape before you can do Exercises B and E.

LINE 1   あ い う え お

Exercise A: While looking at the symbols in Line 1, repeat after the tape.

Remember that the Japanese vowels are not diphthongs, but are just simple vowel sounds. Do not move your mouth at all from the time you start saying a vowel syllable until you've finished it. Remember to spread your mouth wide as in a grin before starting to say い.

Exercise B: Repeat Exercise A.

Exercise C: Look at the symbols in Line 1. Pronounce them carefully.

Exercise D : Listen to the tape while looking at the following words.

1. あい (love)   6. うお (fish)

2. あお (green)   7. おい (nephew)

3. いえ (house)   8. あおい (green—adj. form)

4. えい (stingray)   9. おう (to chase)

5. うえ (above)   10. おえ (imperative of "おう")

Remember each of the symbols in the above words represents a separate syllable. Do not run the vowel sounds together; the Japanese あい, えい, and おう are not pronounced like the vowel sounds in the English words "I", "ace", and "go", respectively. Be sure to give each syllable the same time value.

Exercise E : While looking at the words in Exercise D, repeat after the tape. Check your pronunciation carefully.

It is not required that the student write the Hiragana symbols at this stage, only that he be able to read each symbol and be able to distinguish between them. To help distinguish between the Hiragana that look alike, the student should pay attention to the following four points:

1) the direction of the straight lines

a. from left to right (horizontal)   a. て

b. from top to bottom (vertical)   b. け

c. from upper right to lower left   c. く

d. from upper left to lower right   d. く

— 23 —

2) the direction of the cursive lines

a. counterclockwise

b. clockwise

3) short lines

a. a very short line going from upper left to lower right which may look almost like a dot, but is not.

b. a somewhat longer line

4) the manner in which lines terminate

a. OFF: like cursive English letters, which end with a tail, such as *a, c, e,* etc.

b. FIX: end the line firmly by keeping the pen on the paper half a second or so.

The relative proportions of the lines in the Hiragana symbols is important. The Exercise F for each of the LINES has the Hiragana symbols written inside uniformly-sized boxes. In this way, the relative proportions of any two symbols can easily be compared.

Stroke order is also very important. For the boxed-in Hiragana mentioned above, the stroke order is denoted by small numbers. The numbers are placed by the starting point of each stroke, and arrows show the directions in which the lines are written.

Exercise F: Read the words in Exercise D.

The symbols あ and お look somewhat alike. Notice the difference in the way they are written.

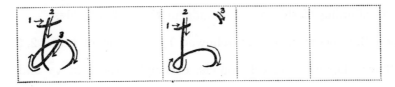

The remaining symbols in Line 1 are written as follows:

Exercise G: Read the words in Exercise D again. Pronounce them carefully. Be sure that you can distinguish between the symbols あ and お.

LINE 2   か き く け こ

Exercise A: While looking at the symbols in Line 2, repeat after the tape.

Remember, do not diphthongize the vowel sounds in け and こ. Also, remember to grin before starting to say き.

Exercise B: Repeat Exercise A.

Exercise C : Look at the symbols in Line 2. Pronounce them carefully.

Exercise D : Listen to the tape while looking at the following words.

1. かき (persimmon)   6. あか (dirt)

2. きく (chrysanthemum)   7. くき (stem)

3. く   (nine)   8. かく (to draw)

4. け   (hair)   9. いけ (pond)

5. ここ (here)   10. かこ (past)

Although the general rule is to give each syllable in a Japanese word the same time value, we mentioned before that there are exceptions. If you listen closely, you will notice that the first syllables in the words きく and くき in the above word list are shorter than the second syllables. This is due to a softening of the vowel sounds in the first syllables.

When they occur in or are followed by symbols of Lines 2, 3, 4, and some others, Japanese vowel sounds, especially those in い and う, often tend to be softened, or even completely silent. Sometimes in words where such a vowel sound is silent, a consonant cluster occurs, e. g. した, しか, and すき.

Try to imitate the tape as much as possible. These shortened and silenced vowel sounds, when used correctly, will make the student's Japanese sound natural. But beware! Do not accent the syllable following a softened vowel, as English speakers may tend to do. It is better to give the same time value to every syllable than to stress the syllable following a softened vowel.

Exercise E : While looking at the words in Exercise D, repeat after the tape. Check your pronunciation carefully.

Exercise F : Read the words in Exercise D.

Notice that the symbols い and こ are different. Do not confuse them.

Read the following words:

1. こい (carp)　　　　2. いこい (rest)

The other symbols in Line 2 are written as follows:

Exercise G: Read the words in Exercise D again. Pronounce them carefully. Be sure that you can distinguish between the symbols い and こ.

LINE 3　　さしすせそ

＊**Exercise A:** While looking at the symbols in Line 3, repeat after the tape.

Did you notice something different about the し?

Exercise B: Repeat Exercise A.

The consonant sounds in さ, す, せ, and そ are all the same, but the consonant sound in し is slightly different. The consonant sound in し is also different from the English consonant sound in the word "she". To make the し, say the English "she", but instead of pushing out the lips, draw the mouth wide into a grin before even starting to utter any sound, and keep the mouth in this position until the entire syllable is said. Be careful *not* to pronounce し like the English word "sea".

Exercise C: Look at the symbols in Line 3. Pronounce them carefully.

*

Exercise D: Listen to the tape while looking at the following words.

1. さか (hill)
2. しか (deer)
3. すし (a Japanese food)
4. せ (back)
5. そこ (there)
6. さかさ (upside-down)
7. かし (cake)
8. かす (to lend)
9. あせ (sweat)
10. うそ (lie)

Be sure not to stress the syllable か in the word さかさ.

Exercise E: While looking at the words in Exercise D, repeat after the tape. Check your pronunciation carefully.

Exercise F: Read the words in Exercise D.

Do not confuse さ and き.

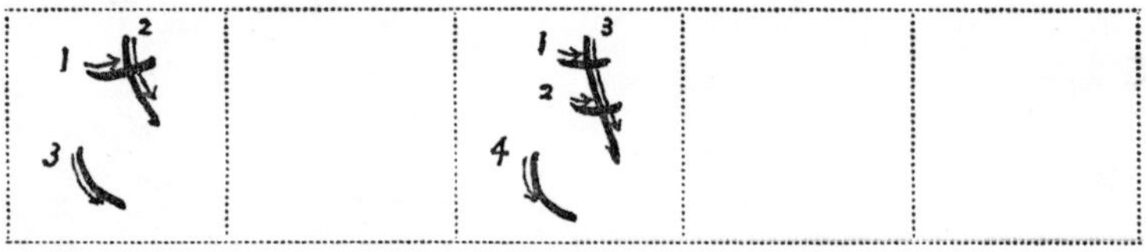

Read the following words:

1. さき (further)
2. きさき (queen)
3. ささき (a surname)

Be sure you are able to distinguish between し and く.

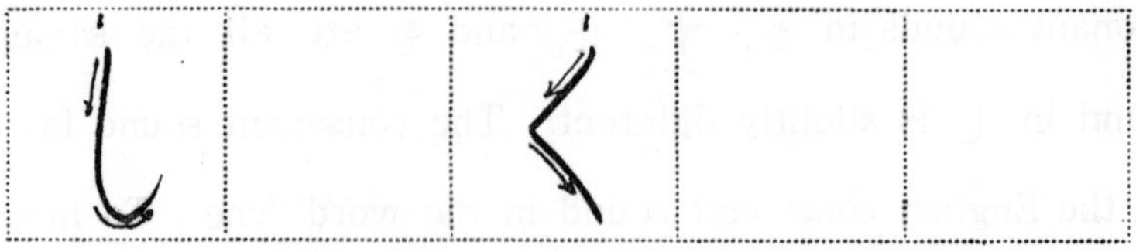

Read the following word:

1. くし (comb)

The remaining symbols in Line 3 are written as follows:

Exercise G: Read the words in Exercise D again. Pronounce them carefully. Be sure that you can distinguish between the symbols さ and き, and し and く.

LINE 4 た ち つ て と

*Exercise A: While looking at the symbols in Line 4, repeat after the tape.

Notice that there are three different consonant sounds in Line 4.

Exercise B: Repeat Exercise A.

The consonant sound in た, て, and と are all the same, and are like the initial consonant sound in the English word "top".

The consonant sound in ち sounds similar to the initial consonant sound in the English word "cheap". However, the Japanese syllable ち is said with the mouth pulled wide from the beginning.

The consonant sound in つ is the same as the consonant sound in the English word "eats". This consonant sound does not occur word initial in English. The syllable つ can occur as the initial syllable in Japanese words. Sometimes English-speaking people have trouble pronouncing the initial つ. German-speaking people will find it easy to pronounce. つ does not sound like す.

Listen to the following minimal pairs on the tape and try to distinguish between つ and す.

1.　すき (to be fond of)　　つき (moon)

2.　すい (essence)　　　　つい (only)

3.　かす (to lend)　　　　かつ (to win)

— 29 —

Exercise C: Look at the symbols in Line 4. Pronounce them carefully.

Exercise D: Listen to the tape while looking at the following words.

1. たかい (tall)
2. ちかい (near)
3. つくす (to serve)
4. てつ (iron)
5. とき (time)

6. かた (form)
7. いち (one)
8. くつ (shoes)
9. して (to do and∼)
10. こと (thing)

Were you able to distinguish between す and つ in つくす?

Exercise E: While looking at the words in Exercise D, repeat after the tape. Check your pronunciation carefully.

Exercise F: Read the words in Exercise D.

ち, さ, and き are different symbols. Do not confuse them.

Read the following words:

1. ちく (district)
2. きく (to hear)
3. さく (to bloom)

4. くさ (grass)
5. くち (mouth)
6. くき (stem)

Do not confuse つ and て.

Do not confuse the symbol て with と, こ, and そ.

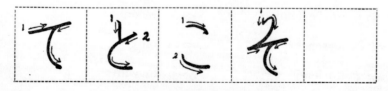

つ and く and し are all different symbols.

The remaining symbol in Line 4 is written as follows:

Exercise G: Read the words in Exercise D again. Pronounce them carefully.

　　　　ち, さ, and き are all different symbols.

LINE 5 　なにぬねの

*Exercise A:** While looking at the symbols in Line 5, repeat after the tape.

　　There is only one consonant sound in Line 5. Remember to spread your mouth as in a grin before you start to say the syllable に.

Exercise B: Repeat Exercise A.

Exercise C: Look at the symbols in Line 5. Pronounce them carefully.

*Exercise D:** Listen to the tape while looking at the following words.

1. なつ (summer) 　6. たな (shelf)

2. にく (meat)　　 7. なに (what)

3. ぬの (cloth)　　8. かね (money)

4. ねこ (cat)　　 9. いぬ (dog)

5. のこ (saw)　 　10. この (this)

Exercise E: While looking at the words in Exercise D, repeat after the tape.
Check your pronunciation carefully.

Exercise F : Read the words in Exercise D.

Do not confuse the symbols た and な, and な and に.

Read the following words :

1. なに (what)
2. たに (valley)
3. たな (shelf)
4. にく (meat)
5. たく (to cook)
6. なく (to cry)

ぬ, ね, の, and つ are all written differently. Look at them carefully.

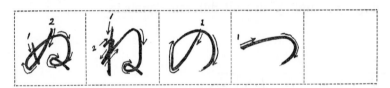

Read the following words :

1. いぬ (dog)
2. いね (rice plant)
3. いのしし (wild boar)
4. ねこ (cat)
5. のこ (saw)
6. ぬし (owner)
7. のし (small piece of paper used as part of formal gift wrapping)

Exercise G : Read the words in Exercise D again. Pronounce them carefully. Be sure you can distinguish between た and な ; な and に ; and ぬ and ね.

LINE 6 はひふへほ

Exercise A : While looking at the symbols in Line 6, repeat after the tape. Did you notice that the consonant sound in the syllable ひ is very different from the consonant sound in the English word "he" ?

Exercise B: Repeat Exercise A.

The consonant sound in ひ is a stronger fricative than the consonant sound in the English word "he". Be careful not to pronounce ひ like "he". Also, remember to keep your mouth spread wide when saying ひ.

The consonant sound in the syllable ふ is said differently by different Japanese. It is a cross between the consonant sound in the English word "who" and the English consonant [f], although it is softer than either. Some Japanese when saying ふ produce a sound very close to that in "who", and others a sound very close to [f]. And still others make a sound somewhere in between. Just remember, whether you say a ふ consonant sound closer to that in "who" or [f], make the sound softer than the corresponding English sound.

Exercise C: Look at the symbols in Line 6. Pronounce them carefully.

*Exercise D:** Listen to the tape while looking at the following words.

1.	はは	(mother)	6.	さば	(left wing)
2.	ひと	(person)	7.	しひ	(private expense)
3.	ふね	(boat)	8.	ないふ	(knife)
4.	へさき	(bow)	9.	ふたへや	(two rooms)
5.	ほそい	(thin)	10.	ちほ	(footing)

Remember that the ない in ないふ, and the そい in ほそい are each made up of two separate syllables. Do not run these vowel sounds together, or diphthongize them.

Exercise E: While looking at the words in Exercise D, repeat after the tape. Check your pronunciation carefully.

Exercise F: Read the words in Exercise D.

Do not confuse the symbols は, け, and ほ.

Read the following words:

1. はし　　(bridge)　　　4. はしけ　(barge)

2. けし　　(poppy)　　　5. はけ　　(brush)

3. ほし　　(star)　　　　6. とほ　　(on foot)

Be sure you can recognize the difference between ひ and て.

Do not confuse へ, つ, く, and し, since they all look somewhat alike.

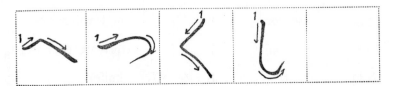

The remaining symbol in Line 6 is ふ. The short line on the left in ふ is written in a different direction than is the line on the left in い.

Exercise G: Read the words in Exercise D again. Pronounce them carefully. Be sure not to confuse the symbols は, ほ, and け.

LINE 7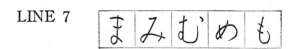

*Exercise A : While looking at the symbols in Line 7, repeat after the tape.

There is only one consonant sound used in the syllables in this line. Remember to spread your mouth wide before beginning to say the syllable み.

Exercise B : Repeat Exercise A.

Exercise C : Look at the symbols in Line 7. Pronounce them carefully.

*Exercise D : Listen to the tape while looking at the following words.

1.	ます	(trout)	6.	くま	(bear)
2.	みち	(road)	7.	くみ	(class)
3.	むすめ	(daughter)	8.	ぬすむ	(to steal)
4.	めい	(niece)	9.	あめ	(candy)
5.	もも	(peach)	10.	いも	(potato)

Do not forget that めい is two separate syllables.

Exercise E : While looking at the words in Exercise D, repeat after the tape.

Check your pronunciation carefully.

Exercise F : Read the words in Exercise D.

Do not confuse the symbols ま and も.

Do not confuse the symbols ま and ほ. Notice that the vertical line in ほ does not go above the two short horizontal lines, unlike that in ま.

Do not confuse み and せ.

Be sure you can distinguish む from す and お.

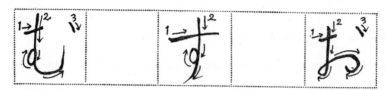

Read the following words:

1. むすこ (son)   3. こむ   (to be crowded)

2. むすめ (daughter)   4. こす   (to move)

め, あ, ぬ, and の are all different symbols. Do not confuse them.

Read the following words:

1. めぬき (main)   3. めす   (female)

2. ぬめる (to be slimy) 4. ぬすむ (to steal)

Exercise G : Read the words in Exercise D again. Pronounce them carefully.

Be sure that you can distinguish between む and す, and め and ぬ.

LINE 8   や ゆ よ

Exercise A : While looking at the symbols in Line 8, repeat after the tape.

The syllables in Line 8 are composed of a semi-vowel and a vowel. Be careful not to confuse the semi-vowel sound in the Line 8 syllables with the vowel syllable い.

Listen to the following minimal pairs on the tape :

Set A :　1.　いあつ (oppression)　やつ (that fellow)

　　　　　2.　いお　(humble cottage)　よ (night)

Remember that each symbol in Line 8 represents one complete syllable. If a symbol of Line 8 is preceded by the vowel sound as in い, do not combine the vowel and semi-vowel sounds into a diphthong.

Listen to the following minimal pairs :

Set B :　1.　くろいあま　　くろいやま

　　　　　2.　あおいうみ　　あおいゆみ

　　　　　3.　ながいお　　　ながいよ

Be sure that you can distinguish between the above minimal pairs.

Exercise B : Repeat Exercise A.

Exercise C : Look at the symbols in Line 8.　Pronounce them carefully.

Exercise D : Listen to the tape while looking at the following words.

　　　1.　やま　(mountain)　　4.　かや　(mosquito net)

　　　2.　ゆき　(snow)　　　　5.　かゆ　(rice porridge)

　　　3.　よこ　(side)　　　　6.　やよい (March, according to the lunar
　　　　　　　　　　　　　　　　　　　　　　　　calendar)

Exercise E : While looking at the words in Exercise D, repeat after the tape.
　　　　　　　Check your pronunciation carefully.

Exercise F : Read the words in Exercise D.

Compare the symbol や with せ and み.　Be sure you can distinguish between them.

Do not confuse ゆ with め or み.

Be sure you can distinguish between よ and ま. Note that the short horizontal line in よ does not pass through the vertical line on the left.

Exercise G : Read the words in Exercise D again. Pronounce them carefully.

LINE 9 ┃ ら ┃ り ┃ る ┃ れ ┃ ろ ┃

***Exercise A :** While looking at the symbols in Line 9, repeat after the tape.

Listen carefully to the consonant sound in these syllables. This consonant sound is *not* the English 'r', 'l', or 'd' sound.

Exercise B : Repeat Exercise A.

The consonant sound for all the syllables in this line is the same. This consonant sound is not at all like the consonant sound in the English word "rye". Nor is it the same as the consonant sounds in the English words "lie" or "die". The consonant sound found in Line 9 is called a "tongue-tip flapped" [r]. It is produced by touching the hard palate lightly with the tip of the tongue.

Although classified as a kind of [r], to an English speaker it sounds much more like an initial English "l" or "d". Fortunately, there is no initial "l" sound in Japanese. However, the English speaker will probably have a difficult time hearing the difference between the consonant sound in the syllables of Line 9, and the consonant sound in the first, fourth, and fifth syllables of Line 13. (See page 44).

Remember to spread your mouth wide before starting to say り.

Exercise C: Look at the symbols in Line 9. Pronounce them carefully.

Exercise D: Listen to the tape while looking at the following words.

1. らく (pleasure)　　6. そら (sky)

2. りく (land)　　7. そり (sleigh)

3. るす (not at home)　8. する (to do)

4. れきし (history)　　9. おれる (to break)

5. ろく (six)　　10. くろい (black)

Exercise E: While looking at the words in Exercise D, repeat after the tape.

Check your pronunciation carefully.

Exercise F: Read the words in Exercise D.

Do not confuse ら and う. Notice that ら has a long neck, while う has none.

Read the following words:

1. らく (pleasure)　　4. あら (fault)

2. うく (to float)　　5. あう (to meet)

3. うら (reverse)

Compare り with い, つ, and の. Be sure you can tell the difference between them.

Do not confuse る and ろ.

Read the following words:

1. くる　　(to come)　　3. おろす (to put down)

2. くろ　　(black)　　4. おるす (not at home)

Compare れ and ね, and note the difference.

Exercise G: Read the words in Exercise D again. Pronounce them carefully.
Be sure that you can distinguish between ら and う ; り and い ;
る and ろ ; れ and ね.

LINE 10

わ			を

*
Exercise A: While looking at the symbols in Line 10, repeat after the tape.

As mentioned before (page 19), the symbol を is pronounced the same as
the symbol お.

The consonant sound in わ is very similar to the initial consonant sound
in the English word "watt", except that it is very soft. In the initial consonant
sound in "watt", the lips are pursed. In わ, the lips are *not* pursed. Be
especially careful when the vowel sound, as in う, precedes the わ syllable.

Listen to the following minimal pairs:

1. みずわり　　　みずあり
2. はつわり　　　はつあり
3. くつわ　　　　くつあ

Exercise B : Repeat Exercise A.

Exercise C : Look at the symbols in Line 10. Pronounce them carefully.

Exercise D : Listen to the tape while looking at the following words.

1. わたし　　　（Ｉ）
2. かわ　　　　(river)
3. やわらかい　(soft)

Exercise E : While looking at the words in Exercise D, repeat after the tape. Check your pronunciation carefully.

Exercise F : Read the words in Exercise D.

Do not confuse わ with れ and ね.

Read the following :

1. われ　　　　4. こわれたね
2. ぬれた　　　5. やられたわね
3. いくわね

Compare を, ち, さ, and と.

Exercise G : Read the words in Exercise D again. Pronounce them carefully.

— 41 —

LINE 15 　ぱ　ぴ　ぷ　ぺ　ぽ

Due to historical circumstances, the pronunciation of the syllables in Line 14 is related to the pronunciation of Line 15, not Line 6. In order to treat the relationship between Line 15 and Line 14 in the same manner that the relationships between Lines 2 and 11; Lines 3 and 12; and Lines 4 and 13 are treated, we are taking Line 15 out of its traditional numerical order and placing it ahead of Lines 11, 12, 13, and 14.

Exercise A: While looking at symbols in Line 15, repeat after the tape.

There is only one consonant sound in Line 15. It is pronounced like the initial, unaccented consonant sound in the English word "papyrus". Remember to grin before starting to say the syllable ぴ.

Exercise B: Repeat Exercise A.

Exercise C: Look at the symbols in Line 15. Pronounce them carefully.

Exercise D: Listen to the tape while looking at the following words.

1. ぱり　　　(Paris)

2. ぴかぴか (shining)

3. ぷすぷす (a mimetic word for the sound of a smouldering fire)

4. ぺろり　　(a tongue movement)

5. ぽつり　　(a mimetic word for the sound of rain drop)

Exercise E: While looking at the words in Exercise D, repeat after the tape. Check your pronunciation carefully.

Exercise F: Read the words in Exercise D.

Notice that the symbols in Line 15 are written the same as those in Line 6, except for a small circle [°] at the upper right-hand corner. This circle is called Handakuten. It is used only in Line 15 and denotes the Japanese

— 42 —

"p" sound. The symbols in Line 15 are written as follows.

Exercise G : Read the words in Exercise D again. Pronounce them carefully.

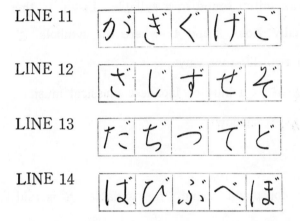

LINE 11

LINE 12

LINE 13

LINE 14

*Exercise A : While looking at the symbols in Lines 11, 12, 13, and 14, repeat
after the tape.

Lines 11, 12, 13, and 14 are the voiced counterparts of Lines 2, 3, 4, and
15, respectively. The following list gives the unvoiced syllable with its
voiced counterpart.

Read the following list.

Line 2	Line 11	Line 3	Line 12	Line 4	Line 13	Line 15	Line 14
か	が	さ	ざ	た	だ	ぱ	ば
き	ぎ	し	じ	ち	ぢ	ぴ	び
く	ぐ	す	ず	つ	づ	ぷ	ぶ
け	げ	せ	ぜ	て	で	ぺ	べ
こ	ご	そ	ぞ	と	ど	ぽ	ぼ

— 43 —

Exercise B: Repeat Exercise A.

<u>Line 11</u> On the tape, the symbols in Line 11 are all read with the same consonant sound; it is like the consonant sound in the English word "go". However, when the syllables of Line 11 appear in the middle of or at the end of a word, this consonant sound sometimes changes. It becomes an [ng] sound, as in the final consonant sound in the English words "si<u>ng</u>" or "so<u>ng</u>". In English, this sound appears only as a final sound in a sylla- ble. In Japanese, it appears as an initial sound in a syllable. Listen to the following words. Notice especially Nos. 2 and 4, where the symbols ご and が are each pronounced in two different ways.

    1. かぐ (to smell)   4. ががく (a kind of Japanese classical music)

    2. ごご (afternoon) 5. かげ (shadow)

    3. すぐ (soon)

    Remember, whichever the consonant sound, the syllable ぎ is said with the mouth spread wide as in a grin.

<u>Line 12</u> The consonant sound in じ is different from the consonant sound in ざ, ず, ぜ and ぞ. The consonant sound in じ sounds similar to the initial consonant sound in the English word "jeep", but in じ, the mouth is spread wide as in a grin from the beginning. Do not push out the lips when saying じ. Be careful not to pronounce じ like the English word "zee".

<u>Line 13</u> As mentioned before (page 19), the Line 13 symbols ぢ and づ are pronounced the same as the Line 12 symbols じ and ず respectively.

English speakers often have a great deal of trouble hearing the difference between the Line 13 syllables だ, で, and ど and the Line 9 syllables ら, れ, and ろ (see page 39). Listen to the following minimal pairs on the tape and try to distinguish between the Line 9 sounds and the Line 13 sounds.

1. らんし (astigmatism)　　だんし (male)
2. れこうど (record)　　でこうど (decode)
3. ろんどん (London)　　どんどん (rapidly)

Line 14　There is only one consonant sound in Line 14. Remember to grin before saying the syllable び.

Exercise C:　Look at the symbols in Lines 11, 12, 13, and 14. Pronounce them carefully.

*Exercise D:　Listen to the tape while looking at the following words.

　　　1. がいこく　　　(foreign country)
　　　2. ぎかい　　　　(Parliament)
　　　3. ぐたいてき　(concrete)
　　　4. げき　　　　　(a play)
　　　5. ござ　　　　　(straw mat)
　　　6. ざしき　　　　(Japanese tatami room)
　　　7. じじつ　　　　(fact)
　　　8. ずいひつ　　　(essay)
　　　9. ぜひ　　　　　(by all means)
　　10. ぞくぞく　　　(feel chilly)
　　11. だいじ　　　　(important)
　　12. はなぢ　　　　(nosebleed)
　　13. てづる　　　　(connection)
　　14. でかける　　　(to go out)
　　15. どぶ　　　　　(drain)
　　16. はば　　　　　(width)
　　17. びか　　　　　(beautification)
　　18. ぶすぶす　　　(mimetic word for "glum")
　　19. べろり　　　　(mimetic word to describe the movement of a tongue)

20. ぼつり　　(a mimetic word to describe something said in a concise and brief way after a pause)

Exercise E: While looking at the words in Exercise D, repeat after the tape. Check your pronunciation carefully.

Exercise F: Read the words in Exercise D.

Notice that the symbols in Lines 11, 12, 13, and 14 are the same as in Lines 2, 3, 4, and 6, respectively, except for two short parallel lines (ヾ) at the upper righthand corner. This sign is called Dakuten. It is used only in Lines 11, 12, 13, and 14, and denotes the consonant-voiced counterparts of Lines 2, 3, 4, and 15, respectively.

Exercise G: Read the words in Exercise D again. Pronounce them carefully.

Dakuten and Handakuten

The following exercises are to give the student practice in using Dakuten (ヾ) and Handakuten (°).

Exercise 1: Put Dakuten on the following Hiragana symbols, and pronounce them.

1. く	4. へ	7. そ	10. は
2. こ	5. ひ	8. せ	
3. て	6. ほ	9. き	

Exercise 2: Put Handakuten on the following Hiragana symbols, and pronounce them.

1. ひ	3. ほ	5. ふ
2. へ	4. は	

Exercise 3: In the following words, place Dakuten on all the symbols possible. Then pronounce the words.

1. にし	3. しょめい
2. きん	4. さんこう

Exercise 4: In the following words, place Handakuten on all the symbols possible. Then pronounce the words.

1. はん   3. はり

2. にんふ   4. さんはつ

LINE 16   LINE 23

LINE 17   LINE 24

LINE 18   LINE 25

LINE 19

LINE 20   LINE 26

LINE 21   LINE 27

LINE 22

Exercise A: While looking at the symbols in Lines 16—27, repeat after the tape.

The above Lines each contain three symbols. The subscripts や, ゆ, and よ are considered to be only a part of the symbols, not separate symbols in themselves.

The above syllables are each made up of three sound component.

1) a consonant sound (the consonant sound in the second syllable of Line 2, 3, 4, 5, 6, 7, 9, 11, 13, 14, or 15)

2) a semi-vowel sound (the semi-vowel sound found in Line 8)

— 47 —

3) a vowel sound (one of three vowels, as in the syllables あ, い, and お)

It is possible to think of each of these syllables as a combination of two syllables in which the vowel sound is the first syllable has become completely silent, thus producing a single syllable. For example, in Line 16

きゃ＝き＋や   where the vowel sound in き is silent.

きゅ＝き＋ゆ   〃

きょ＝き＋よ   〃

Be sure to note that the consonant sounds in the syllables in Lines 16—27 are the same as the consonant sounds in the *second syllables* of Lines 2—7, 9, 11—15, respectively. In other words, the consonant sound in Line 17 is like the consonant sound in し, not さ. The consonant sound in Line 18 is like the consonant sound in ち, not た or つ. The consonant sound in Line 24 is like the consonant sound in じ, not ざ, and the consonant sound in Line 25 is like the consonant sound in ぢ, not だ. And therefore, as mentioned before (page 19), Line 25 is pronounced exactly the same as Line 24.

Exercise B: Repeat Exercise A.

The important thing to remember is that each symbol in Lines 16—27 represents one and only one syllable. The time value given the syllables in Lines 16—27 should not be longer than the time value given any other Hiragana symbol (except for those with softened vowel sounds).

Look at the sets of syllables written below.

	I	II	III
1.	きゃ	きや	きあ
2.	しゅ	しゆ	しう
3.	ちょ	ちよ	ちお
4.	にゃ	にや	にあ
5.	ひゅ	ひゆ	ひう

6. みょ	みよ	みお
7. りゃ	りや	りあ
8. ぎゅ	ぎゆ	ぎう
9. じょ	じよ	じお
10. ぢゃ	ぢや	ぢあ
11. ぴゅ	ぴゆ	ぴう
12. びょ	びよ	びお

You should be able to hear the difference between columns I and II, between I and III, and between II and III, above. I differs from II and III because I has only one syllable per item, while II and III have two syllables per item. The items in II and III should take twice as long to say as those in I.

For further drill on saying and hearing these syllables, refer to the Pronunciation Drill attached to Lesson 19.

Exercise C: Look at the symbols in Lines 16—27. Pronounce them carefully.

*Exercise D: Listen to the tape while looking at the following words.

1. じょし	(particle)		9. しょじょ	(virgin)
2. きょしゅ	(salute)		10. じゅく	(seminary)
3. しゅじゅつ	(operation)		11. ちょくせつ	(direct)
4. きょく	(bureau)		12. きょくせつ	(winding)
5. おちゃ	(tea)		13. ひょいひょい	(likely)
6. しょくじ	(meal)		14. ぴょろり	(mimetic word for "sudden movement")
7. みゃく	(pulse)			
8. ぎょい	(your will)		15. にゃお	(meow)

Exercise E: While looking at the words in Exercise D, repeat after the tape. Check your pronunciation carefully.

Exercise F: Read the words in Exercise D.

The symbols in Lines 16—27 are written like the symbols used for the second syllables of Lines 2—7, 9, 11—15, respectively, with small subscripts of one of the three symbols of Line 8. The subscripts や,　ゆ, and よ are written smaller than, and are placed to the lower right of the ordinary-size Hiragana symbols they accompany.　The subscripts should not come above the center of the ordinary-size Hiragana they go with.　See the diagram below.

Exercise G : Read the words in Exercise D again.　Pronounce them carefully.

LINE 28

Exercise A : Listen to the tape while looking at the following syllable combinations.

1.	ほんだな	6.	ほんから
2.	ほんなど	7.	ほんや
3.	ほんりゅう	8.	ほんば
4.	ほんまで	9.	ほんさえ
5.	ほんぶ	10.	ほんを

Line 28 has only one symbol.　ん occurs word medial and word final, but not word initial. ん is a syllabic nasal. Its pronunciation depends on its environment.　When ん precedes a syllable of Line 4, 5, 9, 12, 13, 18, 19, 22, 24, or 25, its pronunciation is close to the initial consonant sound in the English word "net", said softly. See the first three words in the above list.

— 50 —

When ん precedes a syllable of Line 7, 14, 15, 21, 26, or 27, it is pronounced similarly to the final consonant sound in the English word "home". As in the words ほんまで and ほんぶ above. When ん precedes a syllable of Line 2, 11, 16, or 23, it sounds like the final consonant sound in the English word "song", as in the word ほんから above.

When ん occurs word final, or precedes a syllable of Line 1, 3, 6, 8, 10, 17, or 20, it should be pronounced with the tongue touching no part of the mouth, as in the last four words above. In this last case, ん is a nasalized vowel.

The ん sound is difficult. For further drills and explanations see the Pronunciation Drills in Lessons 3—7.

Exercise B: Repeat Exercise A.

Exercise C: Look at the symbol combinations in Exercise A. Pronounce them carefully.

Exercise D: Listen to the tape and try to distinguish between the following minimal pairs:

1. かなん   かんなん
2. こなん   こんなん
3. いにん   いんにん
4. きねん   きんねん
5. ほの   ほんの

Please note the difference between the syllable ん and the syllables of Line 5. When ん is followed by a symbol from Line 5, do not blend them into one syllable. They remain two separate syllables.

Exercise E: Read the minimal pairs in Exercise D, paying particular attention to the length of each syllable.

Exercise F:

Do not confuse the symbol ん with the symbols て, し, く, or れ.

LINE 29

*Exercise A : Listen to the tape while looking at the following words.

1. しっかり (cheer up)

2. くっきり (clearly)

3. がっくり (despondently)

4. はっけ (fortunetelling)

5. いっこ (one piece)

6. いっさつ (one volume)

7. いっしき (one set)

8. いっすん (one "sun", a unit of measure)

9. いっせき (one boat)

10. いっそく (one pair of shoes)

11. いったい (one body)

12. いっち (unity)

13. いっつう (one letter)

14. いってい (definite)

15. いっとう (one animal)

16. いっぱい (full)

17. いっぴき (one animal)

18. いっぷく (a puff)

19. いっぺん (one time)

20. いっぽん (one long thing)

The syllable つ is said in two different ways, depending on its environment. When つ occurs before Line 3 or 17, it is simply the consonant sound of the syllable it precedes. See numbers 6—10 in the above word list. Be sure to give つ the full time value of a complete syllable.

The つ that precedes syllables of Lines 2, 4, 15, 16, 18, and 27, is different. The consonants in the syllables of Lines 2, 4, 15, 16, 18, and 27 all begin with a stoppage of air. Say the syllables か, た, and ば. Notice that when you begin to say the consonant sound in か, the air flow is blocked by the back of the tongue being pressed against the roof of the mouth. When you begin to say the consonant sound in た, the air flow is blocked by the front of the tongue being pressed against the upper tooth ridge. When you begin to say the consonant sound in ば, the air flow is blocked by the lips being pressed together. つ, when preceding a syllable of Line 2, 4, 15, 16, 18, or 27, is this blockage of air flow, extended to the time value of a whole syllable. It is similiar to the final "sounds" in the English words "duck", "rat", and "stop", when they are said at normal speed. Actually, such a つ has no sound, it is just a blockage of the air flow. Remember to give this blocking of the air flow the time value of a full syllable. See numbers 1—5 and 11—20 in the above word list.

Exercise B: While looking at the words in Exercise A, repeat after the tape.

Exercise C: Read the words in Exercise A. Pronounce them carefully.

Exercise D: Listen to following minimal pairs. Try to distinguish between words with a つ syllable and words without a つ syllable.

1. いか (squid)　　　　　いっか (lesson one)

2. ぽきり (with a snap)　　ぽっきり (with a snap)

3. いしつ (different)　　　いっしつ (one room)

4. いたい (dead body)　　　いったい (one body)

5. いぱい　　　　　　　　いっぱい (full)

6. いしょ (a note left behind　いっしょ (together)
　　by a dead person)

— 53 —

7. ひと　(person)　　　　ひっと　(hit)

8. とば　　　　　　　　とっぱ　(breakthrough)

9. はた　(flag)　　　　　はった

10. とき　(time)　　　　　とっき　(projection)

Exercise E : While looking at the words in Exercise D, repeat after the tape. Check your pronunciation carefully.

Exercise F : Read the words in Exercise D.

The っ symbol is the same shape as the つ of Line 4, but it is smaller. It is written by itself, equidistant from the preceding and following ordinary-sized Hiragana. It is not a subscript. The diagram below shows the relative proportions of っ and ordinary Hiragana.

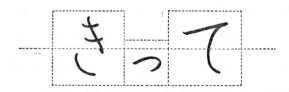

Exercise G : Read the words in Exercise D again. Pronounce them carefully.

LINE 30　Long and Short Vowels

Exercise A : Listen to the tape while looking at the following pairs of words. Note the difference.

1. さ　(difference)　　さあ　(well,……)

2. い　(stomach)　　　いい　(good)

3. く　(nine)　　　　　くう　(to eat)

4. え　(picture)　　　　ええ　(yes)

5. お　(tail)　　　　　おお　(Oh)

Many words in Japanese contain two consecutive *identical* vowel sounds. These will hereafter be referred to as long vowels, while single vowel sounds will be referred to as short vowels. The second of the two consecutive identical vowel sounds is a syllable in itself, and is given the full time value of any complete syllable. The first vowel sound may also be a syllable by itself, or it may be a part of a consonant-vowel syllable (Lines 2—7, 9, 11—15); a semivowel-vowel syllable (Lines 8 and 10); or a consonant, semi-vowel, vowel syllable (Lines 16—27).

Exercise B: Repeat Exercise A.

Were you able to hear the short and long vowel sounds? Remember, that a long vowel involves two syllables, with the total time value of two full syllables. The short vowel involves only one syllable, with the total time value of one syllable only. Both vowel sounds in a long vowel are pronounced identically. They are not diphthongized.

Below is a list of the long vowels that occur in Japanese. The list shows only those for which the first vowel sounds belong to a syllable from Line 1 and Line 2. The pattern is similar for the remaining Lines. The corresponding short vowels are given in the left-hand column. Notice the way in which the long vowels are written.

Short	Long
あ	ああ
い	いいい
う	うう
え	ええ or えい
お	おお or おう
か	かあ
き	きい
く	くう
け	けえ or けい
こ	こお or こう
⋮	⋮

Notice that the long vowel counterparts of お, こ, etc. and え, せ, etc. can each be written in two ways. These differences are based on the old writing system.

As a part of a long vowel, the う in おう, こう, etc. is said just like the お in おお, こお, etc. i.e., the vowel sound for both syllables is like in お. However, the う in the symbols おう, こう, etc. is not always a part of a long vowel. When it isn't, the second syllable of おう, こう, etc. is pronounced like the vowel sound in う. There is no easy rule the student can use to tell him which way the う in a word with おう, こう, etc. is pronounced. The pronunciation of the え in the long vowel ええ, けえ, etc. has only the vowel sound of え. The pronunciation of the long vowel in えい, けい, etc. is not so simple. English speakers will sometimes hear the second vowel sound in えい, けい, etc. not as plain え, but as a diphthong in which the え sound turns up into a い sound at the very end. Although it may sound like there is a い sound, there really isn't. So when you pronounce words that have えい in them, remember to say ええ with no い sound. No matter what it sounds like to you, it will sound correct to Japanese ears.

Exercise C : Look at the words in Exercise A. Pronounce them carefully.

Exercise D : Listen to the tape while looking at the following minimal pairs of words. Be sure to notice that the long vowel syllables are given a time value of two full syllables.

1. や   (arrow)   やあ   (Hi !)
2. いき   (breath)   いいき   (stuck-up mood)
3. くつ   (shoe)   くつう   (pain)
4. せめ   (reprimand)   せいめい   (declaration)
5. とけい   (watch)   とうけい   (statistics)
6. ささ   (bamboo grass)   さあさあ   (please)
7. きき   (crisis)   きいきい   (squeak)

8. ふけ　(dandruff)　ふうけい (scene)

9. よめ　(bride)　よめい　(remaining years)

10. ここ　(here)　こうこう (high school)

Exercise E : While looking at the words in Exercise D, repeat after the tape. Check your pronunciation carefully.

Exercise F : Read the words in Exercise D.

PITCH ACCENT

As has been stressed many times before in this pronunciation section, every syllable in a Japanese word or sentence is said in the same length of time (except syllables that contain a softened or silenced vowel). In other words, there is no accent or stress in Japanese words or sentences. This is very different from the English language, in which syllables have different time values and some syllables have a very definite stress accent.

This does not mean, however, that Japanese is said in a monotone. Japanese words have pitch accent, i. e., in some syllables in a word, the pitch is higher than in other syllables.

Exercise A : Listen to the following place names being read on the tape. Notice the even tempo and lack of stress in the words. But also try to hear differences in pitch within each word.

1. うえの　　　5. おちゃのみず

2. しぶや　　　6. しなのまち

3. しながわ　　7. うぐいすだに

4. とうきょう　8. すいどうばし

Exercise B : While looking at the place names in Exercise A, repeat after the tape.

There is only one pitch pattern in the words of Exercise A, i. e., the first syllable is lower than the remaining syllables, and the syllables after the first syllable are all of the same pitch. The place names in Exercise A can be written to denote pitch as follows:

1. う／えの

2. し／ぶや

3. し／ながわ

4. と／うきょう

5. お／ちゃのみず

6. し／なのまち

7. う／ぐいすだに

8. す／いどうばし

Exercise C: Repeat Exercise B. Try to give the proper pitch to each word.

The pitch pattern in the above place names is one of three used in Japanese words. The other two are described in the exercise below.

Exercise D: Listen to the following place names being read on the tape. Listen for the pitch changes.

1. めぐろ

2. めじろ

3. はらじゅく

4. いちがや

5. おかちまち

6. あきはばら

7. むさしさかい

8. ひがしなかの

Notice that in names 1 and 2, the pitch of the first syllable is higher than the remaining syllables, and then the syllables after the first syllable are all of the same pitch.

In names 3, 4, 5, 6, 7, and 8, the second syllable through the syllable third from the end are all of the same pitch and higher than the first syllables and last two syllables. The first and last two syllables are of the same pitch. The place names in Exercise D can be written to denote pitch as follows:

1. め＼ぐろ

2. め＼じろ

3. は／ら＼じゅく

4. い／ち＼がや

5. お＼かち＼まち   7. む＼さしさ＼かい

6. あ＼きは＼ばら   8. ひ＼がしな＼かの

Exercise E: Looking at the names in Exercise D, repeat after the tape. Try to give each word the correct pitch accent. Notice the difference in pitch patterns in these names and the ones in Exercise A.

*Exercise F: Looking at the following place names, repeat after the tape. Try to discriminate between the three pitch patterns described above.

1. うえの   5. しなのまち

2. めぐろ   6. あきはばら

3. しながわ   7. うぐいすだに

4. いちがや   8. ひがしなかの

It should be noted that when words are combined with other words or in a sentence, the pitch pattern of some words changes depending on the environment. For more drill on pitch, see the Pronunciation Drills for Lessons 15—18.

PRONUNCIATION TESTS   (answers given at the end)

Test 1: Pronounce the following words.

1. しくしく   (sobbing)

2. てんでん

3. さいち

4. ちいさい   (small)

5. うらわ   (a place name)

6. ろれつ   (articulation)

7. おむすび   (rice ball)

8. あめつち   (heaven and earth)

9. さきざき   (future)

— 59 —

10. ほまれ   (honor)

11. まもの   (evil creature)

12. いこん   (spite)

13. みせさき   (in front of a shop)

14. くつした   (socks)

15. ものまね   (mimicry)

16. たにそこ   (the bottom of a valley)

17. うちわ   (round fan)

18. あおさぎ   (heron)

19. ぬかあめ   (drizzle)

20. ちさと

Test 2 : Pronounce the following words. Put Dakuten on all the symbols possible, and pronounce them again.

1. くすくす (chuckling)   4. まいこ

2. たんな   (a place name)   5. われかね

3. けんかん   6. せんせん (war front)

Test 3 : Pronounce the following words. Put Handakuten on all the symbols possible and pronounce them again.

1. ほろほろ (in drops)   4. ふんふん (sniffing)

2. ひんひん (neigh)   5. ひちひち

3. へりかん   6. はかはか

Test 4 : Pronounce the following words.

1. かんぜん   (perfect)

2. むんむん   (closed)

3. おんがく   (music)

4. さんぜんえん (three thousand yen)

5. てんでに　　(separately)

6. つくしんぼ　(horsetail—a plant)

Test 5 : Pronounce the following pairs of words, paying special attention to their differences.

1　(a)　きます　　(to come)

　　(b)　いきます　(to go)

2　(a)　さんけい　(a visit to a shrine)

　　(b)　さけい　　(inclining toward the left)

3　(a)　けいこを　する　(to practice)

　　(b)　けいこ　する　(to practice)

4　(a)　ぴんぴん　(lively)

　　(b)　びんびん　(crack)

5　(a)　かんべつ　(judgment)

　　(b)　かんべん　(forgiveness)

Answers

(Test 2) 1.　ぐずぐず　(tardy)　　　4.　まいご　　(stray child)

　　　　　 2.　だんな　　(master)　　　5.　われがね　(cracked bell)

　　　　　 3.　げんがん　　　　　　　 6.　ぜんぜん　(at all)

(Test 3) 1.　ぽろぽろ　(in drops)　　4.　ぷんぷん　(smell strongly of)

　　　　　 2.　ぴんぴん　(be lively)　　5.　ぴちぴち　(lively)

　　　　　 3.　ぺりかん　(pelican)　　　6.　ぱかぱか　(clip-clop)

Katakana Syllabary

L.1	L.2	L.3	L.4	L.5	L.6	L.7	L.8	L.9	L.10	L.28	L.29	L.30
ア	カ	サ	タ	ナ	ハ	マ	ヤ	ラ	ワ	ン	ツ	ー
イ	キ	シ	チ	ニ	ヒ	ミ	―	リ	―			*
ウ	ク	ス	ツ	ヌ	フ	ム	ユ	ル	―			
エ	ケ	セ	テ	ネ	ヘ	メ	―	レ	―			
オ	コ	ソ	ト	ノ	ホ	モ	ヨ	ロ	ヲ			

L.11	L.12	L.13	L.14
ガ	ザ	ダ	バ
ギ	ジ	ヂ	ビ
グ	ズ	ヅ	ブ
ゲ	ゼ	デ	ベ
ゴ	ゾ	ド	ボ

L.15
パ
ピ
プ
ペ
ポ

L.16	L.17	L.18	L.19	L.20	L.21	L.22
キャ	シャ	チャ	ニャ	ヒャ	ミャ	リャ
キュ	シュ	チュ	ニュ	ヒュ	ミュ	リュ
キョ	ショ	チョ	ニョ	ヒョ	ミョ	リョ

L.23	L.24	L.25	L.26
ギャ	ジャ	ヂャ	ビャ
ギュ	ジュ	ヂュ	ビュ
ギョ	ジョ	ヂョ	ビョ

L.27
ピャ
ピュ
ピョ

*This symbol is written vertically when Japanese is written vertically and horizontally when Japanese is written horizontally.

The preceding chart of the Katakana symbols corresponds to the Hiragana chart on page 20. Notice that the lines of the Katakana symbols are straighter and more angular than those of the Hiragana symbols.

Each Katakana symbol is pronounced the same as its corresponding Hiragana symbol. Notice that a long vowel in Katakana is denoted by a "—", no matter what the vowel sound; for example カ — is the same as かあ and ト ー キ ョ ー is the same as とうきょう.

In this text, only Hiragana is used through Lesson 12. Therefore foreign words and names that are normally written in Katakana are written in Hiragana in the first twelve Lessons. In these special cases only, the "—" sign (Line 30) is used with Hiragana.

When Katakana is used to transcribe foreign words into Japanese, Line 29 (i.e., ツ) can occur before Lines 6, 11, 12, 13, 14, and 20 in addition to Lines 2, 3, 4, 15, 16, 17, 18, and 27.

How to Use the ICJ Elementary Course

—For the Teacher—

教師への手引き

　このテキストは独習者をも対象としてつくられたものであるから，その点で種々の制約を負わされている。つまり，学習テープに基づいた日本語の理解と表現が学習の中心になっており，所詮，学習者は客観的な立場でしか日本語を学習することができない。したがって，学校で使用するとなれば，より効果的に活用する方法が当然考えられるべきである。

　外国語教育にとっていちばん大切な点は，その学習対象である外国語の理解と表現を学習者自身の主体的な行為として意識しうるような場を与えることである。そのような点で，教室においてこのテキストを利用する際には，単に外から与えられたものを受動的に受け入れさせようとするよりは，このテキストの中に盛り込まれている内容を素材として，教師と学生との間の実践的な言語行為として日本語を習得させるように心がけてもらいたい。

1. Key Sentences

　各課の Key Sentences を順を追ってみていけば，第50課までの文型の配列が理解できるはずであるから，まずそれを理解した上で各課のねらいをとらえるのに利用してもらいたい。したがって，これ自身を学習対象にする必要はない。むしろ，学習効果を測定する上での大切な問題点と心得られたい。

2. Dialogues

　学習者といっしょに英訳にたよってテープを聞きながら理解させようとするのは愚かしいことである。場面の説明や構文・語句の理解のためには積極的に視覚教材を活用すべきである。この Dialogues は独習者のために一定の場面を設定して，その中で会話を進行する形式をとっているが，教室で学習させる場合には，その場面や会話の運びにこだわらず，教師と学生との間で設定しやすい場面を意図的に設け，その課のねらいとする文型なり語句の用法なりを，できるだけ現実にその場面に臨んでいるという感じがもてるような雰囲気で理解させ，かつ，表現させることが望ましい。したがって，場面設定などの上で有効な補助教具の利用が考えられるべきである。たとえば，第3課のⅠでは「さくら」と「もも」を素材としているが，この二つの花にこだわらず，他の花でもよいし，また，適当な花が得られなければ，絵本などにたよるよりは，実際のくだものを利用するほうが，「この・その・あの」などの指示語との対応がつけやすい場面をつくることができる。

　また，新出語の提示においても， Dialogues の中の語にのみこだわらず， Drills の中の新出語を積極的に採り入れたり，テキスト外の語をも採り入れるようにしたりするほうがよい。Dialogues では，その場面の制約から，たとえば商店を表わす名称として，その課では「さかなや」しか提示されていなくても，絵を見せることによって容易に理解しうるような「やおや」「肉や」「本や」などの類は，「〜や」という語形上の共通点などをもあわせ利用し，積極的に提示することが望ましい。このことに関連して，新出語や新出文型の理解もできるだけ英訳にたよらぬ方法をとるよう心がけるほうがよい。

　たとえば，第5課ではじめて形容詞の指導にはいるわけだが，その際，既出の文型を適切に利用することによって，英語などをいっさい用いることなく，その意味や用法を理解させることができる。形容詞の意味・用法を理解させる場合に，色を表わす「赤い」「白い」などから導入するのも比較的容易な方法である。まず，色が異なる以外には大きさも形なども変わりがないチョークや紙などをいくつか用意する。そして，既習の文型である「これは＿＿です。」や「ここに＿＿があります。」を利用して，「チョーク」や「紙」ということばの意味を理解させた上で，「これは白いチョーク（紙）です。」「これは赤いチョーク（紙）です。」とか，「ここに白いチョークがあります。」「あそこに赤いチョークがあります。」 などのように，さらに「チョーク」や「紙」に「赤い」や「白い」という修飾語をつけ加え，また，「赤いチョーク」と「赤い紙」，「白いチョーク」と「白い紙」をそれぞれ対比させることによって，「赤い」や「白い」の意味を理解させるようにするわけである。そして，また，「わたしの本」「日本語の本」など，「〜の」の形による連体修飾語の用法とならべて示すことによって，「赤い紙」「白い チョーク」などの「赤い」「白い」も構文的にも同じ位置に表われ，連体修飾の機能をもつことを理解させることができる。

　Dialogues のテープは，教室で設定された場面で，教師と学生との問答形式などにより，その課で要求される文型や語句の用法の理解・表現練習が一応すんだあとで，復習的な意味で聞かせるほうがよい。

3. Notes

　学生に予習や復習の段階で読ませることはよいが，教室の中でそれそのものを学習対象としてとり上げる必要はない。学習者にそれを読ませて一つの知識として理解させるよりも，教師がその内容をよく心得て，Dialogues の指導を行なう際に，場面の限定とか適切な文例などにその主旨が反映されるようにして，実践的な練習を通して理解させればよい。

4. Drills

　単に学習者自身の作業としてのみ課するよりは，前記の Dialogues の学習の中に適宜織

り込んで指導し，Notes でとり上げた事項を理解させるのに活用することが望ましい。勿論，さらに Drills を Drills として復習の意味で独自に課することも必要なことである。

5. 文 字

　教師の指導によって上に述べたような方法で Dialogues の学習が行なわれれば，文字で表記されたものを与えるのは当然つぎの段階になる。文字学習は，音声言語による理解と表現，すなわち「聞く・話す」の学習が十分に行なわれ，音声言語としてすでに完全にマスターしていることばや文について行なうのである。

　Dialogues のテープは復習的な意味で聞かせるのがよいと述べたが，その一環として，テキストを見ながらテープを聞かせ，音と文字の対応をつけさせることが，各課の文字学習の第一歩になる。また，テープにならって間をとったり抑揚をつけたりして，声を出して読む練習が行なわれてもよいだろう。そのあとで，第三分冊の Reading and Writing に基づいて書く指導を行なうわけであるが，その際，特に筆のはこび方などを学生一人一人について見て回り，親しく指導するような配慮をしてほしい。

　また，書き取りをする場合には，漢字を文字単位として一字ずつ書かせるよりは，語を単位として，しかも適宜文脈を与えた上で書かせるのがよい。そのような練習がくりかえされることによって，その漢字によって表わされる語の意味を正確にとらえさせ，正しい使い方を身につけさせることができるのである。

　そのほか，漢字の指導には，フラッシュ・カードなどの利用で，瞬間的にその文字を認知させる練習や，部首と部首以外の部分をそれぞれ書いたカードをつくり，それらを組み合わせ，いろいろな既習の漢字をつくって示し，その漢字の意味や音などを理解させるなど，工夫しなければならない。

　なお，このテキストはテープ教材として独習用に役立つことを考慮してつくられたものであり，文字学習の面ではかなり制約されているから，学校でのテキストとして使用する場合には，　学習者の目的・能力などによっては，　漢字の提出数をふやすことも考えられよう。

— For the Student —

I. **The Section on Pronunciation and Syllabaries**—This section should be thoroughly covered before proceeding to Lesson 1.

Before beginning Lesson 1, the student should be able to easily recognize each Hiragana symbol and pronounce it correctly. Although romanized texts accompany the Hiragana texts of the Dialogues in the beginning, the student should not depend on them. They are to be used only as a last resort and as a check, and will be included only through Lesson 9.

II. **The Section on Dialogues**—Below is a step-by-step procedure on how to use the Dialogue Section of the Lessons.

1. Read the Key Sentences.

2. Listen to the first dialogue on the Dialogue Tape for the lesson. Try to identify the patterns from the Key Sentences as you listen to the dialogue. Although you will not be expected to understand the dialogue completely at this first hearing, you should try to see how much you can understand using the knowledge you've learned in previous lessons.

3. Learn the words from the dialogue that have translations given in the Index to New Words, Expressions and Patterns.

4. Listen to the dialogue again. This time, be sure you understand the main idea of the dialogue. Refer to the English translation if necessary.

5. Read all the notes in Volume 3 referred to in the Index to New Words, Expressions and Patterns for the dialogue.

6. Listen to the dialogue several times, utilizing the information from the notes to help you understand the text.

7. Listen to the dialogue, while looking at the Japanese text. At this stage the dialogue should be thoroughly understood. It is recommended that you stop the tape after each sentence and check your comprehension.

8. Listen to the dialogue again. This time do not look at the written text at all.

9. Listen to the dialogue again. This time repeat the phrases and sentences as you listen.

10. Review the Key Sentences, the Index to New Words, Expressions and Patterns and the notes for the dialogue. Then proceed to the next dialogue. Follow the above steps for each dialogue in the lesson. When this is completed, proceed to the Drill section.

11. When you have completed the Drill section, go back over the dialogues again. Then proceed to the next lesson.

Ⅲ. **The Section on Drills**—All the drills in the Drill section have a reference to a note in Notes Ⅰ or Notes Ⅱ. Before doing each drill, the student should read the note referred to. Do not do the drills mechanically, but always be conscious of the meaning of what you're saying.

1. Listen to the taped drill instructions carefully.

2. When the tape gives the instruction "Repeat after the tape," you must finish repeating within the allocated time given on the tape. Try to reproduce the same pronunciation, intonation and speed as in the model. When a pair of sentences occur in a drill, the difference in meaning should be clearly understood. Refer to the notes if necessary.

3. When the taped instructions say, "...as shown in the examples," the given examples show the pattern to be used in the drill. Questions followed by a pause should be orally answered before the correct answer is given on the tape. Then compare your answer with the answer given on the tape. It is not only important that your answer be grammatically correct, but also that your pronunciation, intonation and speed be the same as in the taped answer.

4. In the drills with the instruction "Change the following as shown in the examples," the desired change sometimes changes the meaning of the given sentence. Be sure that you are aware of such a change in meaning when it occurs. Use the notes as a reference.

5. Most of each drill is taped. After you have completed the taped part of each drill, do the untaped part of the drill and check your answer with those given at the end of the drill.

6. Only when you have completed a drill without making any grave errors, should you proceed on to the next drill.

The proper completion of the Drill section should mean that you understand the vocabulary and the grammar structure covered in the lesson. You should be able to use them in actual conversation.

CLASSROOM EXPRESSIONS

I

1. いって ください。
   Itte kudasai.　　　　　　　　　Please say it.

2. スミスさん, いって ください。
   Sumisu-san, itte kudasai.　　　Mr. Smith, you say it.

3. もう いちど いって ください。
   Moo iti-do itte kudasai.　　　Say it again.

4. みんなで いっしょに いって
   Minna-de issyo-ni itte　　　　Everybody say it together.

   ください。
   kudasai.

5. きいて ください。
   Kiite kudasai.　　　　　　　　　Listen.

6. もう いちど きいて ください。
   Moo iti-do kiite kudasai.　　　Listen again.

II

1. スミスさん, どうぞ。
   Sumisu-san, doozo.　　　　　　　Mr. Smith, please.

2. ちょっと まって ください。
   Tyotto matte kudasai.　　　　　Wait a moment, please.

3. もう いちど。
   Moo iti-do.　　　　　　　　　　　Once again.

4. いいです。
   Ii-desu.　　　　　　　　　　　　　That's fine.

5. いけません。
   Ikemasen.　　　　　　　　　　　　That's not right.

III

1. ほんを みて ください。
   Hon-o mite kudasai.　　　　　　Look at your book(s).

2. こくばんを みて ください。
   Kokuban-o mite kudasai.　　　　Look at the blackboard.

3. こちらを みて ください。
   Kotira-o mite kudasai　　　　　Look here.

— 69 —

4. この　えを　みて　ください。
Kono　e-o　mite　kudasai.

Look at this picture.

5. みえますか。
Miemasu-ka.

Can you see?

6. はっきり　みえますか。
Hakkiri　miemasu-ka.

Can you see it clearly?

Ⅳ

1. おおきな　こえで　よんで
Ookina　koe-de　yonde

ください。
kudasai.

Please read in a loud voice.

2. はっきり　よんで　ください。
Hakkiri　yonde　kudasai.

Read clearly.

3. もっと　はやく　よんで　ください。
Motto　hayaku　yonde　kudasai.

Read faster.

4. もっと　ゆっくり　よんで
Motto　yukkuri　yonde

ください。
kudasai.

Read more slowly.

5. みんなで　いっしょに　よんで
Minna-de　issyo-ni　yonde

ください。
kudasai.

Everybody read it together.

6. ひとりずつ　よんで　ください。
Hitori-zutu　yonde　kudasai.

Each of you read in turn.

Ⅴ

1. きこえますか。
Kikoemasu-ka.

Can you hear?

2. はっきり　きこえますか。
Hakkiri　kikoemasu-ka.

Can you hear clearly?

3. もう　できましたか。
Moo　dekimasita-ka.

Are you finished?

4. まだ　できませんか。
Mada　dekimasen-ka.

Aren't you finished yet?

5. それで　いいです。
Sore-de　ii-desu.

That'll do.

6. よく　できました。
   Yoku　dekimasita.

   Well done.

VI

1. ほんを　だして　ください。
   Hon-o　dasite　kudasai.

   Take out your book(s).

2. ほんを　あけて　ください。
   Hon-o　akete　kudasai.

   Open your book(s).

3. ほんを　とじて　ください。
   Hon-o　tozite　kudasai.

   Close your book(s).

4. ほんを　しまって　ください。
   Hon-o　simatte　kudasai.

   Put your book(s) away.

5. おぼえて　ください。
   Oboete　kudasai.

   Memorize this.

6. わすれないで　ください。
   Wasurenai-de　kudasai.

   Don't forget.

VII

1. ここへ　きて　ください。
   Koko-e　kite　kudasai.

   Please come here.

2. こくばんに　かいて　ください。
   Kokuban-ni　kaite　kudasai.

   Write it on the blackboard.

3. せきへ　もどって　ください。
   Seki-e　modotte　kudasai.

   Go back to your seat.

4. じぶんの　のーとに　かいて
   Zibun-no　nooto-ni　kaite

   ください。
   kudasai.

   Write it in your notebook(s).

5. ほんの　とおりに　かいて
   Hon-no　toori-ni　kaite

   ください。
   kudasai.

   Copy it from your book(s).

6. わたしの　いう　とおりに　いって
   Watasi-no　iu　toori-ni　itte

   ください。
   kudasai.

   Repeat after me.

VIII

1. おしえては　いけません。
Osiete-wa　　　　ikemasen.

Don't tell each other the answers.

2. あなたは　いっては　いけません。
Anata-wa　　itte-wa　　　ikemasen.

You (sing.) be quiet.

3. えいごを　つかっては　いけません。
Eigo-o　　　tukatte-wa　　　ikemasen.

Don't use English.

4. にほんごで　いって　ください。
Nihon-go-de　　itte　　kudasai.

Say it in Japanese.

5. にほんごの　ほかは　つかわないで
Nihon-go-no　　hoka-wa　　tukawanai-de

ください。
kudasai.

Don't use anything but Japanese.

6. ほかの　ひとは　だまって　いて
Hoka-no　　hito-wa　　damatte　　ite

ください。
kudasai.

Everyone else be quiet.

IX

1. この　ぺーじを　あけて　ください。
Kono　peezi-o　　akete　　kudasai.

Open your book(s) to this page.

2. ここから　よんで　ください。
Koko-kara　　yonde　　kudasai.

Start reading here.

3. ここから　ここまで　よんで
Koko-kara　　koko-made　　yonde

ください。
kudasai.

Read from here to here.

4. まえの　かで　やりました。
Mae-no　　ka-de　　yarimasita.

We did it in the last lesson.

5. つぎの　かで　やります。
Tugi-no　　ka-de　　yarimasu.

We'll take it up in the next lesson.

6. あとで　やります。
Ato-de　　yarimasu.

It'll come up later.

X

1. てーぷを　とめて　ください。
Teepu-o　　tomete　　kudasai.

Stop your tape(s).

2. まきもどして　ください。
   Makimodosite　　kudasai.

   Rewind your tape(s).

3. まきもどして，もう　いちど
   Makimodosite,　moo　iti-do

   Rewind your tape(s) and practice it again.

   れんしゅうして　ください。
   rensyuusite　　kudasai.

4. きょう　やった　ところを　うちで
   Kyoo　yatta　tokoro-o　uti-de

   Review today's lesson at home.

   ふくしゅうして　ください。
   hukusyuusite　　kudasai.

5. つぎの　かを　よく　よしゅうして
   Tugi-no　ka-o　yoku　yosyuusite

   Prepare the next lesson carefully.

   おいて　ください。
   oite　　kudasai.

6. これは　しゅくだいに　します。
   Kore-wa　syukudai-ni　simasu.

   This is your assignment.

PRONUNCIATION EXERCISE

Practice A and B

This table is called the "Gojū-on-zu (Fifty Syllable Table)". It is something like an "alphabet" in the sense that the entries in Japanese Dictionaries are arranged in the order of the syllables in this table. It will therefore be valuable for the student to memorize the table.

あ	い	う	え	お		や	い	ゆ	え	よ						
か	き	く	け	こ		ら	り	る	れ	ろ		が	ぎ	ぐ	げ	ご
さ	し	す	せ	そ		わ	い	う	え	を		ざ	じ	ず	ぜ	ぞ
た	ち	つ	て	と		ん						だ	ぢ	づ	で	ど
な	に	ぬ	ね	の												
は	ひ	ふ	へ	ほ								ば	び	ぶ	べ	ぼ
ま	み	む	め	も								ぱ	ぴ	ぷ	ぺ	ぽ

Practice C

The following syllable sepuences are arranged to aid in improving articulation. They are actually used in training radio announcers and actors. Repeat them as many times as possible while you are using this text book.

あ え い う・え お あ お

か け き く・け こ か こ

きゃ け き きゅ・け きょ きゃ きょ

さ せ し す・せ そ さ そ

しゃ しぇ し しゅ・しぇ しょ しゃ しょ

た て ち つ・て と た と

ちゃ ちぇ ち ちゅ・ちぇ ちょ ちゃ ちょ

な ね に ぬ・ね の な の

にゃ ね に にゅ・ね にょ にゃ にょ

は へ ひ ふ・へ ほ は ほ

ひゃ へ ひ ひゅ・へ ひょ ひゃ ひょ

ま め み む・め も ま も

みゃ め み みゅ・め みょ みゃ みょ

や え い ゆ・え よ や よ

ら れ り る・れ ろ ら ろ

りゃ れ り りゅ・れ りょ りゃ りょ

わ え い う・え お あ お

が げ ぎ ぐ・げ ご が ご

ぎゃ げ ぎ ぎゅ・げ ぎょ ぎゃ ぎょ

LESSON 1

KEY SENTENCES

- $\left\{\begin{array}{l}\text{わたし}\\ \text{Watasi}\\ \text{やまなかさん}\\ \text{Yamanaka-san}\end{array}\right\}$ は $\left\{\begin{array}{l}\text{がくせい}\\ \text{gakusei}\\ \text{にほんじん}\\ \text{Nihon-zin}\end{array}\right\}$ です。
  wa · · · desu.

- $\left\{\begin{array}{l}\text{わたし}\\ \text{Watasi}\\ \text{じょんそんさん}\\ \text{Zyonson-san}\end{array}\right\}$ は $\left\{\begin{array}{l}\text{せんせい}\\ \text{sensei}\\ \text{にほんじん}\\ \text{Nihon-zin}\end{array}\right\}$ では　ありません。
  wa · · · dewa　arimasen.

- $\left\{\begin{array}{l}\text{あなた}\\ \text{Anata}\\ \text{じょんそんさん}\\ \text{Zyonson-san}\end{array}\right\}$ は $\left\{\begin{array}{l}\text{がくせい}\\ \text{gakusei}\\ \text{かいしゃいん}\\ \text{kaisyain}\end{array}\right\}$ ですか。
  wa · · · desu-ka

INDEX to NEW WORDS,

EXPRESSIONS and PATTERNS

Dialogue I

じょんそん……………………… Johnson

おはよう ございます ………… Good morning.………………Notes Ⅱ

やまかわ…………………………… Yamakawa, surname ………… Notes Ⅱ

わたし …………………………… I ………………………………Notes Ⅱ

（わたし）は ……………………………………………………Notes Ⅰ-1

（やまかわ）です………………………………………………… Notes Ⅰ-1

あなた …………………………… you……………………………… Notes Ⅱ

がくせい…………………………… student ……………………… Notes Ⅱ

（がくせいです）か………………………………………………… Notes Ⅰ-3

はい ……………………………… yes………………………………… Notes Ⅱ

じょんそんさん ………………………………………………… Notes Ⅱ

いぎりすじん…………………… an Englishman

いぎりす（じん）……………… England

いいえ ………………………… no ………………………………… Notes Ⅱ

（いぎりすじん）では ありません……………………………Notes Ⅰ-2

あめりかじん…………………… an American

あめりか（じん）………………America, the United States

Dialogue II

すみす ………………………… Smith

こんにちは……………………… Hello.………………………… Notes Ⅱ

やまなか………………………… Yamanaka, surname ………… Notes Ⅱ

せんせい………………………… teacher

— 76 —

かいしゃいん·······················company employee·················Notes Ⅱ

ちゅうごくじん·····················a Chinese

ちゅうごく（じん）················China

にほんじん·························a Japanese

にほん（じん）····················Japan

DIALOGUES

I. (In the morning Yamakawa, the teacher, enters the classroom.)

1 じょんそん ： おはよう　ございます。
Ohayoo　gozaimasu.

2 やまかわ ： おはよう　ございます。　わたしは
Ohayoo　gozaimasu.　Watasi-wa

やまかわです。あなたは　がくせいですか。
Yamakawa-desu.　Anata-wa　gakusei-desu-ka.

3 じょんそん ： はい、わたしは　がくせいです。わたしは
Hai,　watasi-wa　gakusei-desu.　Watasi-wa

じょんそんです。
Zyonson-desu.

4 やまかわ ： じょんそんさんは　いぎりすじんですか。
Zyonson-san-wa　Igirisu-zin-desu-ka.

5 じょんそん ： いいえ、わたしは　いぎりすじんでは
Iie,　watasi-wa　Igirisu-zin-dewa

ありません。わたしは　あめりかじんです。
arimasen.　Watasi-wa　Amerika-zin-desu.

I 1. Johnson : Good morning.
 2. Yamakawa : Good morning. I'm Mr. Yamakawa. Are you a student?
 3. Johnson : Yes, I am. My name is Johnson.
 4. Yamakawa : Are you British?
 5. Johnson : No, I'm not. I'm an American.

Ⅱ. (Three strangers, Smith, Johnson and Yamanaka, meet.)

1	すみす	:	こんにちは。 Konniti-wa.
2	じょんそん やまなか	︰	こんにちは。 Konniti-wa.
3	すみす	:	わたしは　すみすです。あなたは Watasi-wa　　Sumisu-desu.　　Anata-wa じょんそんさんですか。 Zyonson-san-desu-ka.
4	じょんそん	:	はい，わたしは　じょんそんです。 Hai,　watasi-wa　　Zyonson-desu.
5	やまなか	:	わたしは　やまなかです。 Watasi-wa　　Yamanaka-desu.
6	じょんそん	:	やまなかさんは　せんせいですか。 Yamanaka-san-wa　　sensei-desu-ka.

Ⅱ			
1.	Smith	:	Hello.
2.	Johnson Yamanaka	︰	Hello.
3.	Smith	:	I'm Mr. Smith.　Are you Mr. Johnson?
4.	Johnson	:	Yes, I am.
5.	Yamanaka	:	I'm Mr. Yamanaka.
6.	Johnson	:	Are you a teacher?

7 やまなか ： いいえ, わたしは せんせいでは
Iie, watasi-wa sensei-dewa

ありません。わたしは かいしゃいんです。
arimasen. Watasi-wa kaisyain-desu.

8 じょんそん ： すみすさんは あめりかじんですか。
Sumisu-san-wa Amerika-zin-desu-ka.

9 すみす ： いいえ, わたしは あめりかじんでは
Iie, watasi-wa Amerika-zin-dewa

ありません。わたしは いぎりすじんです。
arimasen. Watasi-wa Igirisu-zin-desu.

やまなかさんは ちゅうごくじんですか。
Yamanaka-san-wa Tyuugoku-zin-desu-ka.

10 やまなか ： いいえ, わたしは ちゅうごくじんでは
Iie, watasi-wa Tyuugoku-zin-dewa

ありません。わたしは にほんじんです。
arimasen. Watasi-wa Nihon-zin-desu.

---

7. Yamanaka	:	No, I'm not. I'm a company employee.
8. Johnson	:	Mr. Smith, are you an American?
9. Smith	:	No, I'm not. I'm British. Are you Chinese, Mr. Yamanaka?
10. Yamanaka	:	No, I'm not. I'm Japanese.

DRILLS

Drill 1 〔Based on Notes I—1〕

れいのように いいかえて ください。
Change the following as shown in the examples.

れい Examples

わたしは あめりかじんです。

1 にほんじん─→わたしは にほんじんです。
2 いぎりすじん─→わたしは いぎりすじんです。

もんだい Exercises

わたしは あめりかじんです。

1 にほんじん　　　─→
2 いぎりすじん　　─→
3 ちゅうごくじん ─→
4 がくせい　　　　─→
5 せんせい　　　　─→
6 かいしゃいん　　─→
7 じょんそん　　　─→
8 すみす　　　　　─→
9 やまなか　　　　─→
10 やまかわ　　　　─→

こたえ Answers────────────

1 わたしは にほんじんです。
2 わたしは いぎりすじんです。
3 わたしは ちゅうごくじんです。
4 わたしは がくせいです。
5 わたしは せんせいです。
6 わたしは かいしゃいんです。

7 わたしは　じょんそんです。

8 わたしは　すみすです。

9 わたしは　やまなかです。

10 わたしは　やまかわです。

Drill 2 〔Based on Notes I — 1, 2〕

つぎの　ぶんを　よんで　ください。　Read the following sentences.

1 わたし<u>は</u>　がくせい<u>です</u>。
わたし<u>は</u>　せんせい<u>では</u>　<u>ありません</u>。

2 やまかわさん<u>は</u>　せんせい<u>です</u>。
やまかわさん<u>は</u>　がくせい<u>では</u>　<u>ありません</u>。

3 わたしは　あめりかじんです。
わたしは　にほんじんでは　ありません。

4 じょんそんさんは　あめりかじんです。
じょんそんさんは　にほんじんでは　ありません。

5 わたしは　やまかわです。
わたしは　じょんそんでは　ありません。

6 やまなかさんは　かいしゃいんです。
やまなかさんは　がくせいでは　ありません。

7 わたしは　せんせいです。
わたしは　かいしゃいんでは　ありません。

8 すみすさんは　いぎりすじんです。
すみすさんは　あめりかじんでは　ありません。

9 わたしは　すみすです。
わたしは　やまなかでは　ありません。

10 やまかわさんは　にほんじんです。
やまかわさんは　ちゅうごくじんでは　ありません。

Drill 3 〔Based on Notes Ⅰ — 2〕

れいのように いいかえて ください。
Change the following as shown in the examples.

れい Examples

わたしは せんせいでは ありません。

1 がくせい ⟶わたしは がくせいでは ありません。

2 あめりかじん⟶わたしは あめりかじんでは ありません。

もんだい Exercises

わたしは せんせいでは ありません。

1 がくせい ⟶

2 あめりかじん⟶

3 すみす ⟶

4 やまかわ ⟶

5 かいしゃいん⟶

6 いぎりすじん⟶

7 にほんじん ⟶

8 やまなか ⟶

9 じょんそん ⟶

10 せんせい ⟶

こたえ Answers ————————————

1 わたしは がくせいでは ありません。

2 わたしは あめりかじんでは ありません。

3 わたしは すみすでは ありません。

4 わたしは やまかわでは ありません。

5 わたしは かいしゃいんでは ありません。

6 わたしは いぎりすじんでは ありません。

7 わたしは にほんじんでは ありません。

8 わたしは やまなかでは ありません。

— 83 —

9　わたしは　じょんそんでは　ありません。

10　わたしは　せんせいでは　ありません。

Drill 4　〔Based on Notes Ⅰ— 2〕

れいのように　いいかえて　ください。
Change the following as shown in the examples.

れい　Examples

1　わたしは　せんせいです。

　　—→わたしは　せんせいでは　ありません。

2　すみすさんは　あめりかじんです。

　　—→すみすさんは　あめりかじんでは　ありません。

もんだい　Exercises

1　わたしは　せんせいです。—→

2　すみすさんは　あめりかじんです。—→

3　わたしは　すみすです。—→

4　じょんそんさんは　がくせいです。—→

5　わたしは　いぎりすじんです。—→

6　わたしは　かいしゃいんです。—→

7　やまかわさんは　にほんじんです。—→

8　わたしは　やまかわです。—→

9　やまなかさんは　ちゅうごくじんです。—→

10　わたしは　がくせいです。—→

こたえ　Answers————————————

1　わたしは　せんせいでは　ありません。

2　すみすさんは　あめりかじんでは　ありません。

3　わたしは　すみすでは　ありません。

4　じょんそんさんは　がくせいでは　ありません。

5　わたしは　いぎりすじんでは　ありません。

6　わたしは　かいしゃいんでは　ありません。

7　やまかわさんは　にほんじんでは　ありません。

8　わたしは　やまかわでは　ありません。

9　やまなかさんは　ちゅうごくじんでは　ありません。

10　わたしは　がくせいでは　ありません。

Drill 5　〔Based on Notes Ⅰ— 3〕

れいのように　こたえて　ください。
Answer the following questions as shown in the examples.

れい　Examples

1　あなたは　あめりかじんですか。

　　——→はい, わたしは　あめりかじんです。

2　やまなかさんは　にほんじんですか。

　　——→はい, やまなかさんは　にほんじんです。

もんだい　Exercises

1　あなたは　あめりかじんですか。——→

2　やまなかさんは　にほんじんですか。——→

3　あなたは　がくせいですか。——→

4　やまかわさんは　せんせいですか。——→

5　やまなかさんは　かいしゃいんですか。——→

6　あなたは　いぎりすじんですか。——→

7　すみすさんは　がくせいですか。——→

8　あなたは　ちゅうごくじんですか。——→

9　あなたは　かいしゃいんですか。——→

10　やまかわさんは　にほんじんですか。——→

こたえ　Answers————————————

1　はい, わたしは　あめりかじんです。

2　はい, やまなかさんは　にほんじんです。

  3　はい，わたしは　がくせいです。

  4　はい，やまかわさんは　せんせいです。

  5　はい，やまなかさんは　かいしゃいんです。

  6　はい，わたしは　いぎりすじんです。

  7　はい，すみすさんは　がくせいです。

  8　はい，わたしは　ちゅうごくじんです。

  9　はい，わたしは　かいしゃいんです。

10　はい，やまかわさんは　にほんじんです。

Drill 6　〔Based on Notes I — 3〕

れいのように　しつもんして　ください。
Following the examples, make suitable questions for the answers given below.

れい　Examples

1　はい，わたしは　にほんじんです。

    ──→あなたは　にほんじんですか。

2　はい，すみすさんは　がくせいです。

    ──→すみすさんは　がくせいですか。

もんだい　Exercises

1　はい，わたしは　にほんじんです。──→

2　はい，すみすさんは　がくせいです。──→

3　はい，わたしは　いぎりすじんです。──→

4　はい，わたしは　かいしゃいんです。──→

5　はい，やまなかさんは　かいしゃいんです。──→

6　はい，わたしは　がくせいです。──→

7　はい，じょんそんさんは　あめりかじんです。──→

8　はい，わたしは　ちゅうごくじんです。──→

9　はい，すみすさんは　あめりかじんです。──→

10　はい，やまかわさんは　にほんじんです。──→

こたえ　Answers ─────────────────

1　あなたは　にほんじんですか。

2　すみすさんは　がくせいですか。

3　あなたは　いぎりすじんですか。

4　あなたは　かいしゃいんですか。

5　やまなかさんは　かいしゃいんですか。

6　あなたは　がくせいですか。

7　じょんそんさんは　あめりかじんですか。

8　あなたは　ちゅうごくじんですか。

9　すみすさんは　あめりかじんですか。

10　やまかわさんは　にほんじんですか。

─────────────────

Drill 7　〔Based on Notes I ― 1, 2, 3〕

れいのように　こたえて　ください。
Answer the following questions as shown in the examples.

れい　Examples

1　あなたは　あめりかじんですか。／ はい

　　──→はい, わたしは　あめりかじんです。

2　すみすさんは　にほんじんですか。／ いいえ

　　──→いいえ, すみすさんは　にほんじんでは　ありません。

もんだい　Exercises

1　あなたは　あめりかじんですか。／ はい ──→

2　すみすさんは　にほんじんですか。／ いいえ ──→

3　あなたは　がくせいですか。／ いいえ ──→

4　やまかわさんは　せんせいですか。／ はい ──→

5　あなたは　いぎりすじんですか。／ いいえ ──→

6　やまなかさんは　にほんじんですか。／ はい ──→

7　あなたは　かいしゃいんですか。／ いいえ ──→

8 すみすさんは　がくせいですか。／　いいえ　⟶

9 あなたは　にほんじんですか。／　はい　⟶

10 じょんそんさんは　ちゅうごくじんですか。／　いいえ　⟶

こたえ　Answers ─────────────────────

1 はい，わたしは　あめりかじんです。

2 いいえ，すみすさんは　にほんじんでは　ありません。

3 いいえ，わたしは　がくせいでは　ありません。

4 はい，やまかわさんは　せんせいです。

5 いいえ，わたしは　いぎりすじんでは　ありません。

6 はい，やまなかさんは　にほんじんです。

7 いいえ，わたしは　かいしゃいんでは　ありません。

8 いいえ，すみすさんは　がくせいでは　ありません。

9 はい，わたしは　にほんじんです。

10 いいえ，じょんそんさんは　ちゅうごくじんでは　ありません。

─────────────────────

Drill 8 〔Based on Notes Ⅰ—1, 2, 3〕

れいのように　いいかえて　ください。
Change the following as shown in the examples.

れい　Examples

やまなかさんは　にほんじんです。

1 Question 　　　⟶やまなかさんは　にほんじんですか。

2 じょんそんさん⟶じょんそんさんは　にほんじんですか。

3 Negative 　　　⟶じょんそんさんは　にほんじんでは　ありません。

4 いぎりすじん　⟶じょんそんさんは　いぎりすじんでは　ありません。

もんだい　Exercises

やまなかさんは　にほんじんです。

1 Question 　　⟶

2 じょんそんさん⟶

─ 88 ─

3　Negative　　⟶

4　いぎりすじん⟶

5　Affirmative　⟶

6　Question　　⟶

7　すみすさん　⟶

8　Negative　　⟶

9　やまなかさん⟶

10　あめりかじん⟶

11　Question　　⟶

こたえ　Answers ───────────────

1　やまなかさんは　にほんじんですか。

2　じょんそんさんは　にほんじんですか。

3　じょんそんさんは　にほんじんでは　ありません。

4　じょんそんさんは　いぎりすじんでは　ありません。

5　じょんそんさんは　いぎりすじんです。

6　じょんそんさんは　いぎりすじんですか。

7　すみすさんは　いぎりすじんですか。

8　すみすさんは　いぎりすじんでは　ありません。

9　やまなかさんは　いぎりすじんでは　ありません。

10　やまなかさんは　あめりかじんでは　ありません。

11　やまなかさんは　あめりかじんですか。

───────────────

Drill 9　〔Based on Notes Ⅱ〕

れいのように　こたえて　ください。
Answer the following questions as shown in the examples.

れい　Examples

1　あなたは　すみすさんですか。

　⟶はい，わたしは　すみすです。

2 あなたは やまなかさんですか。

　　──→はい，わたしは やまなかです。

もんだい　Exercises

1 あなたは すみすさんですか。──→

2 あなたは やまなかさんですか。──→

3 あなたは やまかわさんですか。──→

4 あなたは じょんそんさんですか。──→

こたえ　Answers ──────────────────

1 はい，わたしは すみすです。

2 はい，わたしは やまなかです。

3 はい，わたしは やまかわです。

4 はい，わたしは じょんそんです。

──────────────────

PRONUNCIATION DRILL

Long and Short Vowels

Practice 1: Listen to the following sounds and words. Pay special attention to the length of each vowel.

1. あ　　ああ

2. い　　いい

3. う　　うう

4. え　　えい

5. お　　おう

Recognition Test A: Listen to the vowel sounds on the tape. If the vowel sound is long, write L, if short, write S.

1. ＿＿　　　　6. ＿＿

2. ＿＿　　　　7. ＿＿

3. ＿＿　　　　8. ＿＿

4. ＿＿　　　　9. ＿＿

5. ＿＿　　　10. ＿＿　　　(Answers on page 510.)

Practice 2: While listening to the tape, repeat the sounds and words in Practice 1. Try to distinguish between long and short vowels.

Practice 3: Listen to the following sentences. Pay attention to the length of each vowel.

1. おはよう ございます。

2. いいえ, わたしは ちゅうごくじんでは ありません。

3. やまなかさんは せんせいですか。

Practice 4: While listening to the tape, repeat each sentence in Practice 3.

Practice 5: The meanings of the following pairs of everyday words are distinguished clearly by the length of their vowels. Try to discriminate between them.

1. おばさん　　　おばあさん

2. おじさん　　　おじいさん

3. くき　　　くうき

4. けす　　　けーす

5. ここ　　　こうこう

Recognition Test B: Listen to the words on the tape. Write L for words containing a long vowel and S for words containing only short vowels.

1. ___　　　　6. ___

2. ___　　　　7. ___

3. ___　　　　8. ___

4. ___　　　　9. ___

5. ___　　　10. ___　(Answers on page 510.)

Practice 6: While listening to the tape, repeat the words in Practice 5.

LESSON 2

KEY SENTENCES

- $\left\{\begin{array}{ll} その & ひと \\ \text{Sono} & \text{hito} \\ \\ あの & ひと \\ \text{Ano} & \text{hito} \end{array}\right\}$ は　だれですか。
  wa　dare-desu-ka.

- $\left\{\begin{array}{ll} あの & ひと \\ \text{Ano} & \text{hito} \\ \\ すみすさん \\ \text{Sumisu-san} \end{array}\right\}$ は　なにじんですか。
  wa　nani-zin-desu-ka.

- じょんそんさんは　あめりかじんです。べいりーさんも
  Zyonson-san-wa　　　　Amerika-zin-desu.　　　Beirii-san-mo

  あめりかじんです。
  Amerika-zin-desu.

- べいりーさんと　じょんそんさんは　あめりかじんで,
  Beirii-san-to　　　Zyonson-san-wa　　　Amerika-zin-de,

  すみすさんは　いぎりすじんです。
  Sumisu-san-wa　　　Igirisu-zin-desu.

  $\left.\begin{array}{l} この \\ \text{kono} \\ \\ その \\ \text{sono} \\ \\ あの \\ \text{ano} \end{array}\right\}$ ひと
  hito

— 93 —

INDEX to NEW WORDS,

EXPRESSIONS and PATTERNS

Dialogue I

この　ひと ·· Notes I-1

この　（ひと） ·· Notes I-1

（この）　ひと ································· person

べぃりー　　　 ····························· Bailey

はじめまして，どうぞ　よろしく ········ How do you do. ······ Notes II

どうぞ　よろしく ··· Notes II

（あなた）　も ·· Notes I-3

そうです　 ····························· That is so., Yes. ······ Notes I-6

（べぃりーさん）　と ··· Notes I-5

そうでは　ありません ····················· That is not so., No. ··· Notes I-6

（あめりかじん）　で ··· Notes I-4

やまかわ　せんせい ·· Notes II

Dialogue II

こんばんは ····························· Good evening. ········ Notes II

その　　　 ·· Notes I-1

だれ　　　 ····························· who ···················· Notes I-2

べるなーる ····························· Bernard

わたしたち ····························· we ···················· Notes II

ふらんすじん ····························· a Frenchman

ふらんす（じん） ····················· France

あなたたち ····························· you (pl.) ··············· Notes II

りゅうがくせい ····················· foreign student ········ Notes II

がいこうかん ································· diplomat

あの ··· Notes Ⅰ-1

なにじん ····························· of what nationality ··· Notes Ⅱ

DIALOGUES

I. (A Japanese teacher enters a classroom with a new student.)

1　やまかわ　　：　おはよう　　ございます。
　　　　　　　　　　Ohayoo　　　　gozaimasu.

2　じょんそん　　：　おはよう　　ございます。
　　すみす　　　　　Ohayoo　　　　gozaimasu.

3　やまかわ　　：　この　　ひとは　　べいりーさんです。
　　　　　　　　　　Kono　　hito-wa　　Beirii-san-desu.

4　べいりー　　：　わたしは　　べいりーです。　　はじめまして,
　　　　　　　　　　Watasi-wa　　Beirii-desu.　　　　Hazimemasite,

　　　　　　　　　　どうぞ　よろしく。
　　　　　　　　　　doozo　　　yorosiku.

5　じょんそん　　：　わたしは　　じょんそんです。　　どうぞ
　　　　　　　　　　Watasi-wa　　Zyonson-desu.　　　　Doozo

　　　　　　　　　　よろしく。
　　　　　　　　　　yorosiku.

I　1. Yamakawa　：　Good morning.
　　2. Johnson
　　　　Smith　　　：　Good morning.
　　3. Yamakawa　：　This is Mr. Bailey.
　　4. Bailey　　　：　I'm Mr. Bailey. How do you do? Glad to meet you.
　　5. Johnson　　：　I'm Mr. Johnson. How do you do?

6 すみす   : わたしは　すみすです。　どうぞ　よろしく。
Watasi-wa   Sumisu-desu.   Doozo   yorosiku.

7 じょんそん   : べいりーさん、わたしは　あめりかじんです。
Beirii-san,   watasi-wa   Amerika-zin-desu.

あなたも　あめりかじんですか。
Anata-mo   Amerika-zin-desu-ka.

8 べいりー   : はい，そうです。
Hai.   soo-desu.

9 やまかわ   : べいりーさんと　じょんそんさんは
Beirii-san-to   Zyonson-san-wa

あめりかじんです。
Amerika-zin-desu.

10 べいりー   : すみすさん，あなたも　あめりかじんですか。
Sumisu-san,   anata-mo   Amerika-zin-desu-ka.

11 すみす   : いいえ，そうでは　ありません。　わたしは
Iie,   soo-dewa   arimasen.   Watasi-wa

いぎりすじんです。
Igirisu-zin-desu.

☆   ☆   ☆

べいりーさんと　じょんそんさんは　あめりかじんで，
Beirii-san-to   Zyonson-san-wa   Amerika-zin-de,

すみすさんは　いぎりすじんです。　やまかわせんせいは
Sumisu-san-wa   Igirisu-zin-desu.   Yamakawa-sensei-wa

にほんじんです。
Nihon-zin-desu.

---

6. Smith   : I'm Mr. Smith. How do you do?
7. Johnson   : Mr. Bailey, I'm an American. Are you an American, too?
8. Bailey   : Yes, I am.
9. Yamakawa : Mr. Bailey and Mr. Johnson are Americans.
10. Bailey   : Mr. Smith, are you an American, too?
11. Smith   : No, I am not. I am British.

☆   ☆   ☆

Bailey and Johnson are Americans and Smith is British. Yamakawa is Japanese.

Ⅱ. (In a night school classroom.)

1　せんせい　　　：　こんばんは。
Konban-wa.

2　かいしゃいん　：　こんばんは。
Konban-wa.

3　せんせい　　　：　その　ひとは　だれですか。
Sono　hito-wa　dare-desu-ka.

4　かいしゃいん　：　この　ひとは　べるなーるさんです。
Kono　hito-wa　Berunaaru-san-desu.

　　　　　　　　　　わたしたちは　ふらんすじんです。
Watasi-tati-wa　Huransu-zin-desu.

5　せんせい　　　：　あなたたちは　りゅうがくせいですか。
Anata-tati-wa　ryuugakusei-desu-ka.

6　かいしゃいん　：　いいえ，　わたしは　かいしゃいんで，
Iie,　watasi-wa　kaisyain-de,

　　　　　　　　　　べるなーるさんは　がいこうかんです。
Berunaaru-san-wa　gaikookan-desu.

Ⅱ　1. Teacher　　　　　　　：　Good evening.
　　2. Company employee　：　Good evening.
　　3. Teacher　　　　　　　：　Who's that?
　　4. Company employee　：　This is Mr. Bernard. We are French.
　　5. Teacher　　　　　　　：　Are you students?
　　6. Company employee　：　No, I work for a company, and Mr. Bernard is a
　　　　　　　　　　　　　　　　diplomat.

7　せんせい　　　：　あの　ひとも　ふらんすじんですか。
　　　　　　　　　　　　Ano　　hito-mo　Huransu-zin-desu-ka.

8　かいしゃいん　：　いいえ，そうでは　ありません。
　　　　　　　　　　　　Iie,　　　soo-dewa　　arimasen.

9　せんせい　　　：　あの　ひとは　なにじんですか。
　　　　　　　　　　　　Ano　　hito-wa　nani-zin-desu-ka.

10　かいしゃいん　：　あの　ひとは　あめりかじんです。　あの
　　　　　　　　　　　　Ano　　hito-wa　Amerika-zin-desu.　　　Ano

　　　ひとは　りゅうがくせいです。
　　　hito-wa　ryuugakusei-desu.

---

7. Teacher　　　　　：　Is that person French, too?

8. Company employee　：　No, he isn't.

9. Teacher　　　　　：　What's his nationality?

10. Company employee　：　He's an American. He's a student.

DRILLS

Drill 1 〔Based on Notes I — 1〕

れいのように こたえて ください。
Answer the following questions as shown in the examples.

れい Examples

1 <u>この</u> ひとは にほんじんですか。／ はい

→はい, <u>その</u> ひとは にほんじんです。

2 <u>この</u> ひとは がくせいですか。／ いいえ

→いいえ, <u>その</u> ひとは がくせいでは ありません。

もんだい Exercises

1 この ひとは にほんじんですか。／ はい →

2 この ひとは がくせいですか。／ いいえ →

3 この ひとは じょんそんさんですか。／ はい →

4 この ひとは あめりかじんですか。／ いいえ →

5 この ひとは かいしゃいんですか。／ はい →

6 この ひとは べいりーさんですか。／ いいえ →

7 この ひとは いぎりすじんですか。／ はい →

8 この ひとは べるなーるさんですか。／ いいえ →

9 この ひとは がいこうかんですか。／ はい →

10 この ひとは ちゅうごくじんですか。／ いいえ →

こたえ Answers —————————————————————————

1 はい, その ひとは にほんじんです。

2 いいえ, その ひとは がくせいでは ありません。

3 はい, その ひとは じょんそんさんです。

4 いいえ, その ひとは あめりかじんでは ありません。

5 はい, その ひとは かいしゃいんです。

6 いいえ, その ひとは べいりーさんでは ありません。

7 はい, その ひとは いぎりすじんです。

8 いいえ, その ひとは べるなーるさんでは ありません。

9 はい, その ひとは がいこうかんです。

10 いいえ, その ひとは ちゅうごくじんでは ありません。

Drill 2 〔Based on Notes I — 1〕

れいのように こたえて ください。
Answer the following questions as shown in the examples.

れい Examples

1 <u>その</u> ひとは にほんじんですか。 / はい

 ——→はい, <u>この</u> ひとは にほんじんです。

2 <u>その</u> ひとは がくせいですか。 / いいえ

 ——→いいえ, <u>この</u> ひとは がくせいでは ありません。

もんだい Exercises

1 その ひとは にほんじんですか。 / はい ——→

2 その ひとは がくせいですか。 / いいえ ——→

3 その ひとは やまなかさんですか。 / はい ——→

4 その ひとは ふらんすじんですか。 / いいえ ——→

5 その ひとは りゅうがくせいですか。 / はい ——→

6 その ひとは やまかわさんですか。 / いいえ ——→

7 その ひとは いぎりすじんですか。 / はい ——→

8 その ひとは がいこうかんですか。 / いいえ ——→

9 その ひとは べいりーさんですか。 / はい ——→

10 その・ひとは あめりかじんですか。 / いいえ ——→

こたえ Answers ————————————

1 はい, この ひとは にほんじんです。

2 いいえ, この ひとは がくせいでは ありません。

3 はい, この ひとは やまなかさんです。

4 いいえ，この ひとは ふらんすじんでは ありません。

5 はい，この ひとは りゅうがくせいです。

6 いいえ，この ひとは やまかわさんでは ありません。

7 はい，この ひとは いぎりすじんです。

8 いいえ，この ひとは がいこうかんでは ありません。

9 はい，この ひとは べっりーさんです。

10 いいえ，この ひとは あめりかじんでは ありません。

Drill 3 〔Based on Notes Ⅰ — 1〕

れいのように こたえて ください。
Answer the following questions as shown in the examples.

れい Examples

1 あの ひとは ふらんすじんですか。／ はい

　　——→はい，あの ひとは ふらんすじんです。

2 あの ひとは がくせいですか。／ いいえ

　　——→いいえ，あの ひとは がくせいでは ありません。

もんだい Exercises

1 あの ひとは ふらんすじんですか。／ はい ——→

2 あの ひとは がくせいですか。／ いいえ ——→

3 あの ひとは すみすさんですか。／ はい ——→

4 あの ひとは かいしゃいんですか。／ はい ——→

5 あの ひとは ちゅうごくじんですか。／ いいえ ——→

6 あの ひとは べるなーるさんですか。／ いいえ ——→

7 あの ひとは いぎりすじんですか。／ はい ——→

8 あの ひとは じょんそんさんですか。／ はい ——→

9 あの ひとは りゅうがくせいですか。／ いいえ ——→

10 あの ひとは あめりかじんですか。／ いいえ ——→

こたえ　Answers————————————

1　はい，あの　ひとは　ふらんすじんです。

2　いいえ，あの　ひとは　がくせいでは　ありません。

3　はい，あの　ひとは　すみすさんです。

4　はい，あの　ひとは　かいしゃいんです。

5　いいえ，あの　ひとは　ちゅうごくじんでは　ありません。

6　いいえ，あの　ひとは　べるなーるさんでは　ありません。

7　はい，あの　ひとは　いぎりすじんです。

8　はい，あの　ひとは　じょんそんさんです。

9　いいえ，あの　ひとは　りゅうがくせいでは　ありません。

10　いいえ，あの　ひとは　あめりかじんでは　ありません。

————————————

Drill 4　〔Based on Notes I — 3〕

つぎの　ぶんを　よんで　ください。　　Read the following sentences.

1　やまなかさんは　にほんじんです。やまかわさんも　にほんじんです。

2　やまなかさんは　せんせいです。やまかわさんも　せんせいです。

3　じょんそんさんは　かいしゃいんでは　ありません。べいりーさんも
　　かいしゃいんでは　ありません。

4　べるなーるさんは　がいこうかんです。すみすさんも
　　がいこうかんです。

5　やまなかさんは　ちゅうごくじんでは　ありません。やまかわさんも
　　ちゅうごくじんでは　ありません。

6　じょんそんさんは　あめりかじんです。すみすさんも
　　あめりかじんです。

7　べいりーさんは　いぎりすじんでは　ありません。べるなーるさんも
　　いぎりすじんでは　ありません。

8　すみすさんは　りゅうがくせいです。べるなーるさんも
　　りゅうがくせいです。

9 べいりーさんは ふらんすじんでは ありません。じょんそんさんも
ふらんすじんでは ありません。

10 すみすさんは かいしゃいんです。やまかわさんも かいしゃいんです。

Drill 5 〔Based on Notes Ⅰ— 3〕

れいのように こたえて ください。
Answer the following questions as shown in the examples.

れい Examples

1 この ひとは がくせいです。あの ひとも がくせいですか。／ はい
──→はい, あの ひとも がくせいです。

2 すみすさんは あめりかじんです。やまなかさんも
あめりかじんですか。／ いいえ
──→いいえ, やまなかさんは あめりかじんでは ありません。

もんだい Exercises

1 この ひとは がくせいです。あの ひとも がくせいですか。／ はい
──→

2 すみすさんは あめりかじんです。やまなかさんも
あめりかじんですか。／ いいえ ──→

3 やまなかさんは せんせいです。すみすさんも せんせいですか。
／ いいえ ──→

4 べるなーるさんは ふらんすじんです。べいりーさんも
ふらんすじんですか。／ いいえ ──→

5 この ひとは がいこうかんです。あの ひとも がいこうかんですか。
／ はい ──→

6 すみすさんは あめりかじんです。じょんそんさんも
あめりかじんですか。／ はい ──→

7 べいりーさんは いぎりすじんです。べるなーるさんも
いぎりすじんですか。／ いいえ ──→

8 すみすさんは　りゅうがくせいです。べいりーさんも

　　りゅうがくせいですか。／ いいえ —→

9 その　ひとは　ちゅうごくじんです。あの　ひとも

　　ちゅうごくじんですか。／ はい —→

10 やまかわさんは　かいしゃいんです。じょんそんさんも

　　かいしゃいんですか。／ はい —→

こたえ　Answers ─────────────────

1 はい，あの　ひとも　がくせいです。

2 いいえ，やまなかさんは　あめりかじんでは　ありません。

3 いいえ，すみすさんは　せんせいでは　ありません。

4 いいえ，べいりーさんは　ふらんすじんでは　ありません。

5 はい，あの　ひとも　がいこうかんです。

6 はい，じょんそんさんも　あめりかじんです。

7 いいえ，べるなーるさんは　いぎりすじんでは　ありません。

8 いいえ，べいりーさんは　りゅうがくせいでは　ありません。

9 はい，あの　ひとも　ちゅうごくじんです。

10 はい，じょんそんさんも　かいしゃいんです。

────────────────

Drill 6 〔Based on Notes I — 5〕

れいのように　いいかえて　ください。
Change the following as shown in the examples.

れい　Examples

1 すみすさんは　がくせいです。べいりーさんは　がくせいです。

　　—→すみすさん<u>と</u>　べいりーさんは　がくせいです。

2 やまなかさんは　にほんじんです。やまかわさんは　にほんじんです。

　　—→やまなかさん<u>と</u>　やまかわさんは　にほんじんです。

もんだい　Exercises

1 すみすさんは　がくせいです。べいりーさんは　がくせいです。 —→

2 やまなかさんは　にほんじんです。やまかわさんは
にほんじんです。⟶

3 りんさんは¹　ちゅうごくじんです。ちんさんは²
ちゅうごくじんです。⟶

4 じょんそんさんは　りゅうがくせいです。べいりーさんは
りゅうがくせいです。⟶

5 べるなーるさんは　がいこうかんです。すみすさんは
がいこうかんです。⟶

6 やまなかさんは　かいしゃいんです。じょんそんさんは
かいしゃいんです。⟶

7 べるなーるさんは　ふらんすじんです。あの　ひとは
ふらんすじんです。⟶

8 やまかわさんは　せんせいです。じょんそんさんは
せんせいです。⟶

9 べいりーさんは　いぎりすじんです。すみすさんは
いぎりすじんです。⟶

10 じょんそんさんは　あめりかじんです。すみすさんは
あめりかじんです。⟶

こたえ　Answers ─────────────────

1 すみすさんと　べいりーさんは　がくせいです。

2 やまなかさんと　やまかわさんは　にほんじんです。

3 りんさんと　ちんさんは　ちゅうごくじんです。

4 じょんそんさんと　べいりーさんは　りゅうがくせいです。

5 べるなーるさんと　すみすさんは　がいこうかんです。

6 やまなかさんと　じょんそんさんは　かいしゃいんです。

7 べるなーるさんと　あの　ひとは　ふらんすじんです。

8 やまかわさんと　じょんそんさんは　せんせいです。

〔¹りん Lin (Chinese surname), ²ちん Ch'in (Chinese surname)〕
　Rin　　　　　　　　　　　　　　Tin

9　べいりーさんと　すみすさんは　いぎりすじんです。

10　じょんそんさんと　すみすさんは　あめりかじんです。

Drill 7　〔Based on Notes I — 4〕

れいのように　いいかえて　ください。
Change the following as shown in the examples.

れい　Examples

1　わたしは　あめりかじんです。この　ひとは　ふらんすじんです。
　　——わたしは　あめりかじんで,　この　ひとは　ふらんすじんです。

2　あの　ひとは　ちゅうごくじんです。この　ひとは　にほんじんです。
　　——あの　ひとは　ちゅうごくじんで,　この　ひとは　にほんじんです。

もんだい　Exercises

1　わたしは　あめりかじんです。この　ひとは　ふらんすじんです。——→

2　あの　ひとは　ちゅうごくじんです。この　ひとは
　　にほんじんです。——→

3　あなたは　せんせいです。わたしは　かいしゃいんです。——→

4　この　ひとは　あめりかじんです。その　ひとは
　　いぎりすじんです。——→

5　じょんそんさんは　りゅうがくせいです。べるなーるさんは
　　がいこうかんです。——→

6　やまかわさんは　せんせいです。じょんそんさんは
　　りゅうがくせいです。——→

7　すみすさんは　いぎりすじんです。べるなーるさんは
　　ふらんすじんです。——→

8　やまなかさんは　かいしゃいんです。すみすさんは
　　がいこうかんです。——→

9　じょんそんさんは　あめりかじんです。やまかわさんは
　　にほんじんです。——→

10 べるなーるさんは　せんせいです。べいりーさんは
　　がいこうかんです。 ⟶

こたえ　Answers━━━━━━━━━━━━━━━━━

1　わたしは　あめりかじんで，この　ひとは　ふらんすじんです。

2　あの　ひとは　ちゅうごくじんで，この　ひとは　にほんじんです。

3　あなたは　せんせいで，わたしは　かいしゃいんです。

4　この　ひとは　あめりかじんで，その　ひとは　いぎりすじんです。

5　じょんそんさんは　りゅうがくせいで，べるなーるさんは
　　がいこうかんです。

6　やまかわさんは　せんせいで，じょんそんさんは　りゅうがくせいです。

7　すみすさんは　いぎりすじんで，べるなーるさんは　ふらんすじんです。

8　やまなかさんは　かいしゃいんで，すみすさんは　がいこうかんです。

9　じょんそんさんは　あめりかじんで，やまかわさんは
　　にほんじんです。

10　べるなーるさんは　せんせいで，べいりーさんは　がいこうかんです。

━━━━━━━━━━━━━━━

Drill 8　〔Based on Notes Ⅰ— 2, Note Ⅱ〕

れいのように　こたえて　ください。
Answer the following questions as shown in the examples.

れい　Examples

1　この　ひとは　なにじんですか。／　にほんじん

　　⟶その　ひとは　にほんじんです。

2　その　ひとは　だれですか。／　すみすさん

　　⟶この　ひとは　すみすさんです。

もんだい　Exercises

1　この　ひとは　なにじんですか。／　にほんじん　⟶

2　その　ひとは　だれですか。／　すみすさん　⟶

3　あの　ひとは　なにじんですか。／　ちゅうごくじん　⟶

4　この　ひとは　だれですか。／　やまなかさん　⟶

5　その　ひとは　なにじんですか。／　あめりかじん　⟶

6　あの　ひとは　だれですか。／　じょんそんさん　⟶

7　この　ひとは　なにじんですか。／　いぎりすじん　⟶

8　その　ひとは　だれですか。／　べいりーさん　⟶

9　あの　ひとは　なにじんですか。／　ふらんすじん　⟶

10　この　ひとは　だれですか。／　やまかわさん　⟶

こたえ　Answers —————————————————

1　その　ひとは　にほんじんです。

2　この　ひとは　すみすさんです。

3　あの　ひとは　ちゅうごくじんです。

4　その　ひとは　やまなかさんです。

5　この　ひとは　あめりかじんです。

6　あの　ひとは　じょんそんさんです。

7　その　ひとは　いぎりすじんです。

8　この　ひとは　べいりーさんです。

9　あの　ひとは　ふらんすじんです。

10　その　ひとは　やまかわさんです。

———————————————

Drill 9　〔Based on Notes I— 6〕

れいのように　こたえて　ください。
Answer the following questions as shown in the examples.

れい　Examples

1　あなたは　がくせいですか。／　はい

　　⟶はい，そうです。

2　この　ひとは　あめりかじんですか。／　いいえ

　　⟶いいえ，そうでは　ありません。

もんだい　Exercises

1　あなたは　がくせいですか。／　はい　⟶

2　この　ひとは　あめりかじんですか。／　いいえ　⟶

3　あの　ひとは　かいしゃいんですか。／　はい　⟶

4　やまなかさんは　ちゅうごくじんですか。／　いいえ　⟶

5　じょんそんさんは　ふらんすじんですか。／　いいえ　⟶

6　あの　ひとは　やまかわさんですか。／　はい　⟶

7　べるなーるさんは　ふらんすじんでか。／　はい　⟶

8　べいりーさんは　りゅうがくせいですか。／　いいえ　⟶

9　すみすさんは　いぎりすじんですか。／　はい　⟶

10　やまかわさんは　がいこうかんですか。／　いいえ　⟶

こたえ　Answers ─────────────────

1　はい，そうです。

2　いいえ，そうでは　ありません。

3　はい，そうです。

4　いいえ，そうでは　ありません。

5　いいえ，そうでは　ありません。

6　はい，そうです。

7　はい，そうです。

8　いいえ，そうでは　ありません。

9　はい，そうです。

10　いいえ，そうでは　ありません。

PRONUNCIATION DRILL

Consecutive Vowel Sounds

Practice 1: Listen to the tape. Notice that every vowel syllable has the same intensity and time value.

1. あい	5. いえ	9. こえを
2. あう	6. うえ	10. おい
3. あえ	7. うお	11. おう
4. あおい	8. めい	12. おえ

Practice 2: While listening to the tape, repeat the words in Practice 1. Give every vowel syllable the same time value and the same intensity. Do not diphthongize えい, おう, あい.

Practice 3: Listen to the following sentences paying particular attention to consecutive vowel sounds.

1. おはよう ございます。

2. はい, わたしは がくせいです。

3. いいえ, わたしは がくせいでは ありません。

4. わたしは べいりーです。

5. わたしは かいしゃいんです。

6. わたしは がいこうかんです。

Practice 4: Listening to the tape, repeat the sentences in Practice 3.

Practice 5: The following everyday words contain two consecutive vowel sounds. Listen to them and note that every syllable has the same intensity and time value.

1. こえ	3. かう	5. つめたい
2. かお	4. つくえ	6. くろい

Practice 6: Listening to the tape, repeat the words in Practice 5. Be sure you do not blend the second vowel sound with the first.

LESSON 3

KEY SENTENCES

- この はな**も** その はな**も** さくらです。
  Kono hana-mo sono hana-mo sakura-desu.

- $\begin{Bmatrix} その はな \\ \text{Sono hana} \\ あの たてもの \\ \text{Ano tatemono} \end{Bmatrix}$ は なんですか。
  wa nan-desu-ka.

- ゆうびんきょくは **どの** たてものですか。
  Yuubinkyoku-wa dono tatemono-desu-ka.

INDEX ᴛᴏ NEW WORDS,

EXPRESSIONS ᴀɴᴅ PATTERNS

Dialogue I

はな ⋯⋯⋯⋯⋯⋯⋯⋯⋯⋯⋯ blossoms, flowers

さくら ⋯⋯⋯⋯⋯⋯⋯⋯⋯ cherry blossoms

（この　はな）も（その　はな）も ⋯⋯⋯⋯⋯⋯⋯ Notes I-3

せんせい ⋯⋯⋯⋯⋯⋯⋯⋯ teacher ⋯⋯⋯⋯ Notes II

ちがいます ⋯⋯⋯⋯⋯⋯⋯ That's wrong. ⋯⋯⋯ Notes II

もも ⋯⋯⋯⋯⋯⋯⋯⋯⋯ peach, peach blossoms

もう　いちど ⋯⋯⋯⋯⋯⋯ once more, once again

いって　ください ⋯⋯⋯⋯ Please say it. ⋯⋯⋯ Notes II

はい ⋯⋯⋯⋯⋯⋯⋯⋯⋯ all right, certainly ⋯ Notes II

ありがとう　ございました ⋯⋯⋯⋯⋯ Thank you.

Dialogue II

この　（たてものは⋯⋯） ⋯⋯⋯⋯⋯⋯⋯⋯ Notes I-1

たてもの ⋯⋯⋯⋯⋯⋯⋯⋯ building

がっこう ⋯⋯⋯⋯⋯⋯⋯⋯ school

しょうがっこう ⋯⋯⋯⋯⋯ primary school

（あの　たてものは）　なんですか ⋯⋯⋯⋯⋯⋯ Notes I-2

なん（ですか） ⋯⋯⋯⋯⋯⋯⋯⋯⋯⋯⋯⋯ Notes II

きょうかい ⋯⋯⋯⋯⋯⋯⋯ church

ゆうびんきょく ⋯⋯⋯⋯⋯ post office

どの ⋯⋯⋯⋯⋯⋯⋯⋯⋯⋯⋯⋯⋯⋯ Notes I-3

Dialogue III

おとこ ⋯⋯⋯⋯⋯⋯⋯⋯⋯ male (human)⋯⋯⋯ Notes II

おとこの　ひと ································ a man ···················· Notes Ⅱ

かわむら* ·································· Kawamura, surname···Notes Ⅱ

おおき ································· Ōki, surname ········ Notes Ⅱ

おんな ································· female (human) ········ Notes Ⅱ

おんなの　ひと ····························· a woman ················· Notes Ⅱ

たなか ································ Tanaka ···················· Notes Ⅱ

さとう ································ Satō, surname ·······Notes Ⅱ

DIALOGUES

Ⅰ. (In the classroom Smith and Johnson are asking their teacher questions. Smith has cherry blossoms in his hand. Near the teacher is a vase in which cherry blossoms are arranged. Peach blossoms are blooming in the schoolyard.)

1　すみす　　　：　この　　はなは　　さくらですか。
　　　　　　　　　　Kono　　hana-wa　　sakura-desu-ka.

2　せんせい　　：　はい, そうです。　　その
　　　　　　　　　　Hai,　soo-desu.　　　Sono

　　　　　　　　　はなは　　さくらです。
　　　　　　　　　hana-wa　　sakura-desu

3　すみす　　　：　その　　はなも　　さくらですか。
　　　　　　　　　　Sono　　hana-mo　　sakura-desu-ka.

4　せんせい　　：　はい, この　　はなも
　　　　　　　　　　Hai,　kono　　hana-mo

　　　　　　　　　さくらです。　この　　はなも
　　　　　　　　　sakura-desu.　Kono　　hana-mo

　　　　　　　　　その　　はなも　　さくらです。
　　　　　　　　　sono　　hana-mo　　sakura-desu.

さ　く　ら

Ⅰ　1. Smith　　　：　Are these cherry blossoms?
　　2. Teacher　：　Yes. They are cherry blossoms.
　　3. Smith　　　：　Are those also cherry blossoms?
　　4. Teacher　：　Yes, they are.　Both are cherry blossoms.

5　じょんそん　：　せんせい，あの　はなも　さくらですか。
Sensei,　　ano　　hana-mo　　sakura-desu-ka.

6　せんせい　：　いいえ，ちがいます。　あの
Iie,　　tigaimasu.　　Ano

はなは　ももです。
hana-wa　　momo-desu.

7　じょんそん　：　せんせい，もう　いちど
Sensei,　　moo　　iti-do

いって　ください。
itte　　kudasai.

8　せんせい　：　はい。　あの　はなは
Hai.　　Ano　　hana-wa

ももです。
momo-desu.

も　も

9　じょんそん　：　ありがとう　ございました。
Arigatoo　　gozaimasita.

Ⅱ．〔Johnson and his teacher are standing in front of an elementary school building.　Johnson speaks, pointing to the school building in front of them.〕

5.	Johnson	:	Are those cherry blossoms, too?
6.	Teacher	:	No, they aren't. They are peach blossoms.
7.	Johnson	:	Will you please repeat what you said?
8.	Teacher	:	Certainly. They are peach blossoms.
9.	Johnson	:	Thank you very much.

1 じょんそん ： この たてものは がっこうですか。
Kono tatemono-wa gakkoo-desu-ka.

2 せんせい ： はい，この たてものは
Hai, kono tatemono-wa

しょうがっこうです。
syoogakkoo-desu.

3 じょんそん ： あの たてものは なんですか。
Ano tatemono-wa nan-desu-ka.

4 せんせい ： あの たてものは きょうかいです。
Ano tatemono-wa kyookai-desu.

5 じょんそん ： ゆうびんきょくは どの たてものですか。
Yuubinkyoku-wa dono tatemono-desu-ka.

6 せんせい ： ゆうびんきょくは あの たてものです。
Yuubinkyoku-wa ano tatemono-desu.

Ⅲ. (Johnson and his friend Kawamura are at a meeting where Johnson finds he knows no one. Therefore, he asks Kawamura to tell him the names of those present.)

Ⅱ 1. Johnson : Is this building a school?
   2. Teacher : Yes, this building is an elementary school.
   3. Johnson : What's that building?
   4. Teacher : That's a church.
   5. Johnson : Which building is the post office?
   6. Teacher : The post office is that building.

1 じょんそん : あの おとこの ひとは だれですか。
           Ano   otoko-no   hito-wa   dare-desu-ka.

2 かわむら : あの ひとは おおきさんです。
           Ano   hito-wa   Ooki-san-desu.

3 じょんそん : あの おんなの ひとは だれですか。
           Ano   onna-no   hito-wa   dare-desu-ka.

4 かわむら : あの ひとは たなかさんです。
           Ano   hito-wa   Tanaka-san-desu.

5 じょんそん : あの ひとたちは にほんじんですか。
           Ano   hito-tati-wa   Nihon-zin-desu-ka.

6 かわむら : そうです。 おおきさんも たなかさんも
           Soo-desu.   Ooki-san-mo   Tanaka-san-mo

              にほんじんです。
              Nihon-zin-desu.

7 じょんそん : さとうさんは どの ひとですか。
           Satoo-san-wa   dono   hito-desu-ka.

8 かわむら : さとうさんは あの ひとです。
           Satoo-san-wa   ano   hito-desu.

Ⅲ 1. Johnson : Who's that gentleman?

   2. Kawamura : That's Mr. Ōki.

   3. Johnson : Who's that lady?

   4. Kawamura : That's Miss Tanaka.

   5. Johnson : Are they Japanese?

   6. Kawamura : Yes. Both Mr. Ōki and Miss Tanaka are Japanese.

   7. Johnson : Which one is Mr. Satō?

   8. Kawamura : That's Mr. Satō.

DRILLS

Drill 1 〔Based on Notes **I** — 1〕

れいのように いいかえて ください。
Change the following as shown in the examples.

れい Examples

1 この はなは さくらです。 その はなも さくらです。

　　—→この はな<u>も</u> その はな<u>も</u> さくらです。

2 べいりーさんは がくせいです。すみすさんも がくせいです。

　　—→べいりーさん<u>も</u> すみすさん<u>も</u> がくせいです。

もんだい Exercises

1 この はなは さくらです。その はなも さくらです。 —→

2 べいりーさんは がくせいです。すみすさんも がくせいです。 —→

3 この とりは[1] つばめです[2]。あの とりも つばめです。 —→

4 わたしは あめりかじんです。あの ひとも あめりかじんです。 —→

5 おおきさんは にほんじんです。たなかさんも にほんじんです。 —→

6 この とりは すずめです[3]。あの とりも すずめです。 —→

7 すみすさんは りゅうがくせいです。じょんそんさんも
　 りゅうがくせいです。 —→

8 この ひとは かいしゃいんです。あの ひとも かいしゃいんです。
　 —→

9 べいりーさんは がくせいです。じょんそんさんも がくせいです。—→

10 この ひとは かいしゃいんです。その ひとも かいしゃいんです。
　 あの ひとも かいしゃいんです。 —→

〔[1]とり　　bird，　[2]つばめ　　swallow，　[3]すずめ　　sparrow 〕
　 tori　　　　　　tubame　　　　　　　　suzume

こたえ　Answers ─────────────────

1　この　はなも　その　はなも　さくらです。

2　べいりーさんも　すみすさんも　がくせいです。

3　この　とりも　あの　とりも　つばめです。

4　わたしも　あの　ひとも　あめりかじんです。

5　おおきさんも　たなかさんも　にほんじんです。

6　この　とりも　あの　とりも　すずめです。

7　すみすさんも　じょんそんさんも　りゅうがくせいです。

8　この　ひとも　あの　ひとも　かいしゃいんです。

9　べいりーさんも　じょんそんさんも　がくせいです。

10　この　ひとも　その　ひとも　あの　ひとも　かいしゃいんです。

───────────────────

Drill 2　〔Based on Notes Ⅰ─1〕

れいのように　いいかえて　ください。
Change the following as shown in the examples.

れい　Examples

1　この　はなも　その　はなも　さくらです。あの　はなは　ももです。
　　──→この　はなと　その　はなは　さくらで，あの　はなは　ももです。

2　おおきさんも　たなかさんも　にほんじんです。すみすさんは
　　あめりかじんです。
　　──→おおきさんと　たなかさんは　にほんじんで，すみすさんは
　　あめりかじんです。

もんだい　Exercises

1　この　はなも　その　はなも　さくらです。あの　はなは　ももです。
　　──→

2　おおきさんも　たなかさんも　にほんじんです。すみすさんは
　　あめりかじんです。──→

3　この　ひとも　その　ひとも　がくせいです。あの　ひとは

　　せんせいです。——→

4　ちんさんも　りんさんも　ちゅうごくじんです。べるなーるさんは
　　ふらんすじんです。——→

5　べいりーさんも　じょんそんさんも　がくせいです。べるなーるさんは
　　がいこうかんです。——→

6　この　とりも　その　とりも　すずめです。あの　とりは　つばめです。
　　——→

7　べいりーさんも　じょんそんさんも　いぎりすじんです。すみすさんは
　　あめりかじんです。——→

8　この　ひとも　わたしも　がくせいです。あの　ひとは
　　かいしゃいんです。——→

9　おおきさんも　やまなかさんも　おとこの　ひとです。たなかさんは
　　おんなの　ひとです。——→

10　あの　ひとも　この　ひとも　わたしも　あめりかじんです。
　　ちんさんは　ちゅうごくじんです。——→

こたえ　Answers————————————————

1　この　はなと　その　はなは　さくらで，あの　はなは　ももです。

2　おおきさんと　たなかさんは　にほんじんで，すみすさんは
　　あめりかじんです。

3　この　ひとと　その　ひとは　がくせいで，あの　ひとは
　　せんせいです。

4　ちんさんと　りんさんは　ちゅうごくじんで，べるなーるさんは
　　ふらんすじんです。

5　べいりーさんと　じょんそんさんは　がくせいで，べるなーるさんは
　　がいこうかんです。

6　この　とりと　その　とりは　すずめで，あの　とりは　つばめです。

7　べいりーさんと　じょんそんさんは　いぎりすじんで，すみすさんは
　　あめりかじんです。

8 この　ひとと　わたしは　がくせいで，あの　ひとは
　　かいしゃいんんです。

9 おおきさんと　やまなかさんは　おとこの　ひとで，たなかさんは
　　おんなの　ひとです。

10 あの　ひとと　この　ひとと　わたしは　あめりかじんで，ちんさんは
　　ちゅうごくじんです。

Drill 3 〔Based on Notes I − 2〕

れいのように　こたえて　ください。
Answer the following questions as shown in the examples.

れい Examples

1 この　はなは　<u>なん</u>ですか。／ さくら
　　⟶その　はなは　さくらです。

2 あの　たてものは　<u>なん</u>ですか。／ ゆうびんきょく
　　⟶あの　たてものは　ゆうびんきょくです。

もんだい Exercises

1 この　はなは　なんですか。／ さくら ⟶

2 あの　たてものは　なんですか。／ ゆうびんきょく ⟶

3 あの　とりは　なんですか。／ つばめ ⟶

4 その　くだものは[1]　なんですか。／ みかん[2] ⟶

5 この　はなは　なんですか。／ もも ⟶

6 あの　きは[3]　なんですか。／ まつ[4] ⟶

7 あの　たてものは　なんですか。／ きょうかい ⟶

8 その　とりは　なんですか。／ すずめ ⟶

9 この　くだものは　なんですか。／ りんご[5] ⟶

[1]くだもの　fruit，　　[2]みかん　　mandarin orange，　　[3]き　　tree
　　kudamono　　　　　　mikan　　　　　　　　　　　　　　ki

[4]まつ　pine，　　[5]りんご　　apple
　matu　　　　　　ringo

10 あの きは なんですか。／ すぎ[1] ⟶

こたえ　Answers ─────────────────

1 その はなは さくらです。

2 あの たてものは ゆうびんきょくです。

3 あの とりは つばめです。

4 この くだものは みかんです。

5 その はなは ももです。

6 あの きは まつです。

7 あの たてものは きょうかいです。

8 この とりは すずめです。

9 その くだものは りんごです。

10 あの きは すぎです。

─────────────────────

Drill 4 〔Based on Notes I ─ 2〕

れいのように こたえて ください。
Answer the following questions as shown in the examples.

れい　Examples

1 あの たてものは なんですか。／ ゆうびんきょく

　⟶あの たてものは ゆうびんきょくです。

2 この ひとは だれですか。／ やまかわさん

　⟶その ひとは やまかわさんです。

もんだい　Exercises

1 あの たてものは なんですか。／ ゆうびんきょく ⟶

2 この ひとは だれですか。／ やまかわさん ⟶

3 その はなは なんですか。／ さくら ⟶

4 あの ひとは だれですか。／ じょんそんさん ⟶

5 その ひとは だれですか。／ おおきさん ⟶

〔 [1] すぎ　　cedar 〕
　　sugi

6　あの　きは　なんですか。／ すぎ　⟶

7　この　ひとは　だれですか。／ すみすさん　⟶

8　この　とりは　なんですか。／ すずめ　⟶

9　あの　ひとは　だれですか。／ べるなーるさん　⟶

10　その　ひとは　だれですか。／ たなかさん　⟶

こたえ　Answers ─────────────────

1　あの　たてものは　ゆうびんきょくです。

2　その　ひとは　やまかわさんです。

3　この　はなは　さくらです。

4　あの　ひとは　じょんそんさんです。

5　この　ひとは　おおきさんです。

6　あの　きは　すぎです。

7　その　ひとは　すみすさんです。

8　その　とりは　すずめです。

9　あの　ひとは　べるなーるさんです。

10　この　ひとは　たなかさんです。

Drill 5　〔Based on Notes Ⅰ— 2〕

れいのように　しつもんして　ください。
Following the examples, make suitable questions for the answers given below.

れい　Examples

1　あの　たてものは　ゆうびんきょくです。

　　⟶あの　たてものは　なんですか。

2　この　ひとは　やまかわさんです。

　　⟶その　ひとは　だれですか。

もんだい　Exercises

1　あの　たてものは　ゆうびんきょくです。⟶

2　この　ひとは　やまかわさんです。⟶

3 その　はなは　さくらです。──→

4 この　くだものは　みかんです。──→

5 あの　ひとは　べるなーるさんです。──→

6 その　ひとは　すみすさんです。──→

7 この　とりは　つばめです。──→

8 あの　きは　まつです。──→

9 あの　あめりかじんは　すみすさんです。──→

10 その　おんなの　ひとは　たなかさんです。──→

こたえ　Answers───────────────

1 あの　たてものは　なんですか。

2 その　ひとは　だれですか。

3 この　はなは　なんですか。

4 その　くだものは　なんですか。

5 あの　ひとは　だれですか。

6 この　ひとは　だれですか。

7 その　とりは　なんですか。

8 あの　きは　なんですか。

9 あの　あめりかじんは　だれですか。

10 この　おんなの　ひとは　だれですか。

────────────────

Drill 6　〔Based on Notes I — 3〕

れいのように　こたえて　ください。
Answer the following questions as shown in the examples.

れい　Examples

1 ゆうびんきょくは　どの　たてものですか。／あの

　　──→ゆうびんきょくは　あの　たてものです。

2 たなかさんは　どの　ひとですか。／その

　　──→たなかさんは　その　ひとです。

もんだい　Exercises

1　ゆうびんきょくは　どの　たてものですか。／　あの　──→

2　たなかさんは　どの　ひとですか。／　その　──→

3　さくらは　どの　はなですか。／　この　──→

4　すみすさんは　どの　ひとですか。／　その　──→

5　つばめは　どの　とりですか。／　あの　──→

6　ももは　どの　はなですか。／　その　──→

7　やまかわさんは　どの　ひとですか。／　この　──→

8　せんせいは　どの　ひとですか。／　その　──→

9　すぎは　どの　きですか。／　あの　──→

10　べるなーるさんは　どの　ひとですか。／　その　──→

こたえ　Answers ─────────────────

1　ゆうびんきょくは　あの　たてものです。

2　たなかさんは　その　ひとです。

3　さくらは　この　はなです。

4　すみすさんは　その　ひとです。

5　つばめは　あの　とりです。

6　ももは　その　はなです。

7　やまかわさんは　この　ひとです。

8　せんせいは　その　ひとです。

9　すぎは　あの　きです。

10　べるなーるさんは　その　ひとです。

─────────────────

Drill 7　〔Based on Notes Ⅰ— 3〕

れいのように　しつもんして　ください。
Following the examples, make suitable questions for the answers given below.

れい　Examples

1　べるなーるさんは　あの　ひとです。

　　　　　⟶べるなーるさんは　<u>どの</u>　ひとですか。

2　さくらは　その　はなです。

　　　　　⟶さくらは　<u>どの</u>　はなですか。

もんだい　Exercises

1　べるなーるさんは　あの　ひとです。⟶

2　さくらは　その　はなです。⟶

3　がっこうは　あの　たてものです。⟶

4　たなかさんは　この　ひとです。⟶

5　せんせいは　その　ひとです。⟶

6　すずめは　あの　とりです。⟶

7　やまかわさんは　この　ひとです。⟶

8　ももは　その　はなです。⟶

9　まつは　あの　きです。⟶

10　すみすさんは　あの　ひとです。⟶

こたえ　Answers————————————

1　べるなーるさんは　どの　ひとですか。

2　さくらは　どの　はなですか。

3　がっこうは　どの　たてものですか。

4　たなかさんは　どの　ひとですか。

5　せんせいは　どの　ひとですか。

6　すずめは　どの　とりですか。

7　やまかわさんは　どの　ひとですか。

8　ももは　どの　はなですか。

9　まつは　どの　きですか。

10　すみすさんは　どの　ひとですか。

PRONUNCIATION DRILL

ん —when it precedes a syllable from Line 7, 14, 15, 21, 26 or 27.

Practice 1: Listen to the following words. Notice that when ん precedes a syllable in the above-mentioned lines, it is similar to the "m" in the English word "home".

1. せんまい   3. ねんぴょう   5. でんぽう

2. だんぼう   4. さんみゃく   6. かんびょう

Practice 2: Pronounce the words in Practice 1. Do not forget that ん is a syllable in itself, and should be given the same time value as any other syllable.

Practice 3: Listen to the following sentences.

1. こんばんは。

2. にほんまですか。

3. さんぽに いきました。

4. でんぽうが きました。

5. ねんぴょうが ほしいです。

Practice 4: Pronounce the sentences in Practice 3.

Practice 5: It is important to discriminate between words containing a syllable from line 7 or 21 preceded by ん and words containing a syllable from line 7 or 21 not preceded by ん. Listen to the following minimal pairs.

1. さま   さんま

2. かみ   かんみ

3. かま   かんま

4. ぶみゃく   ぶんみゃく

5. しみょう   しんみょう

Practice 6: Pronounce the minimal pairs in Practice 5. Remember to give ん the time value of a full syllable.

Recognition Test :　Listen to each word and write ん when you hear a word with a ん syllable, and capital O when there is no ん syllable.

1. ___　　　　6. ___

2. ___　　　　7. ___

3. ___　　　　8. ___

4. ___　　　　9. ___

5. ___　　　　10. ___　　(Answers on page 510.)

LESSON 4

KEY SENTENCES

- これは　**だれの**　ほんですか。
  Kore-wa　dare-no　hon-desu-ka.

- これは　**なんの**　ほんですか。
  Kore-wa　nan-no　hon-desu-ka.

- その　かばんは $\begin{cases} わたし \\ \text{watasi} \\ あなた \\ \text{anata} \\ かわむらさん \\ \text{Kawamura-san} \end{cases}$ のです。
  Sono　kaban-wa　　　　　　　　　　　no-desu.

　　　にほんごの　　ほん
　　　Nihon-go-no　　hon

INDEX to NEW WORDS,

EXPRESSIONS and PATTERNS

Dialogue I

これ .... Notes I-1

（あなた）の .... Notes I-2

ほん .... book

それ .... Notes I-1

にほんご .... Japanese language

（にほんご）の .... Notes I-2

それでは .... then............... Notes II

えいご .... English language...... Notes II

あれ .... Notes I-1

とけい .... clock, watch............ Notes II

（おんな）の .... Notes I-2

Dialogue II

おんなの　こ .... girl

こども .... child .... Notes II

おとこの　こ .... boy

しょうがくせい .... primary school pupil

となり .... neighboring, next to, adjacent

うち .... house

（わたし）の（となり）の（うち）の（こども）............... Notes I-2

Dialogue III

かばん .... briefcase, bag

（あなた）の（ですか） ·· Notes Ⅰ-3

では ·· then ····················· Notes Ⅱ

どれ ··· Notes Ⅰ-4

DIALOGUES

I. (A Japanese classroom.)

1 せんせい : これは あなたの ほんですか。
　　　　　　　Kore-wa　anata-no　　hon-desu-ka.

2 がくせい : はい, それは わたしの ほんです。
　　　　　　　Hai,　sore-wa　watasi-no　　hon-desu.

3 せんせい : これは なんの ほんですか。
　　　　　　　Kore-wa　nan-no　hon-desu-ka.

4 がくせい : それは にほんごの ほんです。
　　　　　　　Sore-wa　nihon-go-no　　hon-desu.

5 せんせい : それでは, これは なんの
　　　　　　　Soredewa,　kore-wa　　nan-no

　　　　　　　ほんですか。
　　　　　　　hon-desu-ka.

6 がくせい : それは えいごの ほんです。
　　　　　　　Sore-wa　eigo-no　hon-desu.

7 せんせい : あれは なんですか。
　　　　　　　Are-wa　nan-desu-ka.

8 がくせい : あれは とけいです。あれは
　　　　　　　Are-wa　tokei-desu.　　Are-wa

　　　　　　　おんなの とけいです。
　　　　　　　onna-no　　tokei-desu.

I	1. Teacher	:	Is this your book?
	2. Student	:	Yes, that's my book.
	3. Teacher	:	What's this book?
	4. Student	:	It's a Japanese book.
	5. Teacher	:	Then, what's this book?
	6. Student	:	It's an English book.
	7. Teacher	:	What's that?
	8. Student	:	That's a watch. That's a woman's watch.

9 せんせい　　　：　それでは，　これも　　おんなの
　　　　　　　　　　　Soredewa,　　　kore-mo　　onna-no

　　　　　　　　　　とけいですか。
　　　　　　　　　　tokei-desu-ka.

10 がくせい　　　：　いいえ，　それは　　おとこの
　　　　　　　　　　　Iie,　　　sore-wa　　otoko-no

　　　　　　　　　　とけいです。
　　　　　　　　　　tokei-desu.

　　　　　　　　　　おんなの　　とけいでは　　ありません。
　　　　　　　　　　Onna-no　　tokei-dewa　　arimasen.

II . (Several children are playing. Looking at the two closest to them,
　　　Johnson asks Kawamura the following questions.)

1 じょんそん　　：　この　おんなの　こは　だれの
　　　　　　　　　　　Kono　onna-no　　ko-wa　dare-no

　　　　　　　　　　こどもですか。
　　　　　　　　　　kodomo-desu-ka.

---

　　9. Teacher　　　：　Then, is this a woman's watch, too?
　　10. Student　　：　No, it's a man's watch. It's not a woman's watch.

II 　1. Johnson　　：　Whose child is this?

2 かわむら　　：　おおきさんの　　こどもです。
Ooki-san-no　　　　kodomo-desu.

3 じょんそん　：　この　　おとこの　　こも　　おおきさんの
Kono　　otoko-no　　ko-mo　　Ooki-san-no

こどもですか。
kodomo-desu-ka.

4 かわむら　　：　いいえ，　この　　こは　　たなかさんの
Iie,　　　　kono　　ko-wa　　Tanaka-san-no

こどもです。
kodomo-desu.

5 じょんそん　：　さとうさんの　　こどもは　　どの　　こですか。
Satoo-san-no　　　　kodomo-wa　　dono　　ko-desu-ka.

6 かわむら　　：　さとうさんの　　こどもは　　あの　　おとこの
Satoo-san-no　　　　kodomo-wa　　ano　　otoko-no

こです。
ko-desu.

7 じょんそん　：　あの　　しょうがくせいは　　だれの
Ano　　syoogakusei-wa　　dare-no

こどもですか。
kodomo-desu-ka.

8 かわむら　　：　あの　　こは　　わたしの　　となりの　　うちの
Ano　　ko-wa　　watasi-no　　tonari-no　　uti-no

こどもです。
kodomo-desu.

---

2. Kawamura　：　That's Mr. Ōki's child.
3. Johnson　：　Is this boy Mr. Ōki's child, too?
4. Kawamura　：　No, he's Mr.Tanaka's boy.
5. Johnson　：　Which one is Mr. Satō's child?
6. Kawamura　：　That boy is Mr. Satō's child.
7. Johnson　：　Whose child is that primary school pupil?
8. Kawamura　：　That's my next-door neighbor's child.

Ⅲ. (A dialogue between a teacher and Smith. Johnson and Kawamura are Smith's friends.)

1 せんせい ： この　かばんは　あなたのですか。
Kono　kaban-wa　anata-no-desu-ka.

2 すみす ： いいえ，それは
Iie,　sore-wa

わたしのでは
watasi-no-dewa

ありません。
arimasen.

3 せんせい ： だれのですか。
Dare-no-desu-ka.

4 すみす ： かわむらさんのです。
Kawamura-san-no-desu.

5 せんせい ： その　かばんも　かわむらさんのですか。
Sono　kaban-mo　Kawamura-san-no-desu-ka.

6 すみす ： いいえ，これは　あの　ひとのでは
Iie,　kore-wa　ano　hito-no-dewa

ありません。これは　じょんそんさんのです。
arimasen.　Kore-wa　Zyonson-san-no-desu.

7 せんせい ： では，あなたの　かばんは　どれですか。
Dewa,　anata-no　kaban-wa　dore-desu-ka.

8 すみす ： これです。
Kore-desu.

Ⅲ 1. Teacher ： Is this briefcase yours?
2. Smith ： No, it isn't mine.
3. Teacher ： Whose is it?
4. Smith ： It's Mr. Kawamura's.
5. Teacher ： Is that briefcase Mr. Kawamura's, too?
6. Smith ： No, this isn't his. This is Mr. Johnson's.
7. Teacher ： Which one is your briefcase, then?
8. Smith ： This one.

— 137 —

DRILLS

Drill 1 〔Based on Notes I — 1〕

れいのように こたえて ください。
Answer the following questions as shown in the examples.

れい Examples

1 これは ほんですか。

 —→はい, それは ほんです。

2 あれは がっこうですか。

 —→はい, あれは がっこうです。

もんだい Exercises

1 これは ほんですか。—→

2 あれは がっこうですか。—→

3 それは かばんですか。—→

4 あれは すずめですか。—→

5 これは とけいですか。—→

6 それは さくらですか。—→

7 あれは ももですか。—→

8 それは りんごですか。—→

9 これは みかんですか。—→

10 あれは つばめですか。—→

こたえ Answers————————————

1 はい, それは ほんです。

2 はい, あれは がっこうです。

3 はい, これは かばんです。

4 はい, あれは すずめです。

5 はい, それは とけいです。

6 はい, これは さくらです。

7　はい，あれは　ももです。

8　はい，これは　りんごです。

9　はい，それは　みかんです。

10　はい，あれは　つばめです。

Drill 2　〔Based on Notes Ⅰ — 1〕

れいのように　しつもんして　ください。
Following the examples, make suitable questions for the answers given below.

れい　Examples

1　はい，<u>あれ</u>は　がっこうです。

　　——→<u>あれ</u>は　がっこうですか。

2　いいえ，<u>これ</u>は　みかんでは　ありません。

　　——→<u>それ</u>は　みかんですか。

もんだい　Exercises

1　はい，あれは　がっこうです。——→

2　いいえ，これは　みかんでは　ありません。——→

3　いいえ，それは　さくらでは　ありません。——→

4　はい，これは　つばめです。——→

5　いいえ，あれは　ももでは　ありません。——→

6　はい，それは　かばんです。——→

7　はい，これは　ほんです。——→

8　はい，あれは　りんごです。——→

9　いいえ，これは　すずめでは　ありません。——→

10　いいえ，それは　とけいでは　ありません。——→

こたえ　Answers ————————————

1　あれは　がっこうですか。

2　それは　みかんですか。

3　これは　さくらですか。

4　それは　つばめですか。

5　あれは　ももですか。

6　これは　かばんですか。

7　それは　ほんですか。

8　あれは　りんごですか。

9　それは　すずめですか。

10　これは　とけいですか。

Drill 3　〔Based on Notes Ⅰ— 2〕

れいのように　こたえて　ください。
Answer the following questions as shown in the examples.

れい　Examples

1　それは　だれの　とけいですか。／ すみすさん

　　──これは　すみすさんの　とけいです。

2　これは　だれの　ほんですか。／ べいりーさん

　　──それは　べいりーさんの　ほんです。

もんだい　Exercises

1　それは　だれの　とけいですか。／ すみすさん ──

2　これは　だれの　ほんですか。／ べいりーさん ──

3　あれは　だれの　かばんですか。／ じょんそんさん ──

4　その　おとこの　こは　だれの　こどもですか。／ やまかわさん ──

5　この　おんなの　こは　だれの　こどもですか。／ やまなかさん ──

6　あれは　だれの　かばんですか。／ べいりーさん ──

7　それは　だれの　ほんですか。／ おおきさん ──

8　これは　だれの　とけいですか。／ たなかさん ──

9　あの　おとこの　こは　だれの　こどもですか。／ べるなーるさん ──

10　あの　しょうがくせいは　だれの　こどもですか。／ かわむらさん ──

こたえ　Answers ─────────────

1　これは　すみすさんの　とけいです。

2　それは　べいりーさんの　ほんです。

3　あれは　じょんそんさんの　かばんです。

4　この　おとこの　こは　やまかわさんの　こどもです。

5　その　おんなの　こは　やまなかさんの　こどもです。

6　あれは　べいりーさんの　かばんです。

7　これは　おおきさんの　ほんです。

8　それは　たなかさんの　とけいです。

9　あの　おとこの　こは　べるなーるさんの　こどもです。

10　あの　しょうがくせいは　かわむらさんの　こどもです。

─────────────────

Drill 4　〔Based on Notes Ⅰ— 2〕

れいのように　しつもんして　ください。
Following the examples, make suitable questions for the answers given below.

れい　Examples

1　これは　すみすさん<u>の</u>　ほんです。

　　──→それは　だれ<u>の</u>　ほんですか。

2　それは　たなかさん<u>の</u>　とけいです。

　　──→これは　だれ<u>の</u>　とけいですか。

もんだい　Exercises

1　これは　すみすさんの　ほんです。──→

2　それは　たなかさんの　とけいです。──→

3　あれは　べいりーさんの　かばんです。──→

4　この　おんなの　こは　おおきさんの　こどもです。──→

5　その　おとこの　こは　さとうさんの　こどもです。──→

6　それは　かわむらさんの　ほんです。──→

7　あれは　べるなーるさんの　とけいです。──→

8　あの　しょうがくせいは　やまかわさんの　こどもです。 —→

9　これは　やまなかさんの　かばんです。 —→

10　あの　おんなの　こは　べるなーるさんの　こどもです。 —→

こたえ　Answers ─────────────────

1　それは　だれの　ほんですか。

2　これは　だれの　とけいですか。

3　あれは　だれの　かばんですか。

4　その　おんなの　こは　だれの　こどもですか。

5　この　おとこの　こは　だれの　こどもですか。

6　これは　だれの　ほんですか。

7　あれは　だれの　とけいですか。

8　あの　しょうがくせいは　だれの　こどもですか。

9　それは　だれの　かばんですか。

10　あの　おんなの　こは　だれの　こどもですか。

─────────────────────

Drill 5 〔Based on Notes Ⅰ— 2〕

れいのように　こたえて　ください。
Answer the following questions as shown in the examples.

れい　Examples

1　これは　なん<u>の</u>　ほんですか。 ／ えいご

　　—→それは　えいご<u>の</u>　ほんです。

2　あの　ひとは　なん<u>の</u>　せんせいですか。 ／ にほんご

　　—→あの　ひとは　にほんご<u>の</u>　せんせいです。

もんだい　Exercises

1　これは　なんの　ほんですか。 ／ えいご —→

2　あの　ひとは　なんの　せんせいですか。 ／ にほんご —→

3　それは　なんの　くつですか[1] ／ すきー[2] —→

〔[1]くつ　shoes,　　[2]すきー　skiing〕
　　kutu　　　　　　　sukii

— 142 —

4　それは　なんの　はなですか。／さくら　⟶

5　あれは　なんの　ほんですか。／ちゅうごくご　⟶

6　あの　ひとは　なんの　せんせいですか。／えいご　⟶

7　これは　なんの　はなですか。／もも　⟶

8　それは　なんの　くつですか。／すけーと[1]　⟶

9　あれは　なんの　ほんですか。／にほんご　⟶

10　あの　ひとは　なんの　せんせいですか。／ふらんすご　⟶

こたえ　Answers────────────

1　それは　えいごの　ほんです。

2　あの　ひとは　にほんごの　せんせいです。

3　これは　すきーの　くつです。

4　これは　さくらの　はなです。

5　あれは　ちゅうごくごの　ほんです。

6　あの　ひとは　えいごの　せんせいです。

7　それは　ももの　はなです。

8　これは　すけーとの　くつです。

9　あれは　にほんごの　ほんです。

10　あの　ひとは　ふらんすごの　せんせいです。

────────────────────

Drill 6　〔Based on Notes Ⅰ— 2〕

れいのように　しつもんして　ください。
Following the examples, make suitable questions for the answers given below.

れい　Examples

1　あの　ひとは　ふらんすご<u>の</u>　せんせいです。

　　⟶あの　ひとは　なん<u>の</u>　せんせいですか。

2　これは　にほんご<u>の</u>　ほんです。

　　⟶それは　なん<u>の</u>　ほんですか。

〔[1]すけーと　skating
　 sukeito　　　　　 〕

── 143 ──

もんだい　Exercises

1　あの　ひとは　ふらんすごの　せんせいです。 ——→

2　これは　にほんごの　ほんです。 ——→

3　あれは　すけーとの　くつです。 ——→

4　それは　ももの　はなです。 ——→

5　あの　ひとは　にほんごの　せんせいです。 ——→

6　これは　ちゅうごくごの　ほんです。 ——→

7　それは　さくらの　はなです。 ——→

8　あれは　まつの　きです。 ——→

9　あの　ひとは　にほんごの　せんせいです。 ——→

10　これは　えいごの　ほんです。 ——→

こたえ　Answers————————————————

1　あの　ひとは　なんの　せんせいですか。

2　それは　なんの　ほんですか。

3　あれは　なんの　くつですか。

4　これは　なんの　はなですか。

5　あの　ひとは　なんの　せんせいですか。

6　それは　なんの　ほんですか。

7　これは　なんの　はなですか。

8　あれは　なんの　きですか。

9　あの　ひとは　なんの　せんせいですか。

10　それは　なんの　ほんですか。

Drill 7 〔Based on Notes Ⅰ— 3〕

れいのように こたえて ください。
Answer the following questions as shown in the examples.

れい Examples

1 これは だれの かばんですか。／ べいりーさん
   ⟶それは べいりーさん<u>の</u>です。

2 それは だれの とけいですか。／ やまかわさん
   ⟶これは やまかわさん<u>の</u>です。

もんだい Exercises

1 これは だれの かばんですか。／ べいりーさん ⟶
2 それは だれの とけいですか。／ やまかわさん ⟶
3 あれは だれの ほんですか。／ おおきさん ⟶
4 これは だれの のーとですか[1]。／ じょんそんさん ⟶
5 それは だれの えんぴつですか[2]。／ べいりーさん ⟶
6 あれは だれの まんねんひつですか[3]。／ たなかさん ⟶
7 これは だれの ほんですか。／ かわむらさん ⟶
8 それは だれの くつですか。／ やまなかさん ⟶
9 あれは だれの とけいですか。／ べるなーるさん ⟶
10 あれは だれの かばんですか。／ すみすさん ⟶

こたえ Answers ─────────────────

1 それは べいりーさんのです。
2 これは やまかわさんのです。
3 あれは おおきさんのです。
4 それは じょんそんさんのです。
5 これは べいりーさんのです。
6 あれは たなかさんのです。

〔[1]のーと notebook, [2]えんぴつ pencil, [3]まんねんひつ fountainpen〕
   nooto   enpitu   mannenhitu

— 145 —

7　それは　かわむらさんのです。

8　これは　やまなかさんのです。

9　あれは　べるなーるさんのです。

10　あれは　すみすさんのです。

Drill 8　〔Based on Notes Ⅰ—1, 3〕

れいのように　いいかえて　ください。
Change the following as shown in the examples.

れい　Examples

1　この　ほんは　わたしのです。

　　——→これは　わたしのです。

2　その　かばんは　すみすさんのです。

　　——→それは　すみすさんのです。

もんだい　Exercises

1　この　ほんは　わたしのです。——→

2　その　かばんは　すみすさんのです。——→

3　あの　とけいは　たなかさんのです。——→

4　その　のーとは　わたしのです。——→

5　この　えんぴつは　あの　ひとのです。——→

6　あの　まんねんひつは　やまかわさんのです。——→

7　この　くつは　かわむらさんのです。——→

8　その　ほんは　あの　ひとのです。——→

9　あの　かばんは　わたしのです。——→

10　この　とけいは　じょそんさんのです。——→

こたえ　Answers ————————————

1　これは　わたしのです。

2　それは　すみすさんのです。

3　あれは　たなかさんのです。

4 それは わたしのです。

5 これは あの ひとのです。

6 あれは やまかわさんのです。

7 これは かわむらさんのです。

8 それは あの ひとのです。

9 あれは わたしのです。

10 これは じょんそんさんのです。

Drill 9 〔Based on Notes Ⅰ—1, 3〕

れいのように こたえて ください。
Answer the following questions as shown in the examples.

れい Examples

1 この ほんは あなたのですか。

——→はい, それは わたしのです。

2 あの くつは すみすさんのですか。

——→はい, あれは すみすさんのです。

もんだい Exercises

1 この ほんは あなたのですか。——→

2 あの くつは すみすさんのですか。——→

3 その まんねんひつは あの ひとのですか。——→

4 あの えんぴつは あなたのですか。——→

5 この のーとは かわむらさんのですか。——→

6 その とけいは じょんそんさんのですか。——→

7 この かばんは あなたのですか。——→

8 あの はがきは¹ べるなーるさんのですか。——→

9 その えんぴつは やまなかさんのですか。——→

10 この くつは あなたのですか。——→

〔¹はがき postcard〕
  hagaki

こたえ　Answers ─────────────────

1　はい，それは　わたしのです。

2　はい，あれは　すみすさんのです。

3　はい，これは　あの　ひとのです。

4　はい，あれは　わたしのです。

5　はい，それは　かわむらさんのです。

6　はい，これは　じょんそんさんのです。

7　はい，それは　わたしのです。

8　はい，あれは　べるなーるさんのです。

9　はい，これは　やまなかさんのです。

10　はい，それは　わたしのです。

─────────────────

Drill 10　〔Based on Notes Ⅰ— 4〕

れいのように　しつもんして　ください。
Following the examples, make suitable questions for the answers given below.

れい　Examples

1　わたしの　ほんは　これです。

　　──→あなたの　ほんは　どれですか。

2　やまかわさんの　とけいは　あれです。

　　──→やまかわさんの　とけいは　どれですか。

もんだい　Exercises

1　わたしの　ほんは　これです。──→

2　やまかわさんの　とけいは　あれです。──→

3　すみすさんの　かばんは　それです。──→

4　じょんそんさんの　のーとは　これです。──→

5　かわむらさんの　えんぴつは　あれです。──→

6　べいりーさんの　まんねんひつは　これです。──→

7　おおきさんの　くつは　あれです。──→

8 やまなかさんの ほんは それです。—→

9 べるなーるさんの のーとは それです。—→

10 たなかさんの かばんは あれです。—→

こたえ Answers——————————————

1 あなたの ほんは どれですか。

2 やまかわさんの とけいは どれですか。

3 すみすさんの かばんは どれですか。

4 じょんそんさんの のーとは どれですか。

5 かわむらさんの えんぴつは どれですか。

6 べいりーさんの まんねんひつは どれですか。

7 おおきさんの くつは どれですか。

8 やまなかさんの ほんは どれですか。

9 べるなーるさんの のーとは どれですか。

10 たなかさんの かばんは どれですか。

——————————————

PRONUNCIATION DRILL

ん—when it precedes a syllable from Line 4, 5, 9, 12, 13, 18, 19, 22, 24, or 25.

Practice 1: Listen to the following words. Notice that when ん precedes a syllable in the above-mentioned lines, it is similar to the "n" in the English word "net".

1. うんてん	4. かんじ	7. きんちょう
2. あんない	5. ほんだな	8. だんりゅう
3. あんらくいす	6. しんにゅう	9. きんじょ

Practice 2: Pronounce the words in Practice 1. Do not forget that ん is a syllable in itself, and should be given the same time value as any other syllable.

Practice 3: Listen to the following sentences.

1. わたしは　あめりかじんです。

2. あなたは　にほんじんでは　ありません。

3. これは　おんなの　とけいです。

4. かんじは　むずかしいです。

5. かわむらさんのですか。

Practice 4: Pronounce the sentences in Practice 3.

Practice 5: It is important to discriminate between words containing a syllable from line 5 or 19 preceded by ん, and words containing a syllable from line 5 or 19 not preceded by ん. Listen to the following minimal pairs.

1. かな	かんな
2. あな	あんな
3. もの	もんの
4. しにゅう	しんにゅう
5. かにゅう	かんにゅう

— 150 —

Practice 6: Pronounce the minimal pairs in Practice 5. Remember to give ん the time value of a full syllable.

Recognition Test : Listen to each word and write ん when you hear a word with a ん syllable, and 0 when there is no ん syllable.

1. ____   6. ____

2. ____   7. ____

3. ____   8. ____

4. ____   9. ____

5. ____   10. ____ (**Answers** on page 510.)

LESSON 5

KEY SENTENCES

- $\left\{\begin{array}{l}\text{つくえの　うえ}\\ \text{Tukue-no　　ue}\\ \text{はこの　なか}\\ \text{Hako-no　naka}\end{array}\right\}$ に ni $\left\{\begin{array}{l}\text{えんぴつ}\\ \text{enpitu}\\ \text{ちょーく}\\ \text{tyooku}\end{array}\right\}$ が ga　あります。 arimasu.

- $\left\{\begin{array}{l}\text{いすの　うえ}\\ \text{Isu-no　　ue}\\ \text{ここ}\\ \text{Koko}\end{array}\right\}$ には niwa $\left\{\begin{array}{l}\text{ほん}\\ \text{hon}\\ \text{しんぶん}\\ \text{sinbun}\end{array}\right\}$ は wa　ありません。 arimasen.

- つくえの　したには　**なにも**　**ありません。**
  Tukue-no　sita-niwa　nani-mo　arimasen.

- おおきい　はこの　なか**にも**　ちいさい　はこの　なか**にも**
  Ookii　hako-no　naka-nimo　tiisai　hako-no　naka-nimo

  しろい　ちょーくが　あります。
  siroi　tyooku-ga　arimasu.

- おおきい
  ookii
  $\left\{\begin{array}{l}\text{はこ}\\ \text{hako}\\ \text{つくえ}\\ \text{tukue}\\ \text{たてもの}\\ \text{tatemono}\end{array}\right.$

INDEX to NEW WORDS,
EXPRESSIONS and PATTERNS

Dialogue Ⅰ

この えを みて ください ·············· Look at this picture.

え ······································ picture

（なに)が （ありますか） ································· Notes Ⅰ-1

（なにが） あります(か) ································· Notes Ⅰ-1

つくえ ······························· desk

いす ······························· chair

うえ ································· Notes Ⅱ

（うえ）に ································· Notes Ⅰ-1

（ほん）や （のーと）や （えんぴつ）など ·············· Notes Ⅰ-4

（うえ）にも ································· Notes Ⅰ-6

（うえ）には ································· Notes Ⅰ-6

（ほん）は （ありません） ··············· Notes Ⅰ-6

（ほんは） ありません ················· Notes Ⅰ-6

しんぶん ······························· newspaper

した ································· Notes Ⅱ

なにも （ありません） ················· Notes Ⅱ

Dialogue Ⅱ

そこ ································· Notes Ⅰ-3

ここ ································· Notes Ⅰ-3

おおきい ······················ big, large

はこ ······················ box

ちいさい ······················ small, little

— 154 —

なか ……………………………………………… inside

なにか ……………………………………………… Notes Ⅰ-8

ちょーく ……………………………………… chalk

しろい ……………………………………… white

あかい ……………………………………… red

Dialogue Ⅲ

あそこ ……………………………………………… Notes Ⅰ-3

くろい ……………………………………… black

かさ……………………………………… umbrella

（あります）ね ……………………………………………… Notes Ⅰ-9

ぶらっく* ……………………………………… Black

どこ ……………………………………………… Notes Ⅰ-3

DIALOGUES

I . (A Japanese class. The teacher is showing a picture and asking
 questions about it.)

1 せんせい   ： この　えを　みて　ください。なにが
　　　　　　　　　Kono　 e-o　 mite　 kudasai.　 Nani-ga

　　　　　　　　　ありますか。
　　　　　　　　　arimasu-ka.

2 がくせい   ： つくえと　いすが　あります。
　　　　　　　　　Tukue-to　 isu-ga　 arimasu.

3 せんせい   ： つくえの　うえに　なにが　ありますか。
　　　　　　　　　Tukue-no　 ue-ni　 nani-ga　 arimasu-ka.

4 がくせい   ： つくえの　うえに　ほんや　のーとや
　　　　　　　　　Tukue-no　 ue-ni　 hon-ya　 nooto-ya

　　　　　　　　　えんぴつなどが　あります。
　　　　　　　　　enpitu-nado-ga　 arimasu.

5 せんせい   ： いすの　うえにも　ほんが　ありますか。
　　　　　　　　　Isu-no　 ue-nimo　 hon-ga　 arimasu-ka.

I 1. Teacher　： Look at this picture. What do you see?
　 2. Student　： There's a desk and a chair.
　 3. Teacher　： What's on the desk?
　 4. Student　： There are a book, a notebook, pencils and so on on the
　　　　　　　　　　desk.
　 5. Teacher　： Is there a book on the chair, too?

6　がくせい　　　：　いいえ，　いすの　　うえには　　ほんは
Iie,　　　　　isu-no　　ue-niwa　　hon-wa

　　　　　　　　　　ありません。　しんぶんが　あります。
arimasen.　　　sinbun-ga　　　arimasu.

7　せんせい　　　：　つくえの　　したには　　なにが　　ありますか。
Tukue-no　　sita-niwa　　nani-ga　　arimasu-ka.

8　がくせい　　　：　つくえの　　したには　　なにも　　ありません。
Tukue-no　　sita-niwa　　nani-mo　　arimasen.

Ⅱ. (A Japanese class.　Two boxes are placed in front of the students.)

1　せんせい　　　：　そこに　　なにが　　ありますか。
Soko-ni　　nani-ga　　arimasu-ka.

2　がくせい　　　：　ここに　　おおきい　　はこと　　ちいさい　　はこが
Koko-ni　　ookii　　　hako-to　　tiisai　　　hako-ga

　　　　　　　　　　あります。
arimasu.

3　せんせい　　　：　はこの　　なかに　　なにか　　ありますか。
Hako-no　　naka-ni　　nani-ka　　arimasu-ka.

4　がくせい　　　：　はい，　あります。
Hai,　　arimasu.

5　せんせい　　　：　なにが　　ありますか。
Nani-ga　　arimasu-ka.

6　がくせい　　　：　ちょーくが　　あります。
Tyooku-ga　　　arimasu.

---

	6. Student	:	No, there isn't a book on the chair. There's a newspaper.
	7. Teacher	:	What's under the desk?
	8. Student	:	There's nothing under the desk.
Ⅱ	1. Teacher	:	What are these?
	2. Student	:	A large box and a small box.
	3. Teacher	:	Is there anything in them?
	4. Student	:	Yes, there is.
	5. Teacher	:	What's in them?
	6. Student	:	There's chalk in both of them.

7 せんせい　　　：　おおきい　はこの　なかにも　ちいさい
Ookii　　　 hako-no　 naka-nimo　 tiisai

はこの　なかにも　ちょーくが　ありますか。
hako-no　 naka-nimo　 tyooku-ga　 arimasu-ka.

8 がくせい　　　：　はい，おおきい　はこの　なかには　しろい
Hai,　 ookii　　　 hako-no　 naka-niwa　 siroi

ちょーくが　あります。ちいさい　はこの
tyooku-ga　 arimasu.　 Tiisai　　 hako-no

なかには　あかい　ちょーくが　あります。
naka-niwa　 akai　 tyooku-ga　　 arimasu.

Ⅲ. (A conversation between Smith and Miss Black at the entrance of the school building.)

1 すみす　　　　：　あそこに　くろい　かさが　ありますね。
Asoko-ni　　 kuroi　 kasa-ga　 arimasu-ne.

2 ぶらっく　　　：　はい，あります。
Hai,　 arimasu.

3 すみす　　　　：　あの　かさは　だれのですか。
Ano　 kasa-wa　 dare-no-desu-ka.

4 ぶらっく　　　：　あれは　やまかわせんせいのです。
Are-wa　 Yamakawa-sensei-no-desu.

5 すみす　　　　：　あなたのは　どこに　ありますか。
Anata-no-wa　 doko-ni　 arimasu-ka.

6 ぶらっく　　　：　わたしのは　ここに　あります。
Watasi-no-wa　 koko-ni　 arimasu.

---

7. Teacher : Is there chalk in the large box as well as in the small box?

8. Student : Yes, there's white chalk in the large box, and red chalk in the small box.

Ⅲ 1. Smith : That's a black umbrella over there, isn't it?
   2. Black : Yes, it is.
   3. Smith : Whose umbrella is it?
   4. Black : That's Mr. Yamakawa's.
   5. Smith : Where's yours?
   6. Black : Mine's here.

DRILLS

Drill 1 〔Based on Notes I — 1〕

れいのように いいかえて ください。
Change the following as shown in the examples.

れい Examples

> ほんが あります。

1 つくえ⟶ つくえが あります。

2 い す⟶ いすが あります。

もんだい Exercises

> ほんが あります。

1 つくえ ⟶

2 いす ⟶

3 しんぶん ⟶

4 はこ ⟶

5 つくえと いす ⟶

6 しろい かみ ⟶

7 くろい かさ ⟶

8 にほんごの ほん ⟶

9 あなたの かばん ⟶

10 しろい かみと くろい かみ ⟶

こたえ Answers ─────────────

1 つくえが あります。

2 いすが あります。

3 しんぶんが あります。

4 はこが あります。

5 つくえと いすが あります。

6 しろい かみが あります。

7 くろい　かさが　あります。

8 にほんごの　ほんが　あります。

9 あなたの　かばんが　あります。

10 しろい　かみと　くろい　かみが　あります。

Drill 2 〔Based on Notes Ⅰ— 2〕

れいのように　いいかえて　ください。
Change the following as shown in the examples.

れい　Examples

　　　　　ここに　ほんが　あります。

1 しんぶん　　　⟶ここに　しんぶんが　あります。

2 つくえの　うえ⟶つくえの　うえに　しんぶんが　あります。

3 あそこ　　　　⟶あそこに　しんぶんが　あります。

4 しろい　かみ　⟶あそこに　しろい　かみが　あります。

もんだい　Exercises

　　　　　ここに　ほんが　あります。

1 しんぶん　　　⟶

2 つくえの　うえ⟶

3 あそこ　　　　⟶

4 しろい　かみ　⟶

5 はこの　なか　⟶

6 とけい　　　　⟶

7 そこ　　　　　⟶

8 いす　　　　　⟶

9 つくえの　した⟶

10 くろい　かさ　⟶

11 ここ　　　　　⟶

12 ほん　　　　　⟶

こたえ　Answers───────────────

1　ここに　しんぶんが　あります。

2　つくえの　うえに　しんぶんが　あります。

3　あそこに　しんぶんが　あります。

4　あそこに　しろい　かみが　あります。

5　はこの　なかに　しろい　かみが　あります。

6　はこの　なかに　とけいが　あります。

7　そこに　とけいが　あります。

8　そこに　いすが　あります。

9　つくえの　したに　いすが　あります。

10　つくえの　したに　くろい　かさが　あります。

11　ここに　くろい　かさが　あります。

12　ここに　ほんが　あります。

─────────────────────

Drill 3　〔Based on Notes 1 ― 3〕

れいのように　こたえて　ください。
Answer the following questions as shown in the examples.

れい　Examples

1　あなたの　ほんは　どこに　ありますか。／つくえの　うえ

　　──→わたしのは　つくえの　うえに　あります。

2　わたしの　かさは　どこに　ありますか。／あそこ

　　──→あなたのは　あそこに　あります。

もんだい　Exercises

1　あなたの　ほんは　どこに　ありますか。／つくえの　うえ　──→

2　わたしの　かさは　どこに　ありますか。／あそこ　──→

3　あの　ひとの　かみは　どこに　ありますか。／はこの　なか　──→

4　あなたの　はこは　どこに　ありますか。／つくえの　した　──→

5 わたしの　ふとんは[1]　どこに　ありますか。／　そこ　──→

6 あなたの　とけいは　どこに　ありますか。／　ここ　──→

7 わたしの　しんぶんは　どこに　ありますか。／　いすの　うえ　──→

8 あの　ひとの　えは　どこに　ありますか。／　あそこ　──→

9 あなたの　かさは　どこに　ありますか。／　ここ　──→

10 わたしの　とけいは　どこに　ありますか。／　はこの　なか　──→

こたえ　Answers────────────────

1 わたしのは　つくえの　うえに　あります。

2 あなたのは　あそこに　あります。

3 あの　ひとのは　はこの　なかに　あります。

4 わたしのは　つくえの　したに　あります。

5 あなたのは　そこに　あります。

6 わたしのは　ここに　あります。

7 あなたのは　いすの　うえに　あります。

8 あの　ひとのは　あそこに　あります。

9 わたしのは　ここに　あります。

10 あなたのは　はこの　なかに　あります。

─────────────────────

Drill 4 〔Based on Notes Ⅰ— 3〕

れいのように　しつもんして　ください。
Following the examples, make suitable questions for the answers given below.

れい　Examples

1 あそこに　かさが　あります。

　　──→あそこに　なにが　ありますか。

2 かさは　あそこに　あります。

　　──→かさは　どこに　ありますか。

〔[1]ふとん　Japanese bedding〕
　huton

もんだい　Exercises

1　あそこに　かさが　あります。——→

2　かさは　あそこに　あります。——→

3　つくえの　うえに　ほんが　あります。——→

4　ほんは　つくえの　うえに　あります。——→

5　しろい　かみは　はこの　なかに　あります。——→

6　はこの　なかに　しろい　かみが　あります。——→

7　つくえの　したに　かばんが　あります。——→

8　かばんは　つくえの　したに　あります。——→

9　わたしの　かさは　あそこに　あります。——→

10　あそこに　わたしの　ちゃわんと¹　さらが²　あります。——→

こたえ　Answers————————————————

1　あそこに　なにが　ありますか。

2　かさは　どこに　ありますか。

3　つくえの　うえに　なにが　ありますか。

4　ほんは　どこに　ありますか。

5　しろい　かみは　どこに　ありますか。

6　はこの　なかに　なにが　ありますか。

7　つくえの　したに　なにが　ありますか。

8　かばんは　どこに　ありますか。

9　あなたの　かさは　どこに　ありますか。

10　あそこに　なにが　ありますか。

————————————————

[¹ちゃわん　rice bowl,　　²さら　plate, dish]
 tyawan　　　　　　　　　sara

Drill 5 〔Based on Notes Ⅰ— 4〕

れいのように　いいかえて　ください。
Change the following as shown in the examples.

れい　Examples

1 あそこには　ほんと　えんぴつと　のーとが　あります。
　　──→あそこには　ほん<u>や</u>　えんぴつ<u>など</u>が　あります。

2 つくえの　うえには　とけいと　はこと　しんぶんが　あります。
　　──→つくえの　うえには　とけい<u>や</u>　はこ<u>など</u>が　あります。

もんだい　Exercises

1 あそこには　ほんと　えんぴつと　のーとが　あります。──→

2 つくえの　うえには　とけいと　はこと　しんぶんが　あります。──→

3 ここには　かばんと　しんぶんと　はこが　あります。──→

4 はこの　なかには　かみと　とけいと　えんぴつが　あります。──→

5 つくえの　うえには　はなと　はこと　かみが　あります。──→

6 そこには　すみすさんの　かさと　べるなーるさんの　かさと
　　やまなかさんの　かさが　あります。──→

7 ここには　しろい　かみと　くろい　かみと　ちいさい　はこが
　　あります。──→

8 はこの　なかには　すみすさんの　とけいと　じょんそんさんの
　　ほんと　べるなーるさんの　かみが　あります。──→

9 あそこには　おおきい　はこと　ちいさい　はこと　くろい　かさが
　　あります。──→

10 つくえの　したには　かわむらさんの　かばんと　じょんそんさんの
　　かばんと　やまかわさんの　かばんが　あります。──→

こたえ　Answers ────────────────

1 あそこには　ほんや　えんぴつなどが　あります。

2 つくえの　うえには　とけいや　はこなどが　あります。

3 ここには　かばんや　しんぶんなどが　あります。

4　はこの　なかには　かみや　とけいなどが　あります。

5　つくえの　うえには　はなや　はこなどが　あります。

6　そこには　すみすさんの　かさや　べるなーるさんの　かさなどが
　　あります。

7　ここには　しろい　かみや　くろい　かみなどが　あります。

8　はこの　なかには　すみすさんの　とけいや　じょんそんさんの
　　ほんなどが　あります。

9　あそこには　おおきい　はこや　ちいさい　はこなどが　あります。

10　つくえの　したには　かわむらさんの　かばんや　じょんそんさんの
　　かばんなどが　あります。

Drill 6　〔Based on Notes I ― 2, 5〕

れいのように　いいかえて　ください。
Change the following as shown in the examples.

れい　Examples

　　　　やまださんの[1]　つくえの　うえに　おおきい　はこが　あります。

1　ちいさい

　　　⟶やまださんの　つくえの　うえに　ちいさい　はこが　あります。

2　すみすさん

　　　⟶すみすさんの　つくえの　うえに　ちいさい　はこが　あります。

3　つくえの　なか

　　　⟶すみすさんの　つくえの　なかに　ちいさい　はこが　あります。

4　ほん

　　　⟶すみすさんの　つくえの　なかに　ちいさい　ほんが　あります。

〔[1]やまだ　Japanese surname〕
　Yamada

― 165 ―

もんだい　Exercises

　　　　やまださんの　つくえの　うえに　おおきい　はこが　あります。

1　ちいさい　⟶

2　すみすさん　⟶

3　つくえの　なか　⟶

4　ほん　　　　⟶

5　くろい　　　⟶

6　かわむらさん　⟶

7　はこの　なか　⟶

8　かみ　　　　⟶

9　しろい　　　⟶

10　つくえの　した　⟶

11　かさ　　　　⟶

12　じょんそんさん　⟶

こたえ　Answers ─────────────────

1　やまださんの　つくえの　うえに　ちいさい　はこが　あります。

2　すみすさんの　つくえの　うえに　ちいさい　はこが　あります。

3　すみすさんの　つくえの　なかに　ちいさい　はこが　あります。

4　すみすさんの　つくえの　なかに　ちいさい　ほんが　あります。

5　すみすさんの　つくえの　なかに　くろい　ほんが　あります。

6　かわむらさんの　つくえの　なかに　くろい　ほんが　あります。

7　かわむらさんの　はこの　なかに　くろい　ほんが　あります。

8　かわむらさんの　はこの　なかに　くろい　かみが　あります。

9　かわむらさんの　はこの　なかに　しろい　かみが　あります。

10　かわむらさんの　つくえの　したに　しろい　かみが　あります。

11　かわむらさんの　つくえの　したに　しろい　かさが　あります。

12　じょんそんさんの　つくえの　したに　しろい　かさが　あります。

Drill 7 〔Based on Notes I — 6〕

れいのように こたえて ください。
Answer the following questions as shown in the examples.

れい Examples

1 あなたの かさは ここに ありますか。／ はい
　　——→はい，<u>あります</u>。

2 あれは たなかさんの くつですか。／ いいえ
　　——→いいえ，そうでは ありません。

3 これは じょんそんさんの かばんですか。／ はい
　　——→はい，そうです。

4 すみすさんの のーとは つくえの うえに ありますか。／ いいえ
　　——→いいえ，<u>ありません</u>。

もんだい Exercises

1 あなたの かさは ここに ありますか。／ はい ——→

2 あれは たなかさんの くつですか。／ いいえ ——→

3 これは じょんそんさんの かばんですか。／ はい ——→

4 すみすさんの のーとは つくえの うえに ありますか。
　　／ いいえ ——→

5 やまなかさんの とけいは あそこに ありますか。／ いいえ ——→

6 それは あなたの えんぴつですか。／ いいえ ——→

7 あれは かわむらさんの まんねんひつですか。／ はい ——→

8 わたしの かみは はこの なかに ありますか。／ はい ——→

9 わたしの かさは つくえの したに ありますか。／ いいえ ——→

10 これは あなたの ほんですか。／ いいえ ——→

こたえ Answers————————————————

　1 はい，あります。

　2 いいえ，そうでは ありません。

　3 はい，そうです。

4 いいえ，ありません。

5 いいえ，ありません。

6 いいえ，そうでは　ありません。

7 はい，そうです。

8 はい，あります。

9 いいえ，ありません。

10 いいえ，そうでは　ありません

Drill 8 〔Based on Notes Ⅰ— 6〕

れいのように　こたえて　ください。
Answer the following questions as shown in the examples.

れい　Examples

1 ここに　ほんが　あります。あそこに<u>も</u>　ほんが　ありますか。／ はい
　　—→はい，あそこに<u>も</u>　ほんが　あります。

2 ここに　ほんが　あります。あそこに<u>も</u>　ほんが　ありますか。
　　／ いいえ
　　—→いいえ，あそこに<u>は</u>　ほんは　ありません。

もんだい　Exercises

1 ここに　ほんが　あります。あそこにも　ほんが　ありますか。
　　／ はい —→

2 ここに　ほんが　あります。あそこにも　ほんが　ありますか。
　　／ いいえ —→

3 つくえの　うえに　とけいが　あります。つくえの　したにも
　　とけいが　ありますか。／ はい —→

4 つくえの　うえに　とけいが　あります。つくえの　したにも
　　とけいが　ありますか。／ いいえ —→

5 はこの　なかに　かみが　あります。かばんの　なかにも　かみが
　　ありますか。／ いいえ —→

6 はこの　なかに　かみが　あります。かばんの　なかにも　かみが
　　ありますか。／　はい ⟶

7 あそこに　いすが　あります。ここにも　いすが　ありますか。
　　／　はい ⟶

8 あそこに　いすが　あります。そこにも　いすが　ありますか。
　　／　いいえ ⟶

9 はこの　なかに　とけいが　あります。はこの　うえにも　とけいが
　　ありますか。／　いいえ ⟶

10 はこの　なかに　とけいが　あります。はこの　うえにも　とけいが
　　ありますか。／　はい ⟶

こたえ　Answers ───────────────────

1 はい，あそこにも　ほんが　あります。

2 いいえ，あそこには　ほんは　ありません。

3 はい，つくえの　したにも　とけいが　あります。

4 いいえ，つくえの　したには　とけいは　ありません。

5 いいえ，かばんの　なかには　かみは　ありません。

6 はい，かばんの　なかにも　かみが　あります。

7 はい，そこにも　いすが　あります。

8 いいえ，ここには　いすは　ありません。

9 いいえ，はこの　うえには　とけいは　ありません。

10 はい，はこの　うえにも　とけいが　あります。

───────────────

Drill 9 〔Based on Notes I — 6〕

れいのように　こたえて　ください。
Answer the following questions as shown in the examples.

れい　Examples

1 あそこに　かさが　ありますか。／　ここ

　　⟶いいえ，あそこには かさは　ありません。かさは　ここに

あります。

2 つくえの　したに　ほんが　ありますか。／　つくえの　うえ

　　──→いいえ，つくえの　したには　ほんは　ありません。ほんは

　　つくえの　うえに　あります。

もんだい　Exercises

1 あそこに　かさが　ありますか。／　ここ　──→

2 つくえの　したに　ほんが　ありますか。／　つくえの　うえ　──→

3 あそこに　つくえが　ありますか。／　そこ　──→

4 はこの　うえに　かみが　ありますか。／　はこの　なか　──→

5 はこの　なかに　とけいが　ありますか。／　つくえの　うえ　──→

6 あそこに　いすが　ありますか。／　ここ　──→

7 あそこに　とけいが　ありますか。／　この　はこの　なか　──→

8 つくえの　したに　はなが　ありますか。／　つくえの　うえ　──→

9 はこの　なかに　ほんが　ありますか。／　かばんの　なか　──→

10 あなたの　かばんの　なかに　ほんが　ありますか。／　すみすさんの

　　かばんの　なか　──→

こたえ　Answers ─────────────────

1 いいえ，あそこには　かさは　ありません。かさは　ここに

　　あります。

2 いいえ，つくえの　したには　ほんは　ありません。ほんは　つくえの

　　うえに　あります。

3 いいえ，あそこには　つくえは　ありません。つくえは　そこに

　　あります。

4 いいえ，はこの　うえには　かみは　ありません。かみは　はこの

　　なかに　あります。

5 いいえ，はこの　なかには　とけいは　ありません。とけいは

　　つくえの　うえに　あります。

6 いいえ，あそこには　いすは　ありません。いすは　ここに　あります。

7 いいえ，あそこには とけいは ありません。とけいは この はこの
なかに あります。

8 いいえ，つくえの したには はなは ありません。はなは つくえの
うえに あります。

9 いいえ，はこの なかには ほんは ありません。ほんは かばんの
なかに あります。

10 いいえ，わたしの かばんの なかには ほんは ありません。ほんは
すみすさんの かばんの なかに あります。

Drill 10 〔Based on Notes I — 7〕

れいのように こたえて ください。
Answer the following questions as shown in the examples.

れい Examples

1 ここに はなが あります。あそこには なにが ありますか。
　　——→あそこには なにも ありません。

2 つくえの うえに ほんが あります。つくえの したには なにが
ありますか。
　　——→つくえの したには なにも ありません。

もんだい Exercises

1 ここに はなが あります。あそこには なにが ありますか。——→

2 つくえの うえに ほんが あります。つくえの したには なにが
ありますか。——→

3 そこに かさが あります。あそこには なにが ありますか。——→

4 はこの なかに かみが あります。はこの うえには なにが
ありますか。——→

5 かばんの なかに ほんが あります。はこの なかには なにが
ありますか。——→

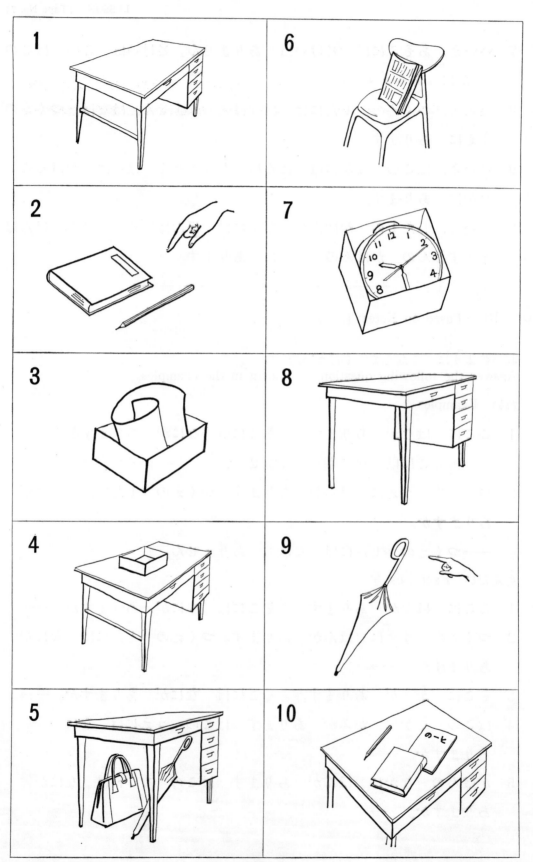

こたえ　Answers ──────────────

1　あそこには　なにも　ありません。

2　つくえの　したには　なにも　ありません。

3　あそこには　なにも　ありません。

4　はこの　うえには　なにも　ありません。

5　はこの　なかには　なにも　ありません。

──────────────

Drill 11　〔Based on Notes I ― 8〕

えを　みて　れいのように　こたえて　ください。
Look at the pictures and answer the questions as shown in the examples.

れい　Examples

1　つくえの　うえに　なにか　ありますか。

　　──→いいえ，なにも　ありません。

2　ここに　なにか　ありますか。

　　──→はい，あります。

　なにが　ありますか。

　　──→ほんと　えんぴつが　あります。

もんだい　Exercises

1　つくえの　うえに　なにか　ありますか。──→

2　ここに　なにか　ありますか。──→

　なにが　ありますか。──→

3　はこの　なかに　なにか　ありますか。──→

　なにが　ありますか。──→

4　はこの　なかに　なにか　ありますか。──→

5　つくえの　したに　なにか　ありますか。──→

　なにが　ありますか。──→

6　いすの　うえに　なにか　ありますか。──→

　なにが　ありますか。──→

— 173 —

7 はこの　なかに　なにか　ありますか。──→

　　なにが　ありますか。──→

8 つくえの　したに　なにか　ありますか。──→

9 ここに　なにか　ありますか。──→

　　なにが　ありますか。──→

10 つくえの　うえに　なにか　ありますか。──→

　　なにが　ありますか。──→

こたえ　Answers ─────────────────────

1 いいえ, なにも　ありません。

2 はい, あります。

　　ほんと　えんぴつが　あります。

3 はい, あります。

　　かみが　あります。

4 いいえ, なにも　ありません。

5 はい, あります。

　　かばんと　かさが　あります。

6 はい, あります。

　　しんぶんが　あります。

7 はい, あります。

　　とけいが　あります。

8 いいえ, なにも　ありません。

9 はい, あります。

　　かさが　あります。

10 はい, あります。

　　ほんと　のーとと　えんぴつが　あります。

─────────────────────

PRONUNCIATION DRILL

ん—*when it precedes a syllable from Line 2, 11, 16, or 23.*

Practice 1: Listen to the following words. Notice that when ん precedes a syllable in the above-mentioned lines, it is similar to the "ng" in the English word "song".

1. いんき   3. かんきゃく

2. にほんご   4. さんぎょうめ

Practice 2: Pronounce the words in Practice 1. Do not forget that ん is a syllable in itself, and should be given the same time value as any other syllable.

Practice 3: Listen to the following sentences.

1. いすの うえに ほんが あります。

2. ほんか しんぶんが ありませんか。

3. かんきゃくせきに いぎりすじんが います。

Practice 4: Pronounce the sentences in Practice 3.

Practice 5: It is important to discriminate between words containing a syllable from Line 11 or 23 preceded by ん and words containing a syllable from Line 11 or 23 not preceded by ん. Listen to the following minimal pairs.

1. かがい   かんがい

2. かげき   かんげき

3. さぎょう   さんぎょう

4. ごぎょう   ごんぎょう

Practice 6: Pronounce the minimal pairs in Practice 5. Remember to give ん the time value of a full syllable.

Recognition Test: Listen to each word and write ん when you hear a word with a ん syllable, and 0 when there is no ん syllable.

1. ____   6. ____

2. ____   7. ____

3. ____   8. ____

4. ____   9. ____

5. ____   10. ____   (Answers on page 510.)

LESSON 6

KEY SENTENCES

- わたしの　うちは　{ とうきょう / なかの } です。
  Watasi-no　uti-wa　{ Tookyoo / Nakano } desu.

- { ここ / あそこ } は　なんですか。　ここは　{ きょうしつ / じむしつ } です。
  { Koko / Asoko } wa　nan-desu-ka.　Koko-wa　{ kyoositu / zimusitu } desu.

こちら,　この
kotira　kono

そちら,　その
sotira　sono
　　　　　　　へん
あちら,　あの　hen
atira　ano

どちら,　どの
dotira　dono

INDEX TO NEW WORDS,

EXPRESSIONS AND PATTERNS

Dialogue I

しんじゅく ……………………………… Shinjuku, a place name

つぎ …………………………………… next……………………… Notes II

えき………………………………………… station

でんしゃ ……………………………… electric train

どこゆき ………………………………………… Notes II

とうきょうゆき ……………………………… Notes II

この　へん……………………………………… Notes I -1

（この）　へん ……………………………… Notes I -1

（なに）く ……………………………………… Notes II

なかのく ……………………………… Nakano Ward ……… Notes II

かわ ……………………………………… river

むこう …………………………………… the other side

あちら ………………………………………… Notes I -2

しんじゅくく ……………………… Shinjuku Ward……… Notes II

にし………………………………… west

ひがし ……………………………… east

こちら ………………………………………… Notes I -2

Dialogue II

じょしがくせい* …………………………… girl student

とうきょう ………………………………… Tokyo ………………… Notes II

（とうきょう）ですか ……………………………… Notes I -3

なかの …………………………………… Nakano, a place name

どの　へん ·· Notes Ⅰ-1

なかのえき ································· Nakano Station

ちかく ··· near

ちず ·· map

きた ·· north

どちら ··· Notes Ⅰ-2

みなみ ·· south

Dialogue Ⅲ

しんにゅうせい* ······················ new student

へや ··· room

せんぱい ····································· a senior, one's senior

きょうしつ ································· classroom

じむしつ ····································· office

じむの　ひと ····························· office clerk

じむ ··· clerical work

こうどう ····································· auditorium, hall

DIALOGUES

Ⅰ. (Johnson and his friend Kawamura are riding in a train.
The train has stopped at the station before Shinjuku.)

1　じょんそん　：　ここは　　しんじゅくですか。
　　　　　　　　　　Koko-wa　　　Sinzyuku-desu-ka.

2　かわむら　　：　いいえ，　しんじゅくでは　　ありません。
　　　　　　　　　　Iie,　　　Sinzyuku-dewa　　　arimasen.

　　　　　　　　　しんじゅくは　つぎの　えきです。
　　　　　　　　　Sinzyuku-wa　　tugi-no　　eki-desu.

3　じょんそん　：　この　でんしゃは　どこゆきですか。
　　　　　　　　　　Kono　densya-wa　　doko-yuki-desu-ka.

4　かわむら　　：　とうきょうゆきです。
　　　　　　　　　　Tookyoo-yuki-desu.

Ⅰ　1. Johnson　　：　Is this Shinjuku?
　　2. Kawamura　：　No, it isn't Shinjuku. Shinjuku is the next station.
　　3. Johnson　　：　Where does this train go?
　　4. Kawamura　：　It's bound for Tokyo.

(The train has left the station. Johnson is looking out of the window. He sees a river.)

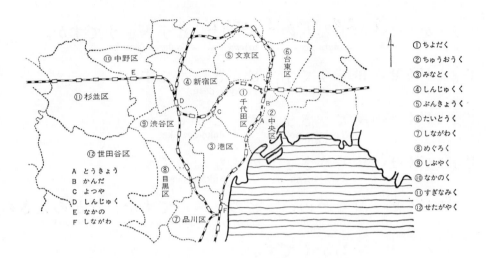

① ちよだく
② ちゅうおうく
③ みなとく
④ しんじゅくく
⑤ ぶんきょうく
⑥ たいとうく
⑦ しながわく
⑧ めぐろく
⑨ しぶやく
⑩ なかのく
⑪ すぎなみく
⑫ せたがやく

5　じょんそん　：　この　へんは　なにくですか。
　　　　　　　　　　Kono　hen-wa　nani-ku-desu-ka.

6　かわむら　：　この　へんは　なかのくです。
　　　　　　　　　Kano　hen-wa　Nakano-ku-desu.

7　じょんそん　：　あの　かわの　むこうも　なかのくですか。
　　　　　　　　　　Ano　kawa-no　mukoo-mo　Nakano-ku-desu-ka.

8　かわむら　：　いいえ，あちらは　しんじゅくです。
　　　　　　　　Iie,　atira-wa　Sinzyuku-ku-desu.

9　じょんそん　：　あちらは　にしですか。
　　　　　　　　　Atira-wa　nisi-desu-ka.

10　かわむら　：　いいえ，あちらは　ひがしです。にしは
　　　　　　　　Iie,　atira-wa　higasi-desu.　Nisi-wa

　　　　　　　　こちらです。
　　　　　　　　kotira-desu.

---

　　5. Johnson　　：　What ward is this area in?
　　6. Kawamura　：　This area is in Nakano Ward.
　　7. Johnson　　：　Is the other side of the river in Nakano Ward, too?
　　8. Kawamura　：　No, the other side is in Shinjuku Ward.
　　9. Johnson　　：　Is that way west?
　10. Kawamura　：　No, that's east.　West is over here.

Ⅱ. (Two girl students are chatting. Both are freshmen and they have just met.)

1 じょしがくせい A: あなたの　うちは　とうきょうですか。
　　　　　　　　　　Anata-no　　uti-wa　　Tookyoo-desu-ka.

2 じょしがくせい B: そうです。とうきょうです。
　　　　　　　　　　Soo-desu.　Tookyoo-desu.

3 じょしがくせい A: とうきょうの　どこですか。
　　　　　　　　　　Tookyoo-no　　doko-desu-ka.

4 じょしがくせい B: とうきょうの　なかのです。
　　　　　　　　　　Tookyoo-no　　Nakano-desu.

5 じょしがくせい A: なかのの　どの　へんですか。なかのえきの
　　　　　　　　　　Nakano-no　dono　hen-desu-ka.　Nakano-eki-no

　　　　　　　　　　ちかくですか。
　　　　　　　　　　tikaku-desu-ka.

6 じょしがくせい B: いいえ，なかのえきの　ちかくでは
　　　　　　　　　　Iie,　　Nakano-eki-no　　tikaku-dewa

　　　　　　　　　　ありません。これは　なかのくの　ちずです。
　　　　　　　　　　arimasen.　Kore-wa　Nakano-ku-no　tizu-desu.

　　　　　　　　　　なかのえきは　ここで，わたしの　うちは
　　　　　　　　　　Nakano-eki-wa　koko-de,　watasi-no　uti-wa

　　　　　　　　　　この　へんです。
　　　　　　　　　　kono　hen-desu.

7 じょしがくせい A: きたは　どちらですか。
　　　　　　　　　　Kita-wa　dotira-desu-ka.

Ⅱ 1. Girl student A : Is your home in Tokyo?
　 2. Girl student B : Yes, it's in Tokyo.
　 3. Girl student A : Where in Tokyo?
　 4. Girl student B : It's in Nakano.
　 5. Girl student A : Where in Nakano? Near Nakano Station?
　 6. Girl student B : No, it's not near Nakano Station. Here is a map of Nakano-ward. This is Nakano Station and my house is somewhere around here.
　 7. Girl student A : Which way is north?

8 じょしがくせいB： きたは　　こちらです。　わたしの　　うちは
　　　　　　　　　　Kita-wa　　kotira-desu.　　Watasi-no　　uti-wa

　　　　　　　　　えきの　　みなみです。
　　　　　　　　　eki-no　　minami-desu.

Ⅲ. (A new student is asking a senior about their school.)

1 しんにゅうせい： この　　へやは　　なんですか。
　　　　　　　　　　Kono　　heya-wa　　nan-desu-ka.

2 せんぱい　　　： この　　へやは　　きょうしつです。
　　　　　　　　　　Kono　　heya-wa　　kyoositu-desu.

3 しんにゅうせい： この　　へやの　　となりも　　きょうしつですか。
　　　　　　　　　　Kono　　heya-no　　tonari-mo　　kyoositu-desu-ka.

4 せんぱい　　　： はい，そうです。
　　　　　　　　　　Hai,　　Soo-desu.

5 しんにゅうせい： あそこは　　なんですか。あそこも
　　　　　　　　　　Asoko-wa　　nan-desu-ka.　　Asoko-mo

　　　　　　　　　きょうしつですか。
　　　　　　　　　kyoositu-desu-ka.

6 せんぱい　　　： いいえ，あそこは　　きょうしつでは
　　　　　　　　　　Iie,　　asoko-wa　　kyoositu-dewa

　　　　　　　　　ありません。じむしつです。
　　　　　　　　　arimasen.　　zimusitu-desu.

7 しんにゅうせい： あの　　おんなの　　ひとは　　せんせいですか。
　　　　　　　　　　Ano　　onna-no　　hito-wa　　sensei-desu-ka.

---

　　8. Girl student B　：　This way is north. My house is south of the station.

Ⅲ　1. New student　：　What's this room?
　　2. Senior　　　：　This is a classroom.
　　3. New student　：　Is the next room a classroom, too?
　　4. Senior　　　：　Yes, it is.
　　5. New student　：　What's that over there? Is that a classroom, too?
　　6. Senior　　　：　No, that's not a classroom. It's an office.
　　7. New student　：　Is that lady a teacher?

8 せんぱい ： いいえ、 あの ひとは じむの ひとで、
      Iie,   ano   hito-wa   zimu-no   hito-de,

             せんせいでは ありません。
             sensei-dewa   arimasen.

9 しんにゅうせい： こうどうは どこですか。
             Koodoo-wa   doko-desu-ka.

10 せんぱい ： こうどうは あちらです。
             Koodoo-wa   atira-desu.

11 しんにゅうせい： あちらは みなみですか。
             Atira-wa   minami-desu-ka.

12 せんぱい ： そうです。
             Soo-desu.

---

  8. Senior   :   No, she's a clerk, not a teacher.
  9. New student :   Where's the auditorium?
10. Senior   :   The auditorium is over there.
11. New student :   Is that way south?
12. Senior   :   Yes, it is.

DRILLS

Drill 1 〔Based on Notes I— 1〕

れいのように いいかえて ください。
Change the following as shown in the examples.

れい Examples

1 <u>ここ</u>は なかのです。

　　→<u>この へん</u>は なかのです。

2 <u>ここ</u>は なにくですか。

　　→<u>この へん</u>は なにくですか。

もんだい Exercises

1 ここは なかのです。 —→

2 ここは なにくですか。 —→

3 ここは しんじゅくでは ありません。 —→

4 ここは しぶやくですか[1]。 —→

5 ここは しんじゅくくですか。 —→

6 ここは しながわくです[2]。 —→

7 ここは かんだです[3]。 —→

8 ここは なかのでは ありません。 —→

9 ここは しぶやですか[4]。 —→

10 ここは めぐろくでは[5] ありません。 —→

こたえ Answers ————————————

1 この へんは なかのです。

2 この へんは なにくですか。

3 この へんは しんじゅくでは ありません。

4 この へんは しぶやくですか。

[1]しぶやく Shibuya Ward,　　[2]しながわく Shinagawa Ward,
　Sibuyaku　　　　　　　　　　　Sinagawaku
[3]かんだ a place name,　[4]しぶや a place name,　[5]めぐろく Meguro Ward
　Kanda　　　　　　　　　Sibuya　　　　　　　　　　Meguroku

5　この　へんは　しんじゅくくですか。

6　この　へんは　しながわくです。

7　この　へんは　かんだです。

8　この　へんは　なかのでは　ありません。

9　この　へんは　しぶやですか。

10　この　へんは　めぐろくでは　ありません。

Drill 2　〔Based on Notes Ⅱ〕

れいのように　しつもん　してください。
Following the examples, make suitable questions for the answers given below.

れい　Examples

1　この　へんは　なかのくです。

　　──→この　へんは　なにくですか。

2　この　でんしゃは　とうきょうゆきです。

　　──→この　でんしゃは　どこゆきですか。

もんだい　Exercises

1　この　へんは　なかのくです。──→

2　この　でんしゃは　とうきょうゆきです。──→

3　かわの　むこうは　しんじゅくくです。──→

4　あの　でんしゃは　しぶやゆきです。[1]──→

5　この　へんは　しながわくです。──→

6　かわの　むこうは　たいとうくです。[2]──→

7　この　でんしゃは　しんじゅくゆきです。[3]──→

8　あの　へんは　しぶやくです。──→

9　あの　でんしゃは　しながわゆきです。[4]──→

10　あの　へんは　めぐろくです。──→

[1]しぶやゆき　bound for Shibuya,　[2]たいとうく　Taitō Ward,
　Sibuya-yuki　　　　　　　　　　　　Taitooku
[3]しんじゅくゆき bound for Shinjuku,　[4]しながわゆき bound for Shinagawa
　Sinzyuku-yuki　　　　　　　　　　　Sinagawa-yuki

こたえ　Answers ────────────────

1　この　へんは　なにくですか。

2　この　でんしゃは　どこゆきですか。

3　かわの　むこうは　なにくですか。

4　あの　でんしゃは　どこゆきですか。

5　この　へんは　なにくですか。

6　かわの　むこうは　なにくですか。

7　この　でんしゃは　どこゆきですか。

8　あの　へんは　なにくですか。

9　あの　でんしゃは　どこゆきですか。

10　あの　へんは　なにくですか。

────────────────────

Drill 3　〔Based on Notes Ⅰ— 2〕

れいのように　こたえて　ください。
Answer the following questions as shown in the examples.

れい　Examples

1　あの　かわの　むこうは　なにくですか。／　なかのく

　　　──→あちらは　なかのくです。

2　あの　えきの　むこうは　なにくですか。／　しんじゅくく

　　　──→あちらは　しんじゅくくです。

もんだい　Exercises

1　あの　かわの　むこうは　なにくですか。／　なかのく　──→

2　あの　えきの　むこうは　なにくですか。／　しんじゅくく　──→

3　あの　ゆうびんきょくの　むこうは　なにくですか。／　しぶやく　──→

4　あの　かわの　むこうは　なにくですか。／　しながわく　──→

5　あの　えきの　ちかくは　なにくですか。／　めぐろく　──→

6　あの　ゆうびんきょくの　むこうは　なにくですか。／　たいとうく　──→

7　あの　たてものの　むこうは　なにくですか。／　なかのく　──→

8 あの きょうかいの ちかくは なにくですか。／ しんじゅく →

9 あの がっこうの むこうは なにくですか。／ しぶやく →

10 あの たてものの ちかくは なにくですか。／ めぐろく →

こたえ　Answers ──────────────────

1 あちらは なかのくです。

2 あちらは しんじゅくくです。

3 あちらは しぶやくです。

4 あちらは しながわくです。

5 あちらは めぐろくです

6 あちらは たいとうくです。

7 あちらは なかのくです。

8 あちらは しんじゅくくです。

9 あちらは しぶやくです。

10 あちらは めぐろくです。

──────────────────

Drill 4 〔Based on Notes I ― 3〕

れいのように いいかえて ください。
Change the following as shown in the examples.

れい　Examples

1 わたしの うちは なかのに あります。

　　──→わたしの うちは なかの<u>です</u>。

2 きょうかいは ゆうびんきょくの となりに あります。

　　──→きょうかいは ゆうびんきょくの となり<u>です</u>。

もんだい　Exercises

1 わたしの うちは なかのに あります。──→

2 きょうかいは ゆうびんきょくの となりに あります。──→

3 きょうしつは じむしつの となりに あります。──→

4 こうどうは じむしつの ちかくに あります。──→

5　ゆうびんきょくは　がっこうの　むこうに　あります。—→

6　えいごの　ほんは　かばんの　なかに　あります。—→

7　あなたの　とけいは　その　つくえの　うえに　あります。—→

8　こうどうは　あの　たてものの　むこうに　あります。—→

9　ゆうびんきょくは　きょうかいの　となりに　あります。—→

10　じょんそんさんの　がっこうは　しんじゅくえきの[1]　ちかくに
　　あります。—→

こたえ　Answers ─────────────────

1　わたしの　うちは　なかのです。

2　きょうかいは　ゆうびんきょくの　となりです。

3　きょうしつは　じむしつの　となりです。

4　こうどうは　じむしつの　ちかくです。

5　ゆうびんきょくは　がっこうの　むこうです。

6　えいごの　ほんは　かばんの　なかです。

7　あなたの　とけいは　その　つくえの　うえです。

8　こうどうは　あの　たてものの　むこうです。

9　ゆうびんきょくは　きょうかいの　となりです。

10　じょんそんさんの　がっこうは　しんじゅくえきの　ちかくです。

─────────────────

Drill 5　〔Based on Notes I－3〕

れいのように　しつもんして　ください。
Following the examples, make suitable questions for the answers given below.

れい　Examples

1　ここは　しんじゅく<u>です</u>。

　　—→ここは　どこ<u>ですか</u>。

2　きょうしつは　あそこです。

　　—→きょうしつは　どこですか。

〔[1] しんじゅくえき　Shinjuku Station〕
　Sinzyuku-eki

もんだい　Exercises

1　ここは　しんじゅくです。——→

2　きょうしつは　あそこです。——→

3　ここは　なかのです。——→

4　きょうかいは　ここです。——→

5　ゆうびんきょくは　あそこです。——→

6　じむしつは　ここです。——→

7　こうどうは　あそこです。——→

8　ここは　とうきょうえきです。[1]

9　えきは　あそこです。——→

10　ここは　しんじゅくえきです。——→

こたえ　Answers —————————————————

1　ここは　どこですか。

2　きょうしつは　どこですか。

3　ここは　どこですか。

4　きょうかいは　どこですか。

5　ゆうびんきょくは　どこですか。

6　じむしつは　どこですか。

7　こうどうは　どこですか。

8　ここは　どこですか。

9　えきは　どこですか。

10　ここは　どこですか。

—————————————————

Drill 6　〔Based on Notes Ⅰ— 3〕

れいのように　こたえて　ください。
Answer the following questions as shown in the examples.

れい　Examples

〔[1]とうきょうえき　Tokyo Station〕
　Tookyoo-eki

1 すみすさんの　うちは　なかのに　あります。

   Q: すみすさんの　うちは　どこですか。

      →すみすさんの　うちは　なかのです。

2 こうどうは　あの　たてものの　むこうに　あります。

   Q: こうどうは　どこ　ですか。

      →こうどうは　あの　たてものの　むこうです。

もんだい　Exercises

1 すみすさんの　うちは　なかのに　あります。

   Q: すみすさんの　うちは　どこですか。　→

2 こうどうは　あの　たてものの　むこうに　あります。

   Q: こうどうは　どこですか。　→

3 じむしつは　あの　きょうしつの　となりに　あります。

   Q: じむしつは　どこですか。　→

4 ゆうびんきょくは　えきの　ちかくに　あります。

   Q: ゆうびんきょくは　どこですか。　→

5 えきは　あの　たてものの　むこうに　あります。

   Q: えきは　どこですか。　→

6 えいごの　ほんは　つくえの　うえに　あります。

   Q: えいごの　ほんは　どこですか。　→

7 えんぴつは　のーとの　したに　あります。

   Q: えんぴつは　どこですか。　→

8 きょうかいは　ゆうびんきょくの　となりに　あります。

   Q: きょうかいは　どこですか。　→

9 やまかわせんせいの　へやは　じむしつの　となりに　あります。

   Q: やまかわせんせいの　へやは　どこですか。　→

10 おおきさんの　かばんは　いすの　うえに　あります。

   Q: おおきさんの　かばんは　どこですか。　→

こたえ　Answers ————————————

1　すみすさんの　うちは　なかのです。

2　こうどうは　あの　たてものの　むこうです。

3　じむしつは　あの　きょうしつの　となりです。

4　ゆうびんきょくは　えきの　ちかくです。

5　えきは　あの　たてものの　むこうです。

6　えいごの　ほんは　つくえの　うえです。

7　えんぴつは　のーとの　したです。

8　きょうかいは　ゆうびんきょくの　となりです。

9　やまかわせんせいの　へやは　じむしつの　となりです。

10　おおきさんの　かばんは　いすの　うえです。

————————————

Drill 7　〔Based on Notes Ⅰ— 3〕

れいのように　しつもんして　ください。
Following the examples, make suitable questions for the answers given below.

れい　Examples

1　はい, ここは　なかのです。

　　——→ここは　なかのですか。

2　ここは　なかのです。

　　——→ここは　どこですか。

3　じむしつは　ここです。

　　——→じむしつは　どこですか。

もんだい　Exercises

1　はい, ここは　なかのです。——→

2　ここは　なかのです。——→

3　じむしつは　ここです。——→

4　ここは　とうきょうえきです。——→

5　きょうかいは　あそこです。——→

6　はい，あそこは　きょうしつです。　⟶

7　きょうしつは　あそこです。　⟶

8　ここは　しんじゅくです。　⟶

9　はい，ここは　しんじゅくです。　⟶

10　ゆうびんきょくは　ここです。　⟶

こたえ　Answers ─────────────────

1　ここは　なかのですか。

2　ここは　どこですか。

3　じむしつは　どこですか。

4　ここは　どこですか。

5　きょうかいは　どこですか。

6　あそこは　きょうしつですか。

7　きょうしつは　どこですか。

8　ここは　どこですか。

9　ここは　しんじゅくですか。

10　ゆうびきょくは　どこですか。

─────────────────

Drill 8　〔Based on Notes I — 4〕

れいのように　こたえて　ください。
Answer the following questions as shown in the examples.

れい　Examples

1　ここは　<u>どこ</u>ですか。／とうきょう

　　⟶ここは　とうきょうです。

2　ここは　<u>なん</u>ですか。／きょうしつ

　　⟶ここは　きょうしつです。

もんだい　Exercises

1　ここは　どこですか。／とうきょう

2　ここは　なんですか。／きょうしつ

3　ここは　どこですか。／　しんじゅく

4　ここは　どこですか。／　めぐろ[1]

5　ここは　なんですか。／　じむしつ

6　ここは　なんですか。／　こうどう

7　ここは　どこですか。／　かんだ

8　ここは　どこですか。／　しながわ[2]

9　ここは　どこですか。／　なかの

10　ここは　なんですか。／　べいりーさんの　へや

こたえ　Answers ─────────────────────

1　ここは　とうきょうです。

2　ここは　きょうしつです。

3　ここは　しんじゅくです。

4　ここは　めぐろです。

5　ここは　じむしつです。

6　ここは　こうどうです。

7　ここは　かんだです。

8　ここは　しながわです。

9　ここは　なかのです。

10　ここは　べいりーさんの　へやです。

───────────────────

Drill 9　〔Based on Notes I ― 4〕

れいのように　しつもんして　ください。
Following the examples, make suitable questions for the answers given below.

れい　Examples

1　あそこは　じむしつです。

　　──→あそこは　なんですか。

〔[1]めぐろ　a place name,　　[2]しながわ　a place name〕
　Meguro　　　　　　　　　　　Sinagawa

― 194 ―

2 ここは　なかのです。

　　⟶ここは　どこですか。

3 じむしつは　ここです。

　　⟶じむしつは　どこですか。

もんだい　Exercises

1 あそこは　じむしつです。⟶

2 ここは　なかのです。⟶

3 じむしつは　ここです。⟶

4 なかのえきは　ここです。⟶

5 ここは　かんだです。⟶

6 しんじゅくえきは　ここです。⟶

7 あそこは　きょうかいです。⟶

8 ここは　じむしつです。⟶

9 こうどうは　ここです。⟶

10 ここは　しんじゅくです。⟶

こたえ　Answers ──────────────

1 あそこは　なんですか。

2 ここは　どこですか。

3 じむしつは　どこですか。

4 なかのえきは　どこですか。

5 ここは　どこですか。

6 しんじゅくえきは　どこですか。

7 あそこは　なんですか。

8 ここは　なんですか。

9 こうどうは　どこですか。

10 ここは　どこですか。

PRONUNCIATION DRILL

ん —*when it is word final or precedes a syllable from Line 1, 3, 6, 8, 10, 17 or 20.*

Practice 1: Listen to the following words. Notice when ん is word final or precedes a syllable in the above-mentioned lines, it is a nasalized vowel.

1. ぱんや	6. でんしゃ
2. ほんや	7. さんわり
3. せんえん	8. でんわ
4. はんこ	9. ふじんふく
5. さんせい	10. きんほんいせい

Practice 2: Pronounce the words in Practice 1. Do not forget that ん is a syllable in itself, and should be given the same time value as any other syllable.

Practice 3: Listen to the following sentences.

1. じょんそんさんは いぎりすじんですか。

2. やまなかさんは せんせいでは ありません。

3. この でんしゃは とうきょうゆきでは ありません。

Practice 4: Pronounce the sentences in Practice 3.

Practice 5: It is important to discriminate between words containing a syllable from Line 1 or 8 preceded by ん (as in Column B below), words containing a syllable from Line 5 preceded by ん (C) and words containing a syllable from Line 5 not preceded by ん (A). Notice that Columns B and C contain one more syllable than Column A. Listen to the following sets of words.

	A	B	C
1.	たに	たんい	たんに
2.	かなん	かんあん	かんなん
3.	きねん	きんえん	きんねん
4.	しにん	しんいん	しんにん

Practice 6: Pronounce the sets of words in Practice 5. Remember to give ん the time value of a full syllable.

Recognition Test: Listen to the syllable groups on the tape. Indicate whether they are a Column A type or a Column B type or a Column C type by writing an A, B, or C.

1. ____   6. ____

2. ____   7. ____

3. ____   8. ____

4. ____   9. ____

5. ____   10. ____   (Answers on page 510.)

LESSON 7

KEY SENTENCES

- たなかさんは $\begin{cases} けんきゅうしつ \\ \text{kenkyuu-situ} \\ じむしつ \\ \text{zimusitu} \end{cases}$ に います。
  Tanaka-san-wa ni imasu.

- あそこに まっくろな $\begin{cases} ねこ \\ \text{neko} \\ いぬ \\ \text{inu} \end{cases}$ が います。
  Asoko-ni makkurona ga imasu.

- あなたの うちの いぬは どんな いぬですか。
  Anata-no uti-no inu-wa donna inu-desu-ka.

  きれいな $\begin{cases} たてもの \\ \text{tatemono} \\ はな \\ \text{hana} \end{cases}$
  kireina

  おおきい きれいな $\begin{cases} はこ \\ \text{hako} \\ うち \\ \text{uti} \end{cases}$
  ookii kireina

INDEX to NEW WORDS,

EXPRESSIONS and PATTERNS

Dialogue I

いま ……………………………………… now

（だれが）います（か）……………………………………… Notes Ⅰ-1

いません ……………………………………… Notes Ⅰ-1

けんきゅうしつ……………………………… (professor's) office…… Notes Ⅱ

そうですか …………………………………… Really?, Is that so? … Notes Ⅱ

かいだん ……………………………………… stairs

ひだりがわ ………………………………… left-hand side ……… Notes Ⅱ

ああ …………………………………………… Ah., Oh.

わかりました ………………………………… I see., I understand.

Dialogue II

りっぱな ……………………………………… fine

だれか ………………………………………………… Notes Ⅰ-3

だれも（いません）………………………………………… Notes Ⅰ-3

うしろ ………………………………………… back

なにも（いません）………………………………………… Notes Ⅰ-3

いいえ …………………………………………………… Notes Ⅰ-6

たいいくかん ………………………………… gymnasium

あたらしい …………………………………… new

きれいな ……………………………………… pretty, beautiful

Dialogue III

ねこ …………………………………………… cat

げんかん ……………………………………… front door

よこ .... side, by

さくらの き .... cherry tree

まっくろな .... jet-black, ebony-black

いぬ .... dog

どんな .... Notes Ⅰ-4

まっしろな .... white, snow-white

すぴっつ .... Spitz

なにか（いますか） .... Notes Ⅰ-3

DIALOGUES

Ⅰ. (In the corridor in front of the university office, Johnson is talking with Miss Satō, who has just come out of the door.)

1 じょんそん ： いま，じむしつに だれが いますか。
Ima,　　zimusitu-ni　　dare-ga　　imasu-ka.

2 さとう ： おおきさんが います。
Ooki-san-ga　　imasu.

3 じょんそん ： たなかさんも いますか。
Tanaka-san-mo　　imasu-ka.

4 さとう ： いいえ，いません。たなかさんは，いま，
Iie,　　imasen.　　Tanaka-san-wa,　　ima,

やまだせんせいの けんきゅうしつに
Yamada-sensei-no　　kenkyuu-situ-ni

います。
imasu.

Ⅰ 1. Johnson ： Who is in the office now?
2. Satō ： Mr. Ōki is.
3. Johnson ： Is Mr. Tanaka also there?
4. Satō ： No, Mr. Tanaka is in Professor Yamada's office now.

5 じょんそん ： そうですか。やまだせんせいの
Soo-desu-ka. Yamada-sensei-no

けんきゅうしつは どこですか。
kenkyuu-situ-wa doko-desu-ka.

6 さとう ： かいだんの むこうの ひだりがわの
Kaidan-no mukoo-no hidari-gawa-no

へやです。
heya-desu.

7 じょんそん ： ああ、わかりました。ありがとう
Aa, wakarimasita. Arigatoo

ございました。
gozaimasita.

II. (A diplomat named Bernard is visiting his friend, Professor Yamakawa, at his university. Professor Yamakawa is showing him around the campus.)

1 べるなーる ： あの りっぱな たてものは なんですか。
Ano rippana tatemono-wa nan-desu-ka.

2 やまかわ ： あれは こうどうです。
Are-wa koodoo-desu.

3 べるなーる ： いま、なかに だれか いますか。
Ima, naka-ni dare-ka imasu-ka.

4 やまかわ ： いいえ、いまは だれも いません。
Iie, ima-wa dare-mo imasen.

5 べるなーる ： こうどうの うしろには なにも
Koodoo-no usiro-niwa nani-mo

ありませんか。
arimasen-ka.

---

5. Johnson	:	Oh? Where's Mr. Yamada's office?	
6. Satō	:	It's the room on the left past the stairs.	
7. Johnson	:	Oh, I see. Thank you very much.	
II 1. Bernard	:	What's that fine-looking building?	
2. Yamakawa	:	That's the auditorium.	
3. Bernard	:	Is there anyone in there now?	
4. Yamakawa	:	No, nobody's in there now.	
5. Bernard	:	Isn't there something behind the auditorium?	

6 やまかわ　　：　いいえ、　たいいくかんが　あります。
Iie,　　　　taiikukan-ga　　　arimasu.

たいいくかんも　あたらしい　きれいな
Taiikukan-mo　　　atarasii　　　kireina

たてものです。
tatemono-desu.

Ⅲ. (Miss Tanaka is bringing Miss Ōki home with her. Near the front
door, Miss Ōki sees a cat.)

1 おおき　　：　あそこに　ねこが　いますね。
Asoko-ni　　neko-ga　　imasu-ne.

2 たなか　　：　どこに　いますか。
Doko-ni　　imasu-ka.

3 おおき　　：　げんかんの　よこの　さくらの　きの
Genkan-no　　yoko-no　　sakura-no　　ki-no

したです。
sita-desu.

4 たなか　　：　ああ、　まっくろな　ねこが　いますね。
Aa,　　makkurona　　neko-ga　　imasu-ne.

---

6. Yamakawa　：　Yes, there's a gym. It's also a new and attractive
building.

Ⅲ 1. Ōki　：　There's a cat over there, isn't there?
2. Tanaka　：　Where?
3. Ōki　：　Under the cherry tree, near the front door.
4. Tanaka　：　Oh yes —— a black cat.

5 おおき　　　：　あれは　　あなたの　　うちの　　ねこですか。
　　　　　　　　　　Are-wa　　anata-no　　uti-no　　neko-desu-ka.

6 たなか　　　：　いいえ，　わたしの　　うちには　　ねこは
　　　　　　　　　　Iie,　　watasi-no　　uti-niwa　　neko-wa

　　　　　　　　　いません。いぬが　　います。
　　　　　　　　　imasen.　　Inu-ga　　imasu.

7 おおき　　　：　どんな　　いぬですか。
　　　　　　　　　　Donna　　inu-desu-ka.

8 たなか　　　：　まっしろな　　すぴっつです。
　　　　　　　　　　Massirona　　supittu-desu.

9 おおき　　　：　そうですか。ちいさい　　いぬですか，
　　　　　　　　　　Soo-desu-ka.　　Tiisai　　inu-desu-ka,

　　　　　　　　　おおきい　　いぬですか。
　　　　　　　　　Ookii　　inu-desu-ka.

10 たなか　　　：　ちいさい　　いぬです。あなたの　　うちにも
　　　　　　　　　　Tiisai　　inu-desu.　　Anata-no　　uti-nimo

　　　　　　　　　なにか　　いますか。
　　　　　　　　　nani-ka　　imasu-ka.

11 おおき　　　：　いいえ，　わたしの　　うちには　　なにも
　　　　　　　　　　Iie,　　watasi-no　　uti-niwa　　nani-mo

　　　　　　　　　いません。
　　　　　　　　　imasen.

5.	Ōki	:	Is it your cat?
6.	Tanaka	:	No, we don't have a cat. We have a dog.
7.	Ōki	:	What kind do you have?
8.	Tanaka	:	It's a white Spitz.
9.	Ōki	:	Oh really? Is it a small dog or a big dog?
10.	Tanaka	:	It's a small dog. Do you have a pet, too?
11.	Ōki	:	No, we don't have any pets.

☆   ☆   ☆

たなかさんの　うちには　まっしろな　すぴっつが　います。
Tanaka-san-no   uti-niwa   massirona   supittu-ga   imasu.

ねこは　いません。おおきさんの　うちには　ねこも　いぬも
Neko-wa   imasen.   Ooki-san-no   uti-niwa   neko-mo   inu-mo

いません。
imasen.

☆   ☆   ☆

Miss Tanaka has a white Spitz, but she doesn't have a cat. Miss Ōki
has neither a cat nor a dog.

DRILLS

Drill 1 〔Based on Notes Ⅰ— 1〕

れいのように いいかえて ください。
Change the following as shown in the examples.

れい　Examples

1　へやの　なかに　つくえが　あります。／ おおきさん

　　　——へやの　なかに　おおきさんが　います。

2　じむしつに　たなかさんが　います。／ いす

　　　——じむしつに　いすが　あります。

もんだい　Exercises

1　へやの　なかに　つくえが　あります。／ おおきさん ——

2　じむしつに　たなかさんが　います。／ いす ——

3　もんの¹　まえに　まつが　あります。／ せんせい ——

4　やまだせんせいの　けんきゅうしつに　やまかわさんが　います。

　　　／ ほん ——

5　わたしの　うちに　おおきい　はこが　あります。

　　　／ しろい　こいぬ² ——

6　わたしの　へやに　やまださんが　います。

　　　／ やまださんの　かばん ——

7　じむしつに　つくえと　いすが　あります。／ じょんそんさん ——

8　こうどうの　うしろに　いぬと　ねこが　います。／ たいいくかん ——

9　けんきゅうしつに　ほんと　つくえと　いすが　あります。

　　　／ やまだせんせいと　おおきさん ——

10　へやの　すみに³　べるなーるさんと　すみすさんが　います。

　　　／ べっど⁴ ——

〔¹もん　gate，　²こいぬ　puppy，　³すみ　corner，　⁴べっど　bed 〕
　mon　　　　　　koinu　　　　　　sumi　　　　　　beddo

こたえ　Answers ─────────────

1　へやの　なかに　おおきさんが　います。

2　じむしつに　いすが　あります。

3　もんの　まえに　せんせいが　います。

4　やまだせんせいの　けんきゅうしつに　ほんが　あります。

5　わたしの　うちに　しろい　こいぬが　います。

6　わたしの　へやに　やまださんの　かばんが　あります。

7　じむしつに　じょんそんさんが　います。

8　こうどうの　うしろに　たいいくかんが　あります。

9　けんきゅうしつに　やまだせんせいと　おおきさんが　います。

10　へやの　すみに　べっどが　あります。

─────────────

Drill 2　〔Based on Notes I ─ 3〕

れいのように　こたえて　ください。
Answer the following questions as shown in the examples.

れい　Examples

1　きょうしつに　<u>だれか</u>　いますか。

　　──→いいえ，きょうしつには　<u>だれも</u>　いません。

2　へやの　なかに　なにか　ありますか。

　　──→いいえ，へやの　なかには　なにも　ありません。

もんだい　Exercises

1　きょうしつに　だれか　いますか。──→

2　へやの　なかに　なにか　ありますか。──→

3　けんきゅうしつに　だれか　いますか。──→

4　はこの　なかに　なにか　ありますか。──→

5　じむしつに　だれか　いますか。──→

6　つくえの　うえに　なにか　ありますか。──→

7　こうどうに　だれか　いますか。──→

8 かばんの なかに なにか ありますか。——→

9 こうばんに¹ だれか いますか。——→

10 あなたの へやに なにか ありますか。——→

こたえ Answers————————————————

1 いいえ, きょうしつには だれも いません。

2 いいえ, へやの なかには なにも ありません。

3 いいえ, けんきゅうしつには だれも いません。

4 いいえ, はこの なかには なにも ありません。

5 いいえ, じむしつには だれも いません。

6 いいえ, つくえの うえには なにも ありません。

7 いいえ, こうどうには だれも いません。

8 いいえ, かばんの なかには なにも ありません。

9 いいえ, こうばんには だれも いません。

10 いいえ, わたしの へやには なにも ありません。

————————————————————

Drill 3 〔Based on Notes Ⅰ— 3〕

れいのように しつもんして ください。
Following the examples, make suitable questions for the answers given below.

れい Examples

1 いいえ, あそこには だれも いません。

——→あそこに だれか いますか。

2 いいえ, こうどうには なにも ありません。

——→こうどうに なにか ありますか。

もんだい Exercises

1 いいえ, あそこには だれも いません。——→

2 いいえ, こうどうには なにも ありません。——→

3 いいえ, きょうしつには だれも いません。——→

〔¹こうばん　police box〕
　kooban

4 いいえ, たいいくかんには なにも ありません。 ⟶

5 いいえ, へやの なかには だれも いません。 ⟶

6 いいえ, けんきゅうしつには なにも ありません。 ⟶

7 いいえ, わたしの へやには だれも いません。 ⟶

8 いいえ, こうどうの うしろには なにも ありません。 ⟶

9 いいえ, こうどうの うしろには だれも いません。 ⟶

10 いいえ, たなかさんの へやには なにも ありません。 ⟶

こたえ Answers ─────────────

1 あそこに だれか いますか。

2 こうどうに なにか ありますか。

3 きょうしつに だれか いますか。

4 たいいくかんに なにか ありますか。

5 へやの なかに だれか いますか。

6 けんきゅうしつに なにか ありますか。

7 あなたの へやに だれか いますか。

8 こうどうの うしろに なにか ありますか。

9 こうどうの うしろに だれか いますか。

10 たなかさんの へやに なにか ありますか。

───────────────

Drill 4 〔Based on Notes I― 2, 3〕

れいのように こたえて ください。
Answer the following questions as shown in the examples.

れい Examples

1 じむしつに おおきさんが います。

QA: じむしつに <u>だれか いますか</u>。

⟶はい, います。

QB: <u>だれが いますか</u>。

⟶おおきさんが います。

2 けんきゅうしつに ほんが あります。

QA: けんきゅうしつに なにか ありますか。

——→はい, あります。

QB: なにが ありますか。

——→ほんが あります。

もんだい Exercises

1 じむしつに おおきさんが います。

QA: じむしつに だれか いますか。——→

QB: だれが いますか。——→

2 けんきゅうしつに ほんが あります。

QA: けんきゅうしつに なにか ありますか。——→

QB: なにが ありますか。——→

3 こうどうに やまだせんせいが います。

QA: こうどうに だれか いますか。——→

QB: だれが いますか。——→

4 こうどうの うしろに たいいくかんが あります。

QA: こうどうの うしろに なにか ありますか。——→

QB: なにが ありますか。——→

5 あの ひとの うちに いぬと ねこが います。

QA: あの ひとの うちに なにか いますか。——→

QB: なにが いますか。——→

6 へやの なかに つくえと いすが あります。

QA: へやの なかに なにか ありますか。——→

QB: なにが ありますか。——→

7 やまださんの へやに すみすさんと じょんそんさんが います。

QA: やまださんの へやに だれか いますか。——→

QB: だれが いますか。——→

8 わたしの へやに ねこが います。

ＱＡ：わたしの　へやに　なにか　いますか。——→

ＱＢ：なにが　いますか。——→

9　つくえの　うえに　のーとと　えんぴつが　あります。

ＱＡ：つくえの　うえに　なにか　ありますか。——→

ＱＢ：なにが　ありますか。——→

10　やまだせんせいの　けんきゅうしつに　たなかさんと　かわむらさんが
　　います。

ＱＡ：やまだせんせいの　けんきゅうしつに　だれか　いますか。——→

ＱＢ：だれが　いますか。——→

こたえ　Answers ————————————————

1　Ａ：はい，います。

　　Ｂ：おおきさんが　います。

2　Ａ：はい，あります。

　　Ｂ：ほんが　あります。

3　Ａ：はい，います。

　　Ｂ：やまだせんせいが　います。

4　Ａ：はい，あります。

　　Ｂ：たいいくかんが　あります。

5　Ａ：はい，います。

　　Ｂ：いぬと　ねこが　います。

6　Ａ：はい，あります。

　　Ｂ：つくえと　いすが　あります。

7　Ａ：はい，います。

　　Ｂ：すみすさんと　じょんそんさんが　います。

8　Ａ：はい，います。

　　Ｂ：ねこが　います。

9　Ａ：はい，あります。

　　Ｂ：のーとと　えんぴつが　あります。

10　A : はい, います。

　　B : たなかさんと　かわむらさんが　います。

Drill 5　〔Based on Notes Ⅰ—6〕

れいのように　こたえて　ください。
Answer the following questions as shown in the examples.

れい　Examples

1　へやの　なかに　たなかさんが　います。

　　Q : へやの　なかには　だれも　いませんか。

　　　　—→いいえ, へやの　なかには　たなかさんが　います。

2　じむしつに　つくえと　いすが　あります。

　　Q : じむしつには　なにも　ありませんか。

　　　　—→いいえ, じむしつには　つくえと　いすが　あります。

もんだい　Exercises

1　へやの　なかに　たなかさんが　います。

　　Q : へやの　なかには　だれも　いませんか。—→

2　じむしつに　つくえと　いすが　あります。

　　Q : じむしつには　なにも　ありませんか。—→

3　やまなかさんの　うちに　ねこが　います。

　　Q : やまなかさんの　うちには　なにも　いませんか。—→

4　けんきゅうしつに　やまだせんせいが　います。

　　Q : けんきゅうしつには　だれも　いませんか。—→

5　こうどうの　うしろに　たいいくかんが　あります。

　　Q : こうどうの　うしろには　なにも　ありませんか。—→

6　あの　ひとの　うちに　いぬが　います。

　　Q : あの　ひとの　うちには　なにも　いませんか。—→

7　こうどうの　なかに　じょんそんさんが　います。

　　Q : こうどうの　なかには　だれも　いませんか。—→

8　あそこに　かさと　かばんが　あります。

　　Q：あそこには　なにも　ありませんか。 ⟶

9　せんせいの　うちに　いぬと　ねこが　います。

　　Q：せんせいの　うちには　なにも　いませんか。 ⟶

10　じむしつに　おおきさんと　べるなーるさんが　います。

　　Q：じむしつには　だれも　いませんか。 ⟶

こたえ　Answers ─────────────────────

1　いいえ，へやの　なかには　たなかさんが　います。

2　いいえ，じむしつには　つくえと　いすが　あります。

3　いいえ，やまなかさんの　うちには　ねこが　います。

4　いいえ，けんきゅうしつには　やまだせんせいが　います。

5　いいえ，こうどうの　うしろには　たいいくかんが　あります。

6　いいえ，あの　ひとの　うちには　いぬが　います。

7　いいえ，こうどうの　なかには　じょんそんさんが　います。

8　いいえ，あそこには　かさと　かばんが　あります。

9　いいえ，せんせいの　うちには　いぬと　ねこが　います。

10　いいえ，じむしつには　おおきさんと　べるなーるさんが　います。

─────────────────────────

Drill 6　〔Based on Notes Ⅰ—6〕

れいのように　こたえて　ください。

Answer the following questions as shown in the examples.

れい　Examples

1　へやの　なかには　なにか　ありますか。／いいえ

　　⟶いいえ，なにも　ありません。

2　じむしつには　だれも　いませんか。／いいえ

　　⟶いいえ，います。

もんだい　Exercises

1　へやの　なかには　なにか　ありますか。／いいえ ⟶

2　じむしつには　だれも　いませんか。／いいえ ⟶

3　こうどうには　なにも　ありませんか。／　はい　──→

4　たいいくかんには　だれか　いますか。／　はい　──→

5　けんきゅうしつには　だれも　いませんか。／　はい　──→

6　せんせいの　うちには　だれか　いますか。／　いいえ　──→

7　あそこには　なにも　ありませんか。／　いいえ　──→

8　じむしつには　なにも　ありませんか。／　いいえ　──→

9　そこには　だれも　いませんか。／　いいえ　──→

10　たいいくかんには　なにも　ありませんか。／　はい　──→

こたえ　Answers ─────────────

1　いいえ，なにも　ありません。

2　いいえ，います。

3　はい，なにも　ありません。

4　はい，います。

5　はい，だれも　いません。

6　いいえ，だれも　いません。

7　いいえ，あります。

8　いいえ，あります。

9　いいえ，います。

10　はい，なにも　ありません。

──────────────────

Drill 7　〔Based on Notes Ⅰ— 4〕

れいのように　こたえて　ください。
Answer the following questions as shown in the examples.

れい　Examples

1　あの　ひとの　うちに　しろい　ねこが　います。

　　QA：あの　ひとの　うちに　なにが　いますか。

　　　　　──→　ねこが　います。

　　QB：どんな　ねこが　いますか。

    ⟶　しろい　ねこが　います。

2　じむしつに　あたらしい　つくえが　あります。

  QA：じむしつに　なにが　ありますか。

    ⟶つくえが　あります。

  QB：どんな　つくえが　ありますか。

    ⟶あたらしい　つくえが　あります。

もんだい　Exercises

1　あの　ひとの　うちに　しろい　ねこが　います。

  QA：あの　ひとの　うちに　なにが　いますか。⟶

  QB：どんな　ねこが　いますか。⟶

2　じむしつに　あたらしい　つくえが　あります。

  QA：じむしつに　なにが　ありますか。⟶

  QB：どんな　つくえが　ありますか。⟶

3　つくえの　うえに　おおきい　はこが　あります。

  QA：つくえの　うえに　なにが　ありますか。⟶

  QB：どんな　はこが　ありますか。⟶

4　へやの　なかに　ちいさい　いぬが　います。

  QA：へやの　なかに　なにが　いますか。⟶

  QB：どんな　いぬが　いますか。⟶

5　こうどうの　うしろに　きれいな　たいいくかんが　あります。

  QA：こうどうの　うしろに　なにが　ありますか。⟶

  QB：どんな　たいいくかんが　ありますか。⟶

6　けんきゅうしつに　りっぱな　つくえが　あります。

  QA：けんきゅうしつに　なにが　ありますか。⟶

  QB：どんな　つくえが　ありますか。⟶

7　あそこに　まっくろな　ねこが　います。

  QA：あそこに　なにが　いますか。⟶

  QB：どんな　ねこが　いますか。⟶

8 つくえの　したに　くろい　かさが　あります。

　　QA：つくえの　したに　なにが　ありますか。――→

　　QB：どんな　かさが　ありますか。――→

9 こうどうの　うしろに　まっしろな　いぬと　まっくろな　ねこが
　　います。

　　QA：こうどうの　うしろに　なにが　いますか。――→

　　QB：どんな　いぬと　ねこが　いますか。――→

10 つくえの　うえに　おおきい　はこと　あたらしい　ほんが　あります。

　　QA：つくえの　うえに　なにが　ありますか。――→

　　QB：どんな　はこと　ほんが　ありますか。――→

こたえ　Answers ――――――――――――――――――――――

1　A：ねこが　います。

　　B：しろい　ねこが　います。

2　A：つくえが　あります。

　　B：あたらしい　つくえが　あります。

3　A：はこが　あります。

　　B：おおきい　はこが　あります。

4　A：いぬが　います。

　　B：ちいさい　いぬが　います。

5　A：たいいくかんが　あります。

　　B：きれいな　たいいくかんが　あります。

6　A：つくえが　あります。

　　B：りっぱな　つくえが　あります。

7　A：ねこが　います。

　　B：まっくろな　ねこが　います。

8　A：かさが　あります。

　　B：くろい　かさが　あります。

9　A：いぬと　ねこが　います。

 B：まっしろな　いぬと　まっくろな　ねこが　います。

10 A：はこと　ほんが　あります。

 B：おおきい　はこと　あたらしい　ほんが　あります。

PRONUNCIATION DRILL

Review the ん sounds that have been introduced in the Pronunciation Drill of Lessons 3, 4, 5 and 6. Practice until you can recognize and pronounce the four different ん sounds.

Practice 1: Listen to the following words on the tape.

I	II	III
1. せんじつ	1. でんき	1. にほん
2. せんしゅう	2. でんしゃ	2. にほんま
3. せんげつ	3. でんぽう	3. にほんご
4. せんぱい	4. でんわ	4. にほんじゅう
	5. でんせん	5. にほんかい
	6. でんりょく	6. にほんじん
	7. でんちゅう	7. にほんしゅ
	8. でんぱ	8. にほんりょうり
		9. にほんし
		10. にほんちり

Practice 2: While listening to the tape, repeat the words in Practice 1. Pronounce the various ん sounds properly. Do not forget to give each ん the time value of a whole syllable.

Practice 3: Listen to the following sentences. Watch for the different ん sounds.

1. ほんは ありません。
2. ほんが ありませんが。
3. ほんも ありませんでした。
4. ほんと しんぶんと ざっしが あります。
5. ほんや しんぶんが あります。
6. ほんと しんぶんですか。

7. ほんか　しんぶんは　ありませんか。

8. ほんの　うえです。

9. ほんは　ありますが，しんぶんは　ありません。

10. しんぶんの　うえに　ほんと　えんぴつが　あります。

Practice 4:　While listening to the tape, repeat the sentences in Practice 3. Try to pronounce the ん sounds correctly.

LESSON 8

KEY SENTENCES

- えつらんしつは　ふたつ　あります。
  Eturan-situ-wa　　　hutatu　　arimasu.

- これは {この　だいがく / とうきょう} で いちばん {おおきい　たてもの / りっぱな　たてもの} です。
  Kore-wa {kono daigaku / Tookyoo} de itiban {ookii tatemono / rippana tatemono} desu.

- となりの　へやには　せきは　すこししか　ありません。
  Tonari-no　　heya-niwa　seki-wa　sukosi-sika　　arimasen.

INDEX to NEW WORDS,

EXPRESSIONS and PATTERNS

Dialogue I

としょかん	library	Notes Ⅱ
だいがく	university	
（この だいがく）で		Notes Ⅰ-2
（この だいがくで）いちばん		Notes Ⅰ-2
かーどばこ	card catalog	Notes Ⅱ
たくさん	many, much	Notes Ⅱ
（あります）ね		Notes Ⅰ-5
ええ	yes	Notes Ⅱ
ふるい	old	
えつらんしつ	reading room	Notes Ⅱ
（この へや）だけ		Notes Ⅰ-3
ふたつ	two	
ひとつ	one	
せき	seat	
すこし	a few, a little	Notes Ⅱ
（すこし）しか		Notes Ⅰ-4
しずかな	quiet	
いくつ	how much, how many	Notes Ⅱ
みっつ	three	
よっつ	four	
いつつ	five	
むっつ	six	

ななつ ································· seven

やっつ ································· eight

ここのつ ······························· nine

とお ······························· ten

ぜんぶで ····························· in all

じびき ······························· dictionary ······················ Notes Ⅱ

かんじじてん ························ Chinese character dictionary··· Notes Ⅱ

とても ······························· very

べんりな ····························· convenient, useful

いろいろな ··························· various, several

かんたんな ··························· simple

わえいじてん ························ Japanese-English dictionary

DIALOGUES

I. (Bernard has been led to the library by Yamakawa.)

1 べるなーる　：　この　たてものは　なんですか。
Kono　tatemono-wa　nan-desu-ka.

2 やまかわ　：　これは　としょかんです。この　だいがくで
Kore-wa　tosyokan-desu.　Kono　daigaku-de

いちばん　おおきい　たてものです。
itiban　ookii　tatemono-desu.

(Entering the library.)

3 べるなーる　：　かーどばこが　たくさん　ありますね。
Kaado-bako-ga　takusan　arimasu-ne.

4 やまかわ　：　ええ，この　としょかんには　ふるい　ほんも
Ee,　kono　tosyokan-niwa　hurui　hon-mo

たくさん　あります。
takusan　arimasu.

I　1. Bernard　：　What's this building?

　2. Yamakawa　：　This is a library. This is the largest building in this university.

　3. Bernard　：　The card catalog is very large, isn't it?

　4. Yamakawa　：　Yes, and there are many old books in this library.

5 べるなーる　：　えつらんしつは　この　へやだけですか。
　　　　　　　　　Eturan-situ-wa　　　kono　　heya-dake-desu-ka.

6 やまかわ　　：　いいえ，えつらんしつは　ふたつ　あります。
　　　　　　　　　Iie,　　　eturan-situ-wa　　hutatu　arimasu.

　　　　　　　　　この　おおきい　へやの　となりに　ちいさい
　　　　　　　　　Kono　ookii　　heya-no　tonari-ni　tiisai

　　　　　　　　　へやが　ひとつ　あります。
　　　　　　　　　heya-ga　hitotu　arimasu.

7 べるなーる　：　となりの　へやにも　せきが　たくさん
　　　　　　　　　Tonari-no　heya-nimo　seki-ga　takusan

　　　　　　　　　ありますか。
　　　　　　　　　arimasu-ka.

8 やまかわ　　：　いいえ，となりの　へやには　せきは
　　　　　　　　　Iie,　　tonari-no　heya-niwa　seki-wa

　　　　　　　　　すこししか　ありません。
　　　　　　　　　sukosi-sika　arimasen.

(Going upstairs.)

9 やまかわ　　：　ここは　わたしの　けんきゅうしつです。
　　　　　　　　　Koko-wa　watasi-no　kenkyuu-situ-desu.

10 べるなーる　：　しずかな　へやですね。この　たてものには
　　　　　　　　　Sizukana　heya-desu-ne.　Kono　tatemono-niwa

　　　　　　　　　けんきゅうしつは　いくつ　ありますか。
　　　　　　　　　kenkyuu-situ-wa　　ikutu　arimasu-ka.

---

5. Bernard　　：　Is this the only reading room?
6. Yamakawa　：　No, there are two reading rooms. There is a small one next to this large one.
7. Bernard　　：　Are there lots of seats in the next room?
8. Yamakawa　：　No, the next room has only a few seats.

9. Yamakawa　：　This is my office.
10. Bernard　　：　Quiet room, isn't it? How many offices are there in this building?

11　やまかわ　　：　ひとつ，　ふたつ，　みっつ，　よっつ，　いつつ，
　　　　　　　　　　　Hitotu,　　　hutatu,　　　mittu,　　　　yottu,　　　　itutu,

　　　　　　　　　　むっつ，　ななつ，　やっつ，　ここのつ，　とお。
　　　　　　　　　　muttu,　　　nanatu,　　　yattu,　　　kokonotu,　　　too.

　　　　　　　　　　ぜんぶで　　とお　　あります。おおきい　　へやが
　　　　　　　　　　Zenbu-de　　　too　　arimasu.　Ookii　　　　heya-ga

　　　　　　　　　　ふたつと　　ちいさい　　へやが　　やっつ
　　　　　　　　　　hutatu-to　　　tiisai　　　heya-ga　　　yattu

　　　　　　　　　　あります。
　　　　　　　　　　arimasu.

12　べるなーる　　：　その　　おおきい　　じびきは　　なんの
　　　　　　　　　　　Sono　　ookii　　　zibiki-wa　　nan-no

　　　　　　　　　　じびきですか。
　　　　　　　　　　zibiki-desu-ka.

13　やまかわ　　：　これは　　かんじじてんです。とても　　べんりな
　　　　　　　　　　Kore-wa　　kanzi-ziten-desu.　Totemo　　benrina

　　　　　　　　　　じびきです。
　　　　　　　　　　zibiki-desu.

14　べるなーる　　：　ここには　　いろいろな　　じびきが　　ありますね。
　　　　　　　　　　　Koko-niwa　　iroirona　　　zibiki-ga　　arimasu-ne.

　　　　　　　　　　わたしの　　へやには　　かんたんな
　　　　　　　　　　Watasi-no　　heya-niwa　　kantanna

　　　　　　　　　　わえいじてんしか　　ありません。
　　　　　　　　　　waei-ziten-sika　　　arimasen.

11．Yamakawa　　：　One, two, three, four, five, six, seven, eight, nine, ten.
　　　　　　　　　　There are ten altogether. There are two large rooms
　　　　　　　　　　and eight small ones.

12．Bernard　　　：　What's that large dictionary?

13．Yamakawa　　：　This is a Chinese character dictionary. It is very useful.

14．Bernard　　　：　You have quite a variety of dictionaries here, haven't
　　　　　　　　　　you? I have only a simple Japanese-English dictionary
　　　　　　　　　　in my room.

DRILLS

Drill 1 〔Based on Notes Ⅰ— 1〕

れいのように いいかえて ください。
Change the following as shown in the examples.

れい Examples

　　　　　ほんが たくさん あります。

1 いす　　—→いすが たくさん あります。

2 みっつ—→いすが みっつ あります。

3 つくえ—→つくえが みっつ あります。

4 いつつ—→つくえが いつつ あります。

もんだい Exercises

　　　　　ほんが たくさん あります。

1 いす　　　—→

2 みっつ　　—→

3 つくえ　　—→

4 いつつ　　—→

5 はこ　　　—→

6 たくさん—→

7 へや　　　—→

8 やっつ　　—→

9 かーどばこ—→

10 すこし　　—→

こたえ Answers————————————

1 いすが たくさん あります。

2 いすが みっつ あります。

3 つくえが みっつ あります。

4 つくえが いつつ あります。

5 はこが いつつ あります。

6 はこが たくさん あります。

7 へやが たくさん あります。

8 へやが やっつ あります。

9 かーどばこが やっつ あります。

10 かーどばこが すこし あります。

Drill 2 〔Based on Notes Ⅰ — 1〕

れいのように いいかえて ください。
Change the following as shown in the examples.

れい Examples

1 けんきゅうしつは いくつ ありますか。／ やっつ

　　──→けんきゅうしつは やっつ あります。

2 いすは いくつ ありますか。／ みっつ

　　──→いすは みっつ あります。

もんだい Exercises

1 けんきゅうしつは いくつ ありますか。／ やっつ ──→

2 いすは いくつ ありますか。／ みっつ ──→

3 へやは いくつ ありますか。／ むっつ ──→

4 かーどばこは いくつ ありますか。／ よっつ ──→

5 えつらんしつは いくつ ありますか。／ ここのつ ──→

6 つくえは いくつ ありますか。／ ななつ ──→

7 せきは いくつ ありますか。／ ふたつ ──→

8 たてものは いくつ ありますか。／ とお ──→

9 たいいくかんは いくつ ありますか。／ ひとつ ──→

10 おおきい はこは いくつ ありますか。／ いつつ ──→

こたえ Answers────────────────────

1 けんきゅうしつは　やっつ　あります。

2 いすは　みっつ　あります。

3 へやは　むっつ　あります。

4 かーどばこは　よっつ　あります。

5 えつらんしつは　ここのつ　あります。

6 つくえは　ななつ　あります。

7 せきは　ふたつ　あります。

8 たてものは　とお　あります。

9 たいいくかんは　ひとつ　あります。

10 おおきい　はこは　いつつ　あります。

────────────────────

Drill 3 〔Based on Notes I — 2〕

れいのように　いいかえて　ください。
Change the following as shown in the examples.

れい Examples

これは　とうきょうで　いちばん　おおきい
たてものです。

1 せかい¹　　──→これは　せかいで　いちばん　おおきい
たてものです。

2 たかい　　　──→これは　せかいで　いちばん　たかい
たてものです。

3 にほん　　　──→これは　にほんで　いちばん　たかい
たてものです。

4 りっぱな　　──→これは　にほんで　いちばん　りっぱな
たてものです。

5 この　がっこう──→これは　この　がっこうで　いちばん　りっぱな

〔¹せかい　world〕
　sekai

たてものです。

もんだい　Exercises

これは　とうきょうで　いちばん　おおきい
たてものです。

1　せかい　　　──→

2　たかい　　　──→

3　にほん　　　──→

4　りっぱな　　──→

5　この　がっこう──→

6　あたらしい　──→

7　この　だいがく──→

8　ふるい　　　──→

9　にほん　　　──→

10　きれいな　　──→

こたえ　Answers ─────────────

1　これは　せかいで　いちばん　おおきい　たてものです。

2　これは　せかいで　いちばん　たかい　たてものです。

3　これは　にほんで　いちばん　たかい　たてものです。

4　これは　にほんで　いちばん　りっぱな　たてものです。

5　これは　この　がっこうで　いちばん　りっぱな　たてものです。

6　これは　この　がっこうで　いちばん　あたらしい　たてものです。

7　これは　この　だいがくで　いちばん　あたらしい　たてものです。

8　これは　この　だいがくで　いちばん　ふるい　たてものです。

9　これは　にほんで　いちばん　ふるい　たてものです。

10　これは　にほんで　いちばん　きれいな　たてものです。

─────────────────

Drill 4 〔Based on Notes Ⅰ— 2〕

れいのように　いいかえて　ください。
Change the following as shown in the examples.

れい　Examples

1 ふじさんは　たかい　やまです。／　にほん

　　──→ふじさんは　にほんで　いちばん　たかい　やまです。

2 この　へやは　おおきい　へやです。／　この　だいがく

　　──→この　へやは　この　だいがくで　いちばん　おおきい　へやです。

もんだい　Exercises

1 ふじさんは　たかい　やまです。／　にほん　──→

2 この　へやは　おおきい　へやです。／　この　だいがく　──→

3 えつらんしつは　しずかな　へやです。／　この　たてもの　──→

4 これは　りっぱな　つくえです。／　この　へや　──→

5 たいいくかんは　あたらしい　たてものです。／　この　だいがく　──→

6 これは　ふるい　たてものです。／　にほん　──→

7 あれは　たかい　たてものです。／　とうきょう　──→

8 けんきゅうしつは　ちいさい　へやです。／　この　たてもの　──→

9 ふじさんは　きれいな　やまです。／　せかい　──→

10 これは　りっぱな　へやです。／　この　がっこう　──→

こたえ　Answers ──────────────────

1 ふじさんは　にほんで　いちばん　たかい　やまです。

2 この　へやは　この　だいがくで　いちばん　おおきい　へやです。

3 えつらんしつは　この　たてもので　いちばん　しずかな　へやです。

4 これは　この　へやで　いちばん　りっぱな　つくえです。

5 たいいくかんは　この　だいがくで　いちばん　あたらしい
　　たてものです。

6 これは　にほんで　いちばん　ふるい　たてものです。

7 あれは　とうきょうで　いちばん　たかい　たてものです。

8 けんきゅうしつは この たてもので いちばん ちいさい へやです。

9 ふじさんは せかいで いちばん きれいな やまです。

10 これは この がっこうで いちばん りっぱな へやです。

Drill 5 〔Based on Notes Ⅰ— 3〕

れいのように こたえて ください。
Answer the following questions as shown in the examples.

れい Examples

1 この がっこうには たいいくかんが ひとつ あります。

Q：たいいくかんは この たてものだけですか。

──→はい, たいいくかんは この たてものだけです。

2 この たてものには えつらんしつが ふたつ あります。

Q：えつらんしつは この へやだけですか。

──→いいえ, えつらんしつは ふたつ あります。

もんだい Exercises

1 この がっこうには たいいくかんが ひとつ あります。

Q：たいいくかんは この たてものだけですか。 ──→

2 この たてものには えつらんしつが ふたつ あります。

Q：えつらんしつは この へやだけですか。 ──→

3 この だいがくには あたらしい たてものが みっつ あります。

Q：あたらしい たてものは この たてものだけですか。 ──→

4 この たてものには おおきい へやが ひとつ あります。

Q：おおきい へやは この へやだけですか。 ──→

5 この たてものには けんきゅうしつが たくさん あります。

Q：けんきゅうしつは この へやだけですか。 ──→

6 この たてものには えつらんしつが ひとつ あります。

Q：えつらんしつは この へやだけですか。 ──→

7 この がっこうには こうどうが ひとつ あります。

　　　Q : こうどうは　この　たてものだけですか。—→

8　この　たてものには　ちいさい　へやが　たくさん　あります。

　　　Q : ちいさい　へやは　この　へやだけですか。—→

9　この　だいがくには　りっぱな　たてものが　いつつ　あります。

　　　Q : りっぱな　たてものは　この　たてものだけですか。—→

10　この　たてものには　じむしつが　ひとつ　あります。

　　　Q : じむしつは　この　へやだけですか。—→

こたえ　Answers ————————————————

1　はい，たいいくかんは　この　たてものだけです。

2　いいえ，えつらんしつは　ふたつ　あります。

3　いいえ，あたらしい　たてものは　みっつ　あります。

4　はい，おおきい　へやは　この　へやだけです。

5　いいえ，けんきゅうしつは　たくさん　あります。

6　はい，えつらんしつは　この　へやだけです。

7　はい，こうどうは　この　たてものだけです。

8　いいえ，ちいさい　へやは　たくさん　あります。

9　いいえ，りっぱな　たてものは　いつつ　あります。

10　はい，じむしつは　この　へやだけです。

　　　　　　　————————————————

Drill 6　〔Based on Notes Ⅰ— 3〕

れいのように　こたえて　ください。
Answer the following questions as shown in the examples.

れい　Examples

1　おおきい　へやは　たくさん　ありますか。

　　　—→いいえ，おおきい　へやは　これ<u>だけ</u>です。

2　あたらしい　たてものは　たくさん　ありますか。

　　　—→いいえ，あたらしい　たてものは　これ<u>だけ</u>です。

もんだい　Exercises

1　おおきい　へやは　たくさん　ありますか。→

2　あたらしい　たてものは　たくさん　ありますか。→

3　べんりな　じびきは　たくさん　ありますか。→

4　たいいくかんは　たくさん　ありますか。→

5　えつらんしつは　たくさん　ありますか。→

6　ちいさい　へやは　たくさん　ありますか。→

7　きれいな　たてものは　たくさん　ありますか。→

8　かんたんな　わえいじてんは　たくさん　ありますか。→

9　こうどうは　たくさん　ありますか。→

10　けんきゅうしつは　たくさん　ありますか。→

こたえ　Answers ─────────────────

1　いいえ，おおきい　へやは　これだけです。

2　いいえ，あたらしい　たてものは　これだけです。

3　いいえ，べんりな　じびきは　これだけです。

4　いいえ，たいいくかんは　これだけです。

5　いいえ，えつらんしつは　これだけです。

6　いいえ，ちいさい　へやは　これだけです。

7　いいえ，きれいな　たてものは　これだけです。

8　いいえ，かんたんな　わえいじてんは　これだけです。

9　いいえ，こうどうは　これだけです。

10　いいえ，けんきゅうしつは　これだけです。

Drill 7 〔Based on Notes I ― 4〕

れいのように こたえて ください。
Answer the following questions as shown in the examples.

れい Examples

1 あなたの へやには ほんは たくさん ありますか。／ すこし
　　──→いいえ, すこししか ありません。

2 となりの へやには せきは たくさん ありますか。／ いつつ
　　──→いいえ, いつつしか ありません。

もんだい Exercises

1 あなたの へやには ほんは たくさん ありますか。／ すこし ──→
2 となりの へやには せきは たくさん ありますか。／ いつつ ──→
3 けんきゅうしつには つくえは たくさん ありますか。／ みっつ ──→
4 えつらんしつには ほんは たくさん ありますか。／ すこし ──→
5 つくえの うえには はこは たくさん ありますか。／ ふたつ ──→
6 いすの うえには しんぶんは たくさん ありますか。／ すこし ──→
7 はこの なかには とけいは たくさん ありますか。／ ひとつ ──→
8 となりの へやには いすは たくさん ありますか。／ よっつ ──→
9 あなたの へやには のーとは たくさん ありますか。／ すこし ──→
10 けんきゅうしつには とけいは たくさん ありますか。／ ふたつ ──→

こたえ Answers ─────────────────────

1 いいえ, すこししか ありません。
2 いいえ, いつつしか ありません。
3 いいえ, みっつしか ありません。
4 いいえ, すこししか ありません。
5 いいえ, ふたつしか ありません。
6 いいえ, すこししか ありません。
7 いいえ, ひとつしか ありません。
8 いいえ, よっつしか ありません。

9 いいえ, すこししか ありません。

10 いいえ, ふたつしか ありません。

Drill 8 〔Based on Notes Ⅰ— 4〕

れいのように こたえて ください。
Answer the following questions as shown in the examples.

れい Examples

1 つくえの うえには いろいろな ものが[1] ありますか。／ ほん

　　—→いいえ, ほんしか ありません。

2 となりの へやには いろいろな ものが ありますか。

　　／ つくえと いす

　　—→いいえ, つくえと いすしか ありません。

もんだい Exercises

1 つくえの うえには いろいろな ものが ありますか。／ ほん —→

2 となりの へやには いろいろな ものが ありますか。

　　／ つくえと いす —→

3 はこの なかには いろいろな ものが ありますか。／ とけい —→

4 いすの うえには いろいろな ものが ありますか。／ しんぶん —→

5 かばんの なかには いろいろな ものが ありますか。

　　／ ほんと のーと —→

6 むこうの へやには いろいろな ものが ありますか。／つくえ —→

7 つくえの したには いろいろな ものが ありますか。／ かさ —→

8 はこの なかには いろいろな ものが ありますか。

　　／ かみと えんぴつ —→

9 つくえの うえには いろいろな ものが ありますか。

　　／ まんねんひつ —→

10 となりの へやには いろいろな ものが ありますか。

〔[1]もの thing〕
　　mono

／ かーどばこ ⟶

こたえ　Answers

1　いいえ，ほんしか　ありません。

2　いいえ，つくえと　いすしか　ありません。

3　いいえ，とけいしか　ありません。

4　いいえ，しんぶんしか　ありません。

5　いいえ，ほんと　のーとしか　ありません。

6　いいえ，つくえしか　ありません。

7　いいえ，かさしか　ありません。

8　いいえ，かみと　えんぴつしか　ありません。

9　いいえ，まんねんひつしか　ありません。

10　いいえ，かーどばこしか　ありません。

PRONUNCIATION DRILL

つ―when it precedes a syllable from Line 2, 4, 15, 16, 18 or 27.

Practice 1: Listen to the following words. Notice that when つ precedes a syllable from the above-mentioned Lines, the airflow is blocked for the time value of a whole syllable.

1. みっつ
2. よっつ
3. むっつ
4. やっつ
5. いっぷん

6. ろっぽん
7. せっけん
8. こっぷ
9. ぽけっと
10. まっち

Practice 2: Pronounce the words in Practice 1. Do not forget that つ is a syllable in itself, and should be given the same time value as any other syllable.

Practice 3: Listen to the following sentences.

1. あの りっぱな たてものは なんですか。
2. まっしろな すぴっつですね。
3. もう いちど いって ください。
4. この たてものは がっこうですか。
5. はい, この たてものは しょうがっこうです。
6. まっくろな ねこですね。

Practice 4: Pronounce the sentences in Practice 3.

Practice 5: Be sure you can tell the difference between words that contain a つ and words that do not. Listen to the following minimal pairs.

1. はぴょう　　　　はっぴょう
2. すぱい　　　　　すっぱい
3. うた　　　　　　うった
4. いつう　　　　　いっつう
5. いちょう　　　　いっちょう

6. あか　　　　　　あっか

7. こきょう　　　　こっきょう

Practice 6:　Pronounce the minimal pairs in Practice 5. Remember to give っ the time value of a full syllable.

Recognition Test: Listen to each word and write っ when you hear a word with a っ syllable, and O when there is no っ syllable.

1. ＿＿　　　　　　6. ＿＿

2. ＿＿　　　　　　7. ＿＿

3. ＿＿　　　　　　8. ＿＿

4. ＿＿　　　　　　9. ＿＿

5. ＿＿　　　　　10. ＿＿　　(Answers on page 510.)

LESSON 9

KEY SENTENCES

- そこに　ふうとうが　**なんまい**　ありますか。
  Soko-ni　　huutoo-ga　　nan-mai　　　arimasu-ka.

- えんぴつは　**ながいの**が　いっぽんと　**みじかいの**が
  Enpitu-wa　　nagai-no-ga　　ip-pon-to　　mizikai-no-ga

  さんぼん　あります。
  san-bon　　arimasu.

- ふうとうは　よまいしか　ありません。**けれども**，きっては
  Huutoo-wa　　yo-mai-sika　　arimasen.　　Keredomo,　　kitte-wa

  じゅうにまい　あります。
  zyuuni-mai　　arimasu.

INDEX to NEW WORDS,

EXPRESSIONS and PATTERNS

Dialogue I

ふうとう ……………………………………… envelope

なんまい ………………………………………………… Notes Ⅲ

いち ……………………………………… one

に ……………………………………… two

さん ……………………………………… three

し ……………………………………… four

ご ……………………………………… five

ろく ……………………………………… six

しち ……………………………………… seven

はち ……………………………………… eight

く ……………………………………… nine

じゅう ……………………………………… ten

じゅういち ……………………………………… eleven

じゅうに ……………………………………… twelve

じゅうにまい ………………………………………………… Notes Ⅲ

ところ ……………………………………… place

よまい ………………………………………………… Notes Ⅲ

けれども ……………………………… but, however ………… Notes Ⅰ-1

きって ……………………………… postage stamp

なんぼん ………………………………………………… Notes Ⅲ

ながいの ………………………………………………… Notes Ⅰ-2

ながい（の） ……………………………… long

いっぽん ……………………………………………………… Notes Ⅲ

みじかいの ……………………………………………………… Notes Ⅰ-2

みじかい（の）…………………………………… short

さんぼん ……………………………………………………… Notes Ⅲ

Dialogue II

すずき* ………………………………… Suzuki ……………… Notes Ⅱ

みんな………………………………………… all

たんごちょう ………………………………… word list ………… Notes Ⅱ

にさつ ……………………………………………………… Notes Ⅲ

あつい ………………………………………… thick

れんしゅうちょう ……………………………… workbook, drill book…Notes Ⅱ

もう（いっさつ）……………………………… additional

いっさつ ……………………………………………………… Notes Ⅲ

きょうかしょ ………………………………… textbook

Dialogue III

くらす ………………………………………… class

おおぜい ………………………………………… many ……………… Notes Ⅱ

くにん ………………………………………… nine persons

なんにん…………………………………………………… Notes Ⅲ

ふたり ………………………………………… two persons

ひとり ………………………………………… one person

どいつじん ……………………………………… a German

どいつ（じん）……………………………… Germany

くに………………………………………… country, nation

よにん………………………………………… four persons………… Notes Ⅲ

さんにん ……………………………………… three persons ……… Notes Ⅲ

しちにん ……………………………………… seven persons ……… Notes Ⅲ

DIALOGUES

I. (A Japanese class.)

1 やまかわ ： すみすさん、 そこに ふうとうが なんまい
Sumisu-san, soko-ni huutoo-ga nan-mai

ありますか。
arimasu-ka.

2 すみす ： いち、 に、
Iti, ni,

さん、 し、
san, si,

ご、 ろく、
go, roku,

しち、 はち、
siti, hati,

く、 じゅう、 じゅういち、 じゅうに、……
ku, zyuu, zyuuiti, zyuuni,

じゅうにまい あります。
zyuuni-mai arimasu.

3 やまかわ ： じょんそんさん、 あなたの ところにも
Zyonson-san, anata-no tokoro-nimo

じゅうにまい ありますか。
zyuuni-mai arimasu-ka.

I 1. Yamakawa : Mr. Smith, how many envelopes do you have?
2. Smith : One, two, three, four, five, six, seven, eight, nine, ten, eleven, twelve·····. I have twelve envelopes.
3. Yamakawa : Mr. Johnson, do you also have twelve envelopes?

4　じょんそん　　：　いいえ，　ふうとうは
　　　　　　　　　　　Iie,　　　　huutoo-wa

　　　　　　　　　　　よまいしか
　　　　　　　　　　　yo-mai-sika

　　　　　　　　　　　ありません。　けれども，
　　　　　　　　　　　arimasen.　　　　Keredomo,

　　　　　　　　　　　きっては　　じゅうにまい
　　　　　　　　　　　kitte-wa　　　zyuuni-mai

　　　　　　　　　　　あります。
　　　　　　　　　　　arimasu.

5　やまかわ　　　：　えんぴつは　　なんぼん
　　　　　　　　　　　Enpitu-wa　　　nan-bon

　　　　　　　　　　　ありますか。
　　　　　　　　　　　arimasu-ka.

6　じょんそん　　：　えんぴつは　　ながいのが　　いっぽんと
　　　　　　　　　　　Enpitu-wa　　　nagai-no-ga　　ip-pon-to

　　　　　　　　　　　みじかいのが　さんぼん　あります。
　　　　　　　　　　　mizikai-no-ga　　san-bon　　arimasu.

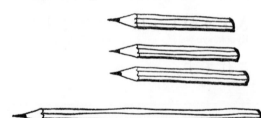

Ⅱ. (Suzuki is visiting his friend Bailey in his room.)

1　すずき　　　　：　のーとが　　たくさん　　ありますね。
　　　　　　　　　　　Nooto-ga　　　takusan　　　arimasu-ne.

2　べいりー　　　：　みんな　　にほんごの　　のーとです。
　　　　　　　　　　　Minna　　　nihon-go-no　　nooto-desu.

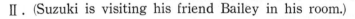

	4. Johnson	:	No, I have only four. But I have twelve stamps.
	5. Yamakawa	:	How many pencils do you have?
	6. Johnson	:	I have one long one and three short ones.
Ⅱ	1. Suzuki	:	You have a lot of notebooks, haven't you?
	2. Bailey	:	They are all notebooks for Japanese.

3 すずき : たんごちょうも　ありますか。
　　　　　　　Tango-tyoo-mo　　　arimasu-ka.

4 べいりー : はい，あります。これと　これです。
　　　　　　　Hai,　arimasu.　Kore-to　kore-desu.

5 すずき : にさつですか。
　　　　　　　Ni-satu-desu-ka.

6 べいりー : はい。
　　　　　　　Hai.

7 すずき : この　あつい　のーとは　なんの
　　　　　　　Kono　atui　nooto-wa　nan-no

のーとですか。
nooto-desu-ka.

8 べいりー : ああ，それは　かんじの
　　　　　　　Aa,　sore-wa　kanzi-no

れんしゅうちょうです。ここに　もう
rensyuu-tyoo-desu.　Koko-ni　moo

いっさつ　あります。
is-satu　arimasu.

9 すずき : きょうかしょは　どれですか。
　　　　　　　Kyookasyo-wa　dore-desu-ka.

10 べいりー : これです。
　　　　　　　Kore-desu.

---

3. Suzuki	:	Do you have word lists, too?
4. Bailey	:	Yes, I have. This one and this one.
5. Suzuki	:	Oh, you have two?
6. Bailey	:	Yes.
7. Suzuki	:	What kind of notebook is this thick one?
8. Bailey	:	Oh, that's a Kanji workbook. I have another one over here.
9. Suzuki	:	Which is your textbook?
10. Bailey	:	This one here.

Ⅲ. (Continuation of Conversation Ⅱ. In Bailey's room.)

1　すずき　　　：　あなたの　　くらすには　がくせいが　おおぜい
　　　　　　　　　　Anata-no　　kurasu-niwa　gakusei-ga　oozei

　　　　　　　　　　いますか。
　　　　　　　　　　imasu-ka.

2　べいりー　　：　いいえ。ぜんぶで　くにんです。
　　　　　　　　　　Iie.　Zenbu-de　ku-nin-desu.

3　すずき　　　：　みんな　おとこの　がくせいですか。
　　　　　　　　　　Minna　otoko-no　gakusei-desu-ka.

4　べいりー　　：　いいえ。おんなの　がくせいも　います。
　　　　　　　　　　Iie.　Onna-no　gakusei-mo　imasu

5　すずき　　　：　おんなの　がくせいは　なんにん　いますか。
　　　　　　　　　　Onna-no　gakusei-wa　nan-nin　imasu-ka.

6　べいりー　　：　ふたり　います。ひとりは　どいつじんで，もう
　　　　　　　　　　Hutari　imasu.　Hitori-wa　Doitu-zin-de,　moo

　　　　　　　　　　ひとりは　ふらんすじんです。
　　　　　　　　　　hitori-wa　Huransu-zin-desu.

7　すずき　　　：　おとこの　がくせいは　どこの　くにの
　　　　　　　　　　Otoko-no　gakusei-wa　doko-no　kuni-no

　　　　　　　　　　がくせいですか。
　　　　　　　　　　gakusei-desu-ka.

8　べいりー　　：　あめりかの　がくせいが　よにんで，
　　　　　　　　　　Amerika-no　gakusei-ga　yo-nin-de,

　　　　　　　　　　いぎりすの　がくせいが　さんにんです。
　　　　　　　　　　Igirisu-no　gakusei-ga　san-nin-desu.

Ⅲ　1. Suzuki　　：　Are there many students in your class?
　　2. Bailey　　：　No, there are nine of us altogether.
　　3. Suzuki　　：　Are they all boys?
　　4. Bailey　　：　No, there are girls, too.
　　5. Suzuki　　：　How many girls are there?
　　6. Bailey　　：　Two. One is German and the other is French.
　　7. Suzuki　　：　What countries do the boys come from?
　　8. Bailey　　：　Four are American and three are British.

☆ ☆ ☆

べいりーさんの　くらすには　がくせいが　くにん　います。
Beirii-san-no　　kurasu-niwa　gakusei-ga　ku-nin　imasu.

おんなの　がくせいが　ふたりと　おとこの　がくせいが
Onna-no　gakusei-ga　hutari-to　otoko-no　gakusei-ga

しちにん　います。
siti-nin　imasu

☆ ☆ ☆

In Bailey's class there are nine students—— two girls and seven boys.

DRILLS

Drill 1　〔Based on Notes I — 1〕

れいのように　いいかえて　ください。
Change the following as shown in the examples.

れい　Examples

1　ふうとうは　よまいしか　ありません。／　きっては　ごまい
　　あります。

　　　──→ふうとうは　よまいしか　ありません。けれども，きっては
　　　ごまい　あります。

2　わたしの　うちには　しろい　いぬは　いません。／　くろい　いぬは
　　います。

　　　──→わたしの　うちには　しろい　いぬは　いません。けれども，
　　　くろい　いぬは　います。

もんだい　Exercises

1　ふうとうは　よまいしか　ありません。／　きっては　ごまい
　　あります。──→

2　わたしの　うちには　しろい　いぬは　いません。／　くろい　いぬは
　　います。──→

3　おとこの　ひとは　ごにん　います。／　おんなの　ひとは　ふたりしか
　　いません ──→

4　すみすさんの　うちには　いぬが　います。／　ねこは　いません。──→

5　ながい　えんぴつは　いっぽんしか　ありません。／　みじかい
　　えんぴつは　さんぼん　あります。──→

6　おおきい　はこは　ありません。／　ちいさい　はこは　あります。──→

7　のーとは　いっさつしか　ありません。／　ほんは　じっさつ
　　あります。──→

8 この へやには さくらの はなが あります。／ ももの はなは
　 ありません。——→

9 あめりかじんは さんにんしか いません。／ いぎりすじんは
　 はちにん います。——→

10 わたしの へやには かんたんな じびきしか ありません。
　 ／ けんきゅうしつには おおきい じびきが あります。——→

こたえ　Answers ——————————————————

1 ふうとうは よまいしか ありません。けれども，きっては ごまい
　 あります。

2 わたしの うちには しろい いぬは いません。けれども，くろい
　 いぬは います。

3 おとこの ひとは ごにん います。けれども，おんなの ひとは
　 ふたりしか いません。

4 すみすさんの うちには いぬが います。けれども，ねこは
　 いません。

5 ながい えんぴつは いっぽんしか ありません。けれども，みじかい
　 えんぴつは さんぼん あります。

6 おおきい はこは ありません。けれども，ちいさい はこは
　 あります。

7 のーとは いっさつしか ありません。けれども，ほんは じっさつ
　 あります。

8 この へやには さくらの はなが あります。けれども，ももの
　 はなは ありません。

9 あめりかじんは さんにんしか いません。けれども，いぎりすじんは
　 はちにん います。

10 わたしの へやには かんたんな じびきしか ありません。
　 けれども，けんきゅうしつには おおきい じびきが あります。

——————————————

Drill 2 〔Based on Notes I—1〕

れいのように こたえて ください。
Answer the following questions as shown in the examples.

れい Examples

1 あそこに いぬが いますか。／ねこ
　　——いいえ, いぬは いません。けれども, ねこが います。

2 つくえの うえに しろい かみが ありますか。／つくえの した
　　——いいえ, つくえの うえには ありません。けれども, つくえの
　　したに あります。

もんだい Exercises

1 あそこに いぬが いますか。／ねこ ——

2 つくえの うえに しろい かみが ありますか。／つくえの した
　　——

3 かばんの なかに ほんが ありますか。／のーと ——

4 きょうしつに こどもが いますか。／たいいくかん ——

5 けんきゅうしつに おとこの ひとが いますか。／おんなの ひと
　　——

6 いすの うえに えんぴつが ありますか。／つくえの うえ ——

7 つくえの したに かさが ありますか。／はこ ——

8 あそこに あめりかじんが いますか。／いぎりすじん ——

9 けんきゅうしつに たなかさんが いますか。／こうどう ——

10 あの へやに しろい かさが ありますか。／くろい かさ ——

こたえ Answers ——————————————

1 いいえ, いぬは いません。けれども, ねこが います。

2 いいえ, つくえの うえには ありません。けれども, つくえの
　　したに あります。

3 いいえ, ほんは ありません。けれども, のーとが あります。

4 いいえ, きょうしつには いません。けれども, たいいくかんに

います。

5 いいえ, おとこの ひとは いません。けれども, おんなの ひとが
います。

6 いいえ, いすの うえには ありません。けれども, つくえの うえに
あります。

7 いいえ, かさは ありません。けれども, はこが あります。

8 いいえ, あめりかじんは いません。けれども, いぎりすじんが
います。

9 いいえ, けんきゅうしつには いません。けれども, こうどうに
います。

10 いいえ, しろい かさは ありません。けれども, くろい かさが
あります。

Drill 3 〔Based on Notes Ⅰ— 2〕

れいのように こたえて ください。
Answer the following questions as shown in the examples.

れい Examples

1 つくえの うえに くろい えんぴつが ありますね。あかい
えんぴつも ありますか。／ はい
——はい, あかいのも あります。

2 あなたの うちに しろい いぬが いますね。くろい いぬも
いますか。／ いいえ
——いいえ, くろいのは いません。

もんだい Exercises

1 つくえの うえに くろい えんぴつが ありますね。あかい
えんぴつも ありますか。／ はい ——

2 あなたの うちに しろい いぬが いますね。くろい いぬも
いますか。／ いいえ ——

3　あの　へやに　ふるい　つくえが　ありますね。あたらしい　つくえも　ありますか。／　いいえ　——➤

4　あそこに　ちいさい　ねこが　いますね。おおきい　ねこも　いますか。／　はい　——➤

5　あなたの　うちに　あかい　はなが　ありますね。　しろい　はなも　ありますか。／　いいえ　——➤

6　あの　たてものに　おおきい　へやが　ありますね。ちいさい　へやも　ありますか。／　はい　——➤

7　やまなかさんの　うちに　まっしろな　いぬが　いますね。まっくろな　いぬも　いますか。／　はい　——➤

8　あそこに　ながい　えんぴつが　ありますね。みじかい　えんぴつも　ありますか。／　いいえ　——➤

9　やまかわさんの　うちに　くろい　ねこが　いますね。しろい　ねこも　いますか。／　いいえ　——➤

10　けんきゅうしつに　おおきい　ほんが　ありますね。ちいさい　ほんも　ありますか。／　はい　——➤

こたえ　Answers ————————————————————

1　はい，あかいのも　あります。

2　いいえ，くろいのは　いません。

3　いいえ，あたらしいのは　ありません。

4　はい，おおきいのも　います。

5　いいえ，しろいのは　ありません。

6　はい，ちいさいのも　あります。

7　はい，まっくろなのも　います。

8　いいえ，みじかいのは　ありません。

9　いいえ，しろいのは　いません。

10　はい，ちいさいのも　あります。

Drill 4 〔Based on Notes I — 2〕

れいのように いいかえて ください。
Change the following as shown in the examples.

れい Examples

1 あかい はなが あります。

　　——→はなは あかいのが あります。

2 まっくろな ねこが います。

　　——→ねこは まっくろなのが います。

もんだい Exercises

1 あかい はなが あります。——→

2 まっくろな ねこが います。——→

3 しろい かみが あります。——→

4 りっぱな たてものが あります。——→

5 くろい いぬが います。——→

6 ふるい ほんが あります。——→

7 きれいな たいいくかんが あります。——→

8 しろい いぬが います。——→

9 おおきい とりが います。——→

10 ながい えんぴつが あります。——→

こたえ Answers——————————————

1 はなは あかいのが あります。

2 ねこは まっくろなのが います。

3 かみは しろいのが あります。

4 たてものは りっぱなのが あります。

5 いぬは くろいのが います。

6 ほんは ふるいのが あります。

7 たいいくかんは きれいなのが あります。

8 いぬは しろいのが います。

9 とりは おおきいのが います。

10 えんぴつは ながいのが あります。

Drill 5 〔Based on Notes Ⅱ〕

れいのように こたえて ください。
Answer the following questions as shown in the examples.

れい Examples

1 こどもが なんにん いますか。／ いち

　　──→こどもが ひとり います。

2 えんぴつが なんぼん ありますか。／ さん

　　──→えんぴつが さんぼん あります。

もんだい Exercises

1 こどもが なんにん いますか。／ いち ──→

2 えんぴつが なんぼん ありますか。／ さん ──→

3 おとなが¹ なんにん いますか。／ に ──→

4 ほんが なんさつ ありますか。／ いち ──→

5 ふうとうが なんまい ありますか。／ に ──→

6 あめりかじんが なんにん いますか。／ さん ──→

7 えんぴつが なんぼん ありますか。／ し ──→

8 おとこの ひとが なんにん いますか。／ はち ──→

9 のーとが なんさつ ありますか。／ ご ──→

10 あかい かみが なんまい ありますか。／ ろく ──→

こたえ Answers ──────────

1 こどもが ひとり います。

2 えんぴつが さんぼん あります。

3 おとなが ふたり います。

4 ほんが いっさつ あります。

〔 ¹おとな adult 〕
　　otona

— 255 —

5　ふうとうが　にまい　あります。

6　あめりかじんが　さんにん　います。

7　えんぴつが　しほん　あります。（えんぴつが　よんほん　あります。）

8　おとこの　ひとが　はちにん　います。

9　のーとが　ごさつ　あります。

10　あかい　かみが　ろくまい　あります。

Drill 6　〔Based on Notes Ⅱ〕

れいのように　しつもんして　ください。
Following the examples, make suitable questions for the answers given below.

れい　Examples

1　いぎりすじんが　ひとり　います。

　　──→いぎりすじんが　なんにん　いますか。

2　えんぴつが　さんぼん　あります。

　　──→えんぴつが　なんぼん　ありますか。

もんだい　Exercises

1　いぎりすじんが　ひとり　います。──→

2　えんぴつが　さんぼん　あります。──→

3　おんなの　ひとが　ふたり　います。──→

4　ふうとうが　ごまい　あります。──→

5　のーとが　ななさつ　あります。──→

6　こどもが　さんにん　います。──→

7　ほんが　いっさつ　あります。──→

8　えんぴつが　にほん　あります。──→

9　かみが　さんまい　あります。──→

10　にほんじんが　じゅうにん　います。──→

こたえ　Answers ──────────────────

1　いぎりすじんが　なんにん　いますか。

2　えんぴつが　なんぼん　ありますか。

3　おんなの　ひとが　なんにん　いますか。

4　ふうとうが　なんまい　ありますか。

5　のーとが　なんさつ　ありますか。

6　こどもが　なんにん　いますか。

7　ほんが　なんさつ　ありますか。

8　えんぴつが　なんぼん　ありますか。

9　かみが　なんまい　ありますか。

10　にほんじんが　なんにん　いますか。

────────────────

Drill 7　〔Based on Notes Ⅱ〕

れいのように　こたえて　ください。
Answer the following questions as shown in the examples.

れい　Examples

1　いぬが　なん<u>びき</u>　いますか。／いち

　　──→い<u>っぴき</u>　います。

2　くるまが¹　なん<u>だい</u>　ありますか。／に

　　──→に<u>だい</u>　あります。

もんだい　Exercises

1　いぬが　なんびき　いますか。／いち ──→

2　くるまが　なんだい　ありますか。／に ──→

3　とりが　なんば　いますか。／さん ──→

4　うちが　なんげん　ありますか。／し ──→

5　てがみが²　なんつう　ありますか。／ご ──→

[¹くるま　automobile,　²てがみ　letter]
　　kuruma　　　　　　　　　tegami

── 257 ──

6 ふくが¹ なんちゃく ありますか。／ ろく ⟶

7 くつが なんぞく ありますか。／ しち ⟶

8 くすりが² なんつぶ ありますか。／ はち ⟶

9 ひこうきが³ なんき ありますか。／ く ⟶

10 ぞうが⁴ なんとう いますか。／ じゅう ⟶

こたえ　Answers ────────────────

1 いっぴき います。

2 にだい あります。

3 さんば います。(さんわ います。)

4 しけん あります。(よんけん あります。)

5 ごつう あります。

6 ろくちゃく あります。

7 しちそく あります。(ななそく あります。)

8 はちつぶ あります。(やつぶ あります。)

9 きゅうき あります。

10 じっとう います。(じゅっとう います。)

────────────────

Drill 8 〔Based on Notes Ⅱ〕

れいのように いいかえて ください。
Change the following as shown in the examples.

れい　Examples

1 ひとが おおぜい います。／ いぬ

　　⟶いぬが たくさん います。

2 こどもが おおぜい います。／ えんぴつ

　　⟶えんぴつが たくさん あります。

────────────────

〔¹ふく clothes, ²くすり medicine, pills, ³ひこうき airplane, ⁴ぞう elephant〕
　huku　　　　　kusuri　　　　　　　hikooki　　　　　zoo

— 258 —

もんだい　Exercises

1　ひとが　おおぜい　います。／ いぬ　⟶

2　こどもが　おおぜい　います。／ えんぴつ　⟶

3　おとこの　ひとが　おおぜい　います。／ ねこ　⟶

4　おんなの　ひとが　おおぜい　います。／ いす　⟶

5　がくせいが　おおぜい　います。／ とり　⟶

6　あそこに　ひとが　おおぜい　います。／ き　⟶

7　たてものの　まえに　にほんじんが　おおぜい　います。／ いぬ　⟶

8　へやの　なかに　おとこの　がくせいが　おおぜい　います。

　　／ つくえ　⟶

9　こうどうの　うしろに　がくせいが　おおぜい　います。／ すずめ　⟶

10　けんきゅうしつの　なかに　おんなの　がくせいが　おおぜい　います。

　　／ ほん　⟶

こたえ　Answers——————————————————

1　いぬが　たくさん　います。

2　えんぴつが　たくさん　あります。

3　ねこが　たくさん　います。

4　いすが　たくさん　あります。

5　とりが　たくさん　います。

6　あそこに　きが　たくさん　あります。

7　たてものの　まえに　いぬが　たくさん　います。

8　へやの　なかに　つくえが　たくさん　あります。

9　こうどうの　うしろに　すずめが　たくさん　います。

10　けんきゅうしつの　なかに　ほんが　たくさん　あります。

————————————————

Drill 9　〔Based on Notes Ⅱ〕

つぎのぶんを　よんで　ください。　Read the following sentences.

1　えんぴつが　にほん　あります。　いっぽんは　ながくて，<u>もう</u>
　　いっぽんは　みじかいです。

2　いぬが　にひき　います。いっぴきは　しろくて，<u>もう</u>　いっぴきは
　　くろいです。

3　にほんじんが　ふたり　います。ひとりは　おとなで，もう　ひとりは
　　こどもです。

4　ほんが　にさつ　あります。いっさつは　きょうかしょで，もう
　　いっさつは　じびきです。

5　たてものが　ふたつ　あります。ひとつは　おおきくて，もう
　　ひとつは　ちいさいです。

6　きが　にほん　あります。いっぽんは　まつで，もう　いっぽんは
　　すぎです。

7　こどもが　ふたり　います。ひとりは　おとこの　こで，もう
　　ひとりは　おんなの　こです。

8　どうぶつが[1]　にとう　います。いっとうは　うまで，[2]　もう　いっとうは
　　うしです。[3]

9　かさが　にほん　あります。いっぽんは　くろくて，もう　いっぽんは
　　あかいです。

10　とりが　にわ　います。いちわは　からすで，[4]　もう　いちわは
　　つばめです。

[¹どうぶつ　animal，²うま　horse，³うし　cow，⁴からす　crow]
　doobutu　　　　　　uma　　　　　usi　　　　karasu

PRONUNCIATION DRILL

つ—*when it precedes a syllable from Line 3 or 17.*

Practice 1: Listen to the following words. Notice that when つ precedes a syllable from the above-mentioned Lines, it assumes the consonant sound of the succeeding syllable.

1. ざっし
2. まっすぐ
3. さっしょう
4. おっしゃる
5. あっさり
6. いっしょうけんめい
7. まっさきに
8. れっしゃ

Practice 2: Pronounce the words in Practice 1. Do not forget that つ is a syllable in itself, and should be given the same time value as any other syllable.

Practice 3: Listen to the following sentences.

1. ここに もう いっさつ あります。
2. いっしゅうかんに いっさつ ほんを よみます。
3. いっしょに いきます。

Practice 4: Pronounce the sentences in Practice 3.

Practice 5: Be sure you can tell the difference between the words that have つ and the words that do not. Listen to the following minimal pairs.

1. あし   あっし
2. いし   いっし
3. かせき   かっせき
4. かせん   かっせん
5. ちそ   ちっそ
6. がしょう   がっしょう

Practice 6: Pronounce the minimal pairs in Practice 5. Remember to give つ the time value of a full syllable.

Recognition Test : Listen to each word and write つ when you hear a word
with a つ syllable and O when there is no つ syllable.

1. ___   6. ___

2. ___   7. ___

3. ___   8. ___

4. ___   9. ___

5. ___   10. ___   (Answers on page 510.)

LESSON 10

KEY SENTENCES

- この さかなは **おいしいです**。

- しゅうかいしつは **りっぱです**。

- どれが
  $$\begin{cases} おいしいですか。\\ きれいですか。\\ あなたの ほんですか。\end{cases}$$

- これは $\begin{Bmatrix} いっぴき \\ いちまい \end{Bmatrix}$ いくらですか。

- これは にひきで ひゃくえんです。

  やすくて おいしい さかな
  きれいで りっぱな しゅうかいしつ

INDEX TO NEW WORDS,

EXPRESSIONS AND PATTERNS

Dialogue I

きゃく*	customer	
（どれ）が		Notes I -4
おいしい	delicious	Notes II
（おいしい）です		Notes I -2
さかなや*	fish shop man	Notes II
さかな	fish	
たかい	expensive	
すこし	a little, a bit	Notes II
やすくて　おいしい		Notes I -5
やすくて＜やすい	inexpensive	Notes I -5
（やすく）て		Notes I -5
いくら	how much	
それを（にひき）ください	Give me (two～), please.	Notes II
（にひき）で		Notes I -6
ありがとう　ございます	Thank you.	

Dialogue II

しゃしん	photograph	
りょう	dormitory	
たいへん	very	Notes II
かなり	considerable	Notes II
みなみがわ	south side	
いい	good	
へやだい	rent	

— 264 —

いっかげつ …………………………… one month

きれいです＜きれいだ …………………………………………… Notes Ⅰ-3

しょくどう …………………………… dining hall

おおきくて　きれいです ……………………………………… Notes Ⅰ-5

おおきくて＜おおきい ………… large ………………………… Notes Ⅰ-5

しゅうかいしつ …………………… meeting room ……………… Notes Ⅱ

きれいで　りっぱな ……………………………………………… Notes Ⅰ-5

きれいで＜きれいだ ……………………………………………… Notes Ⅰ-5

りっぱな＜りっぱだ ……………………………………………… Notes Ⅰ-3

うるさい …………………………… noisy

DIALOGUES

Ⅰ. (At a fish shop.)

1	きゃく	:	どれが　おいしいですか。
2	さかなや	:	あの　あかい　さかなが　おいしいです。
3	きゃく	:	あの　さかなは　たかいですか。
4	さかなや	:	はい，すこし　たかいです。
5	きゃく	:	やすくて　おいしいのは　ありませんか。
6	さかなや	:	これが　やすくて　おいしいです。
7	きゃく	:	これは　いっぴき　いくらですか。
8	さかなや	:	これは　いっぴき　ごじゅうえんです。

Ⅰ 1. Customer : Which one tastes good?
  2. Fish shop man : That red fish tastes good.
  3. Customer : Is that fish expensive?
  4. Fish shop man : Yes, it's a bit expensive.
  5. Customer : Don't you have one that's inexpensive and tastes good?
  6. Fish shop man : This one is inexpensive and tastes good.
  7. Customer : How much is it for one?
  8. Fish shop man : They are fifty yen each.

9 きゃく　　　　：　それでは，それを　にひき　ください。

　　　　　　　　　　にひきで　ひゃくえんですね。

10 さかなや　　　：　はい。ありがとう　ございます。

Ⅱ．(At Kawamura's. Smith, who is visiting Kawamura, is telling about his school dormitory.)

1 すみす　　　　：　これは　わたしの　だいがくの

　　　　　　　　　　しゃしんです。

2 かわむら　　　：　この　たてものは　りょうですか。

3 すみす　　　　：　はい，わたしたちの　りょうです。

4 かわむら　　　：　りょうは　どんな　ところに　ありますか。

5 すみす　　　　：　りょうは　たいへん　しずかな

　　　　　　　　　　ところに　あります。

6 かわむら　　　：　りょうの　へやは　おおきいですか，

　　　　　　　　　　ちいさいですか。

7 すみす　　　　：　おおきいのも　ちいさいのも　あります。

　　　　　　　　　　わたしの　へやは　かなり　おおきいです。

　　　　　　　　　　みなみがわの　いい　へやです。

---

9. Customer　　　　：　Then, I'll take two of them. It's a hundred yen for two, isn't it?

10. Fish shop man：　Yes. Thank you.

Ⅱ　1. Smith　　　　：　This is a picture of my university.

　　2. Kawamura　：　Is this building a dormitory?

　　3. Smith　　　　：　Yes, it's our dormitory.

　　4. Kawamura　：　In what sort of place is your dormitory located?

　　5. Smith　　　　：　It is located in a very quiet place.

　　6. Kawamura　：　Are the rooms in the dormitory large or small?

　　7. Smith　　　　：　There are both large and small ones. My room is pretty large. It faces south and is a very nice room.

8　かわむら　　：　へやだいは　たかいですか。

9　すみす　　　：　いっかげつ　さんぜんえんです。

10　かわむら　　：　そうですか，やすいですね。　しょくどうは
　　　　　　　　　　きれいですか。

11　すみす　　　：　はい，おおきくて　きれいです。

12　かわむら　　：　りょうに　しゅうかいしつも　ありますか。

13　すみす　　　：　はい，きれいで　りっぱな　しゅうかいしつが
　　　　　　　　　　あります。

14　かわむら　　：　しゅうかいしつは　しずかですか。

15　すみす　　　：　すこし　うるさいです。

8.	Kawamura	:	Is the rent expensive?
9.	Smith	:	It's three thousand yen per month.
10.	Kawamura	:	Is that so? It's inexpensive. Is the dining-room clean?
11.	Smith	:	Yes, it's large and clean.
12.	Kawamura	:	Is there a meeting room in the dormitory, too?
13.	Smith	:	Yes, there's a nice, clean meeting room.
14.	Kawamura	:	Is the meeting room quiet?
15.	Smith	:	It's a bit noisy.

DRILLS

Drill 1 〔Based on Notes I — 2〕

れいのように いいかえて ください。
Change the following as shown in the examples.

れい Examples

1 これは たかい じびきです。

　　——→この じびきは <u>たかいです</u>。

2 それは あたらしい きってです。

　　——→その きっては <u>あたらしいです</u>。

もんだい Exercises

1 これは たかい じびきです。——→

2 それは あたらしい きってです。——→

3 あれは ふるい つくえです。——→

4 これは やすい とけいです。——→

5 あれは おおきい がっこうです。——→

6 それは あつい ほんです。——→

7 これは うすい[1] のーとです。——→

8 あれは ちいさい としょかんです。——→

9 これは おいしい さかなです。——→

10 あれは おおきい しょくどうです。——→

こたえ Answers ——————————————————

1 この じびきは たかいです。

2 その きっては あたらしいです。

3 あの つくえは ふるいです。

4 この とけいは やすいです。

〔[1]うすい thin〕

— 269 —

5 あの　がっこうは　おおきいです。

6 その　ほんは　あついです。

7 この　のーとは　うすいです。

8 あの　としょかんは　ちいさいです。

9 この　さかなは　おいしいです。

10 あの　しょくどうは　おおきいです。

Drill 2 〔Based on Notes I — 3〕

れいのように　いいかえて　ください。
Change the following as shown in the examples.

れい　Exercises

1 これは　きれいな　はなです。

　　──→この　はなは　きれいです。

2 それは　べんりな　じびきです。

　　──→その　じびきは　べんりです。

もんだい　Questions

1 これは　きれいな　はなです。──→

2 それは　べんりな　じびきです。──→

3 あれは　きれいな　たてものです。──→

4 これは　まっしろな　いぬです。──→

5 それは　まっくろな　ねこです。──→

6 あれは　きれいな　しょくどうです。──→

7 これは　まっしろな　はなです。──→

8 あれは　かんたんな　じびきです。──→

9 あれは　りっぱな　がっこうです。──→

10 これは　まっくろな　こいぬです。──→

こたえ　Answers ───────────────

1　この　はなは　きれいです。

2　その　じびきは　べんりです。

3　あの　たてものは　きれいです。

4　この　いぬは　まっしろです。

5　その　ねこは　まっくろです。

6　あの　しょくどうは　きれいです。

7　この　はなは　まっしろです。

8　あの　じびきは　かんたんです。

9　あの　がっこうは　りっぱです。

10　この　こいぬは　まっくろです。

───────────────

Drill 3　〔Based on Notes I ― 4〕

れいのように　こたえて　ください。
Answer the following questions as shown in the examples.

れい　Examples

1　どれが　たなかさんの　かばんですか。

　　──これが　たなかさんの　かばんです。

2　どの　ひとが　たなかさんですか。

　　──この　ひとが　たなかさんです。

3　どちらが　きたですか。

　　──こちらが　きたです。

もんだい　Exercises

1　どれが　たなかさんの　かばんですか。──

2　どの　ひとが　たなかさんですか。──

3　どちらが　きたですか。──

4　どれが　やまなかさんの　とけいですか。──

5　どちらが　みなみですか。──

6 どの　ひとが　じょんそんさんですか。——→

7 どれが　すみすさんの　かさですか。——→

8 どちらが　ひがしですか。——→

9 どの　ひとが　やまかわさんですか。——→

10 どれが　べるなーるさんの　じびきですか。——→

こたえ　Answers————————————————

1 これが　たなかさんの　かばんです。

2 この　ひとが　たなかさんです。

3 こちらが　きたです。

4 これが　やまなかさんの　とけいです。

5 こちらが　みなみです。

6 この　ひとが　じょんそんさんです。

7 これが　すみすさんの　かさです。

8 こちらが　ひがしです。

9 この　ひとが　やまかわさんです。

10 これが　べるなーるさんの　じびきです。

————————————————

Drill 4 〔Based on Notes I— 4〕

れいのように　しつもんして　ください。
Following the examples, make suitable questions for the answers given below.

れい　Examples

1 これが　おいしいです。

　　——→どれが　おいしいですか。

2 はい，これは　おいしいです。

　　——→それは　おいしいですか。

もんだい　Exercises

1 これが　おいしいです。——→

2 はい，これは　おいしいです。——→

3 この ひとが やまなかさんです。 ⟶

4 はい, この ひとは やまなかさんです。 ⟶

5 これが すみすさんの ほんです。 ⟶

6 はい, これは あたらしい かさです。 ⟶

7 それが べんりです。 ⟶

8 はい, あの へやは しずかな へやです。 ⟶

9 あれが かんたんな じびきです。 ⟶

10 はい, あれは きれいです。 ⟶

こたえ Answers ──────────────

1 どれが おいしいですか。

2 それは おいしいですか。

3 どの ひとが やまなかさんですか。

4 その ひとは やまなかさんですか。

5 どれが すみすさんの ほんですか。

6 それは あたらしい かさですか。

7 どれが べんりですか。

8 あの へやは しずかな へやですか。

9 どれが かんたんな じびきですか。

10 あれは きれいですか。

─────────────────

Drill 5 〔Based on Notes Ⅰ— 4〕

れいのように こたえて ください。
Answer the following questions as shown in the examples.

れい Examples

1 たかいのは どれですか。

　　⟶たかいのは これです。

2 べんりなのは どの じびきですか。

　　⟶べんりなのは この じびきです。

— 273 —

もんだい　Exercises

1　たかいのは　どれですか。──→

2　べんりなのは　どの　じびきですか。──→

3　あたらしいのは　どれですか。──→

4　おいしいのは　どの　さかなですか。──→

5　やすいのは　どれですか。──→

6　かんたんなのは　どれですか。──→

7　ふるいのは　どの　ほんですか。──→

8　たかいのは　どの　かさですか。──→

9　やすいのは　どの　とけいですか。──→

10　しずかなのは　どの　へやですか。──→

こたえ　Answers ──────────────

1　たかいのは　これです。

2　べんりなのは　この　じびきです。

3　あたらしいのは　これです。

4　おいしいのは　この　さかなです。

5　やすいのは　これです。

6　かんたんなのは　これです。

7　ふるいのは　この　ほんです。

8　たかいのは　この　かさです。

9　やすいのは　この　とけいです。

10　しずかなのは　この　へやです。

───────────────────

Drill 6　〔Based on Notes I ― 4〕

れいのように　こたえて　ください。
Answer the following questions as shown in the examples.

れい　Examples

1　あたらしいの<u>は</u>　どれですか。

　　　　──→あたらしいの<u>は</u>　これです。

2　どれ<u>が</u>　ふるいですか。

　　　　──→これ<u>が</u>　ふるいです。

もんだい　Exercises

1　あたらしいのは　どれですか。──→

2　どれが　ふるいですか。──→

3　おいしいのは　どれですか。──→

4　どれが　おいしいですか。──→

5　ふるいのは　どれですか。──→

6　どれが　あたらしいですか。──→

7　やすいのは　どれですか。──→

8　どれが　たかいですか。──→

9　たかいのは　どれですか。──→

10　どれが　やすいですか。──→

こたえ　Answers───────────────

1　あたらしいのは　これです。

2　これが　ふるいです。

3　おいしいのは　これです。

4　これが　おいしいです。

5　ふるいのは　これです。

6　これが　あたらしいです。

7　やすいのは　これです。

8　これが　たかいです。

9　たかいのは　これです。

10　これが　やすいです。

Drill 7 〔Based on Notes Ⅰ— 5〕

れいのように　いいかえて　ください。
Change the following as shown in the examples.

れい　Examples

1 { これは　やすい　さかなです。
　　これは　おいしい　さかなです。

　　──→これは　やす<u>くて</u>　おいしい　さかなです。

2 { あれは　まっしろな　いぬです。
　　あれは　おおきい　いぬです。

　　──→あれは　まっしろ<u>で</u>　おおきい　いぬです。

もんだい　Exercises

1 { これは　やすい　さかなです。
　　これは　おいしい　さかなです。 } ──→

2 { あれは　まっしろな　いぬです。
　　あれは　おおきい　いぬです。 } ──→

3 { これは　ちいさい　じびきです。
　　これは　かんたんな　じびきです。 } ──→

4 { あれは　おおきい　へやです。
　　あれは　しずかな　へやです。 } ──→

5 { あれは　りっぱな　たてものです。
　　あれは　きれいな　たてものです。 } ──→

6 { これは　くろい　ねこです。
　　これは　ちいさい　ねこです。 } ──→

7 { あれは　あたらしい　りょうです。
　　あれは　きれいな　りょうです。 } ──→

8 { これは　かんたんな　じびきです。
　　これは　べんりな　じびきです。 } ──→

9 $\left\{\begin{array}{l}\text{あれは　ちいさい　へやです。}\\\text{あれは　きたない}^1\text{　へやです。}\end{array}\right\}\longrightarrow$

10 $\left\{\begin{array}{l}\text{あれは　きれいな　しょくどうです。}\\\text{あれは　しずかな　しょくどうです。}\end{array}\right\}\longrightarrow$

こたえ　Answers ──────────────

1　これは　やすくて　おいしい　さかなです。

2　あれは　まっしろで　おおきい　いぬです。

3　これは　ちいさくて　かんたんな　じびきです。

4　あれは　おおきくて　しずかな　へやです。

5　あれは　りっぱで　きれいな　たてものです。

6　これは　くろくて　ちいさい　ねこです。

7　あれは　あたらしくて　きれいな　りょうです。

8　これは　かんたんで　べんりな　じびきです。

9　あれは　ちいさくて　きたない　へやです。

10　あれは　きれいで　しずかな　しょくどうです。

──────────────

Drill 8　〔Based on Notes Ⅰ— 5〕

れいのように　いいかえて　ください。
Change the following as shown in the examples.

れい　Examples

1 $\left\{\begin{array}{l}\text{この　いぬは　くろいです。}\\\text{この　いぬは　おおきいです。}\end{array}\right.$

　　　──この　いぬは　くろ<u>くて</u>　おおきいです。

2 $\left\{\begin{array}{l}\text{あの　へやは　しずかです。}\\\text{あの　へやは　きれいです。}\end{array}\right.$

　　　──あの　へやは　しずか<u>で</u>　きれいです。

〔^{1}きたない　dirty〕

─ 277 ─

もんだい　Exercises

1 $\left\{\begin{array}{l}\text{この　いぬは　くろいです。}\\\text{この　いぬは　おおきいです。}\end{array}\right\}\longrightarrow$

2 $\left\{\begin{array}{l}\text{あの　へやは　しずかです。}\\\text{あの　へやは　きれいです。}\end{array}\right\}\longrightarrow$

3 $\left\{\begin{array}{l}\text{あの　としょかんは　あたらしいです。}\\\text{あの　としょかんは　おおきいです。}\end{array}\right\}\longrightarrow$

4 $\left\{\begin{array}{l}\text{この　じびきは　かんたんです。}\\\text{この　じびきは　べんりです。}\end{array}\right\}\longrightarrow$

5 $\left\{\begin{array}{l}\text{この　さかなは　やすいです。}\\\text{この　さかなは　おいしいです。}\end{array}\right\}\longrightarrow$

6 $\left\{\begin{array}{l}\text{この　へやは　うるさいです。}\\\text{この　へやは　きたないです。}\end{array}\right\}\longrightarrow$

7 $\left\{\begin{array}{l}\text{この　ねこは　まっしろです。}\\\text{この　ねこは　ちいさいです。}\end{array}\right\}\longrightarrow$

8 $\left\{\begin{array}{l}\text{この　けんきゅうしつは　あたらしいです。}\\\text{この　けんきゅうしつは　きれいです。}\end{array}\right\}\longrightarrow$

9 $\left\{\begin{array}{l}\text{この　えんぴつは　ながいです。}\\\text{この　えんぴつは　あたらしいです。}\end{array}\right\}\longrightarrow$

10 $\left\{\begin{array}{l}\text{あの　しゅうかいしつは　きれいです。}\\\text{あの　しゅうかいしつは　おおきいです。}\end{array}\right\}\longrightarrow$

こたえ　Answers————————

1　この　いぬは　くろくて　おおきいです。

2　あの　へやは　しずかで　きれいです。

3　あの　としょかんは　あたらしくて　おおきいです。

4　この　じびきは　かんたんで　べんりです。

5　この　さかなは　やすくて　おいしいです。

6 この へやは うるさくて きたないです。

7 この ねこは まっしろで ちいさいです。

8 この けんきゅうしつは あたらしくて きれいです。

9 この えんぴつは ながくて あたらしいです。

10 あの しゅうかいしつは きれいで おおきいです。

Drill 9 〔Based on Notes Ⅰ—6, Lesson 9 Notes Ⅱ〕

れいのように しつもんして ください。
Following the examples, make suitable questions for the answers given below.

れい Examples

1 にほんごの ほんは ごひゃくえんです。

　　—→にほんごの ほんは いくらですか。

2 さかなは はっぴき います。

　　—→さかなは なんびき いますか。

3 えんぴつは ろっぽん あります。

　　—→えんぴつは なんぼん ありますか。

もんだい Exercises

1 にほんごの ほんは ごひゃくえんです。—→

2 さかなは はっぴき います。—→

3 えんぴつは ろっぽん あります。—→

4 ふうとうは さんまい あります。—→

5 へやだいは さんぜんえんです。—→

6 ほんは ごさつ あります。—→

7 おとこの こは よにん います。—→

8 いぬは さんびき います。—→

9 くろい かみは きゅうまい あります。—→

10 おかねは[1] にせんえん あります。 —→

〔[1]おかね money〕

— 279 —

こたえ　Answers ─────────────────────

1　にほんごの　ほんは　いくらですか。

2　さかなは　なんびき　いますか。

3　えんぴつは　なんぼん　ありますか。

4　ふうとうは　なんまい　ありますか。

5　へやだいは　いくらですか。

6　ほんは　なんさつ　ありますか。

7　おとこの　こは　なんにん　いますか。

8　いぬは　なんびき　いますか。

9　くろい　かみは　なんまい　ありますか。

10　おかねは　いくら　ありますか。

─────────────────────

Drill 10　〔Based on Notes Ⅰ— 6〕

れいのように　いいかえて　ください。
Change the following as shown in the examples.

れい　Examples

1　この　ほんは　いくらですか。

　　──→この　ほんは　いっさつ　いくらですか。

2　この　さかなは　いくらですか。

　　──→この　さかなは　いっぴき　いくらですか。

3　へやだいは　いくらですか。

　　──→へやだいは　いっかげつ　いくらですか。

もんだい　Exercises

1　この　ほんは　いくらですか。──→

2　この　さかなは　いくらですか。──→

3　へやだいは　いくらですか。──→

4　この　たんごちょうは　いくらですか。──→

5　この　とけいは　いくらですか。──→

6　この　えんぴつは　いくらですか。⟶

7　あの　はこは　いくらですか。⟶

8　この　ふうとうは　いくらですか。⟶

9　その　じびきは　いくらですか。⟶

10　あの　かばんは　いくらですか。⟶

こたえ　Answers———————————————

1　この　ほんは　いっさつ　いくらですか。

2　この　さかなは　いっぴき　いくらですか。

3　へやだいは　いっかげつ　いくらですか。

4　この　たんごちょうは　いっさつ　いくらですか。

5　この　とけいは　ひとつ　いくらですか。

6　この　えんぴつは　いっぽん　いくらですか。

7　あの　はこは　ひとつ　いくらですか。

8　この　ふうとうは　いちまい　いくらですか。

9　その　じびきは　いっさつ　いくらですか。

10　あの　かばんは　ひとつ　いくらですか。

PRONUNCIATION DRILL

Lines 8 and 16-27.

Practice 1: Listen to the following everyday words. Remember that the symbols in Lines 16-27 represent single syllables only.

1. きょう
2. きょうと
3. ゆうびんきょく
4. きりすときょう
5. べんきょう

6. ぎゅうにゅう
7. りょうり
8. しょくじ
9. ちょこれーと
10. やきゅう

Practice 2: Pronounce the words in Practice 1. Remember to give every syllable the same time value.

Practice 3: Listen to the following sentences.

1. わたしは　じょんそんです。
2. あなたは　りゅうがくせいです。
3. あの　たてものは　きょうかいです。
4. あなたの　うちは　とうきょうですか。
5. いいえ, あそこは　きょうしつでは　ありません。

Practice 4: Pronounce the sentences in Practice 3.

Practice 5: It is difficult to distinguish between the syllables of Lines 16-27 (B); a syllable with a vowel sound　い　followed by another vowel sound (A); and a syllable with a vowel sound　い　followed by a syllable of Line 8 (C). Listen to the following sets of words (arranged in Columns A, B and C). Try to distinguish between them.

	A	B	C
1.	いを	よ	いよ
2.	きを	きょ	きよ
3.	びおおいん	びょういん	びよいん
4.	いあつ	やつ	いいやつ
5.	しあつ	しゃつ	しやつ

6. きあつ きゃつ きやつ

7. りう りゅう りゆう

8. じう じゅう じゆう

Practice 6: Pronounce the sets of words in Practice 5. Be careful to give the proper time value to each syllable.

Recognition Test: Listen to the words on the tape. Indicate whether each is a Column A type, a Column B type, or a Column C type by writing an A, B, or C.

1. ____ 6. ____

2. ____ 7. ____

3. ____ 8. ____

4. ____ 9. ____

5. ____ 10. ____ (Answers on page 510.)

REVIEW LESSON I

(Lesson 1 ~ 10)

Index to New Words and Expressions

ちょっと うかがいますが	Excuse me, but may I ask you…	
たくしーのりば	taxi stand	
とおりがかりの ひと	passer-by	
にきろ	two kilometers	
どうも ありがとう ございました	Thank you very much.	Note 1
ぷりんすほてる	Prince Hotel	
うんてんしゅ	driver	
はい	Here you are.	
ごくろうさま	Thank you for your trouble.	Note 2
ふろんとがかり	receptionist	
（じょんそん）さま		Note 3
しょうしょう おまちください	Just a minute please.	
ぼーい	bellboy	
こちらで ございます	This way, please.	
よくしつ	bathroom	
（よくしつ）で ございます		Note 4
いっかい	first floor	
ちか	basement	
（ちかに）ございます	is (found in the basement)	Note 4
ばー	bar	
どうも ありがとう	Thank you.	Note 1

— 284 —

どういたしまして ……………………… Don't mention it.

もしもし ……………………………… hello (on the phone)

やまもと ……………………………… surname

おげんきですか ……………………… How are you?

おかげさまで ………………………… I'm fine, thank you.

ひでお ………………………………… first name of Japanese boy

あかさか ……………………………… one of the most flourishing downtown areas in Tokyo

ちかてつ ……………………………… subway

あした ………………………………… tomorrow

じゃ …………………………………… well, then…

おめに　かかります ………………… I'll be seeing you.

さようなら …………………………… good-bye

Dialogues

1. (Johnson has just arrived in Japan. At Haneda Airport he asks a passer-by where a taxi stand is.)

じょんそん　　　　　：　ちょっと　うかがいますが，たくしーのりばは
　　　　　　　　　　　　どこですか。

とおりがかりの　ひと　：　あそこです。

じょんそん　　　　　：　ああ，あそこですね。

とおりがかりの　ひと　：　ええ。

じょんそん　　　　　：　たくしーは　いくらですか。

とおりがかりの　ひと　：　にきろで　ひゃくさんじゅうえんです。

じょんそん　　　　　：　そうですか。どうも　ありがとう　ございました。

2. (A dialogue between Johnson and the taxi driver.)

じょんそん 　　　: ぷりんすほてる。

うんてんしゅ 　　: はい。

(The taxi arrives at the hotel.)

じょんそん 　　　: いくらですか。

うんてんしゅ 　　: きゅうひゃくろくじゅうえんです。

じょんそん 　　　: はい, きゅうひゃくろくじゅうえん。

うんてんしゅ 　　: どうも ありがとう ございました。

じょんそん 　　　: ごくろうさま。

3. (At the hotel registration desk.)

ふろんとがかり 　: じょんそんさまですね。

じょんそん 　　　: はい, じょんそんです。

ふろんとがかり 　: しょうしょう おまちください。

じょんそん 　　　: はい。

4. (A dialogue between Johnson and a bellboy in Johnson's room in the hotel.)

ぼーい 　　　　　: こちらで ございます。

じょんそん 　　　: しずかで いい へやですね。

ぼーい 　　　　　: ありがとう ございます。

じょんそん 　　　: あそこは なんですか。

ぼーい 　　　　　: よくしつで ございます。

じょんそん 　　　: しょくどうは どこに ありますか。

ぼーい 　　　　　: いっかいと ちかに ございます。

じょんそん 　　　: ばーも ありますか。

ぼーい 　　　　　: はい, ばーも ちかに ございます。

じょんそん 　　　: どうも ありがとう。

ぼーい 　　　　　: どういたしまして。

5. (From the hotel Jonson telephones his Japanese friend Hideo Yamamoto.)

じょんそん	:	もしもし。
やまもと	:	もしもし, やまもとですが。
じょんそん	:	じょんそんです。
やまもと	:	ああ, じょんそんさんですか。
じょんそん	:	おげんきですか。
やまもと	:	ええ, おかげさまで。
じょんそん	:	ひでおさん いますか。
やまもと	:	ええ, しょうしょう おまち ください。
じょんそん	:	はい。

ひでお	:	もしもし。
じょんそん	:	もしもし, ひでおさんですか。
ひでお	:	ええ, ひでおです。おげんきですか。
じょんそん	:	ええ。
ひでお	:	いま どこに いますか。
じょんそん	:	ぷりんすほてるです。
ひでお	:	ぷりんすほてる?
じょんそん	:	ええ, あかさかです。
ひでお	:	あかさかの どこですか。
じょんそん	:	ちかてつの えきの ちかくです。
ひでお	:	あしたも そこに いますか。
じょんそん	:	ええ。
ひでお	:	じゃ, あした おめに かかります。
じょんそん	:	じゃ あした。さようなら。
ひでお	:	さようなら。

Comprehension Test

Based on the dialogues you've just heard on the tape, mark the true statements with a T.

1. Johnson could see the taxi stand from where he was.

2. The taxi rate is 200 yen per two kilometers.

3. The taxi fare was 960 yen from Haneda to the Prince Hotel.

4. Johnson had to wait a little at the registration desk.

5. Johnson liked his room.

6. There are dining rooms on the main floor only.

7. The bar is on the main floor.

8. There is no bar in the hotel.

9. Hideo answered the phone immediately.

10. The hotel where Johnson stayed is near Yūrakuchō.

11. The hotel is near a subway station.

12. Johnson and Hideo are going to meet tomorrow.

(Answers on page 292.)

Drills

I　れいのように　いいかえて　ください。

Change the following as shown in the examples.

れい　Examples

1　ぷりんすほてる──→ちょっと　うかがいますが，ぷりんすほてるは
　　　　　　　　　　　　どこですか。

2　しょくどう　　──→ちょっと　うかがいますが，しょくどうは
　　　　　　　　　　　　どこですか。

もんだい　Exercises

1　ぷりんすほてる──→

2 しょくどう　　　⟶

3 よくしつ　　　　⟶

4 ばー　　　　　　⟶

5 ちかてつの　えき⟶

6 わしょくの　しょくどう⟶

こたえ　Answers ────────────────

1 ちょっと　うかがいますが，ぷりんすほてるは　どこですか。

2 ちょっと　うかがいますが，しょくどうは　どこですか。

3 ちょっと　うかがいますが，よくしつは　どこですか。

4 ちょっと　うかがいますが，ばーは　どこですか。

5 ちょっと　うかがいますが，ちかてつの　えきは　どこですか。

6 ちょっと　うかがいますが，わしょくの　しょくどうは　どこですか。

Ⅱ　れいのように　はなしを　つづける　れんしゅうを　してください。
　　Practice making a conversation as in the examples.

れい　Examples

1. Student　　　：　いくらですか。

　　Instructor　：　きゅうひゃくろくじゅうえんです。

　　Student　　　：　はい，きゅうひゃくろくじゅうえん。

2. Student　　　：　いくらですか。

　　Instructor　：　にひゃくえんです。

　　Student　　　：　はい，にひゃくえん。

もんだい　Exercises

1 にひゃくえん　　　　　⟶

2 さんびゃくえん　　　　⟶

3 よんひゃくえん　　　　⟶

4 ごひゃくえん　　　　　⟶

[¹わしょく　　Japanese-style food]
[　wasyoku

5　ごひゃくごじゅうえん　　⟶

6　ろっぴゃくにじゅうえん⟶

7　ひゃくごえん　　　　　⟶

8　にじゅうごえん　　　　⟶

9　ごじゅうごえん　　　　⟶

10　せんごひゃくえん　　　⟶

こたえ　Answers ─────────────────────

1. Student　　：　いくらですか。

　Instructor　：　にひゃくえんです。

　Student　　：　はい，にひゃくえん。

2. Student　　：　いくらですか。

　Instructor　：　さんびゃくえんです。

　Student　　：　はい，さんびゃくえん。

3. Student　　：　いくらですか。

　Instructor　：　よんひゃくえんです。

　Student　　：　はい，よんひゃくえん。

4. Student　　：　いくらですか。

　Instructor　：　ごひゃくえんです。

　Student　　：　はい，ごひゃくえん。

5. Student　　：　いくらですか。

　Instructor　：　ごひゃくごじゅうえんです。

　Student　　：　はい，ごひゃくごじゅうえん。

6. Student　　：　いくらですか。

　Instructor　：　ろっぴゃくにじゅうえんです。

　Student　　：　はい，ろっぴゃくにじゅうえん。

7. Student　　：　いくらですか。

　Instructor　：　ひゃくごえんです。

　Student　　：　はい，ひゃくごえん。

8. Student　　：　いくらですか

　　Instructor　：　にじゅうごえんです。

　　Student　　：　はい, にじゅうごえん。

9. Student　　：　いくらですか。

　　Instructor　：　ごじゅうごえんです。

　　Student　　：　はい, ごじゅうごえん。

10. Student　　：　いくらですか。

　　Instructor　：　せんごひゃくえんです。

　　Student　　：　はい, せんごひゃくえん。

Ⅲ　れいのように　いいかえて　ください。

　　Change the following as shown in the examples.

　れい　Examples

1　いっかいと　ちかで　ございます。──→いっかいと　ちかです。

2　いっかいと　ちかに　ございます。──→いっかいと　ちかに　あります。

　もんだい　Exercises

1　いっかいと　ちかで　ございます。──→

2　いっかいと　ちかに　ございます。──→

3　あかさかで　ございます。──→

4　あかさかに　ございます。──→

5　ひゃくえんで　ございます。──→

6　えきの　ちかくに　ございます。──→

7　はねだで¹　ございます。──→

8　こちらに　ございます。──→

9　こちらで　ございます。──→

10　じょんそんで　ございます。──→

　　〔¹はねだ　a place name〕
　　　　haneda

こたえ　Answers ─────────────────

1　いっかいと　ちかです。

2　いっかいと　ちかに　あります。

3　あかさかです。

4　あかさかに　あります。

5　ひゃくえんです。

6　えきの　ちかくに　あります。

7　はねだです。

8　こちらに　あります。

9　こちらです。

10　じょんそんです。

Answers to the Comprehension Test

1. T	4. T	7. F	10. F
2. F	5. T	8. F	11. T
3. T	6. F	9. F	12. T

LESSON 11

KEY SENTENCES

- さくらの　はなは　**あかく　ない**です。

- わたしの　うちの　ちかくは　**しずかでは　ありません**。

- とおりの　りょうがわには　しょうてんが　たくさん
  あります。**ですから**，とても　べんりです。

　　　　　　あたらしく　ない　うち
　　　　　　きれいで（は）　ない　へや

INDEX to NEW WORDS,

EXPRESSIONS and PATTERNS

Dialogue I

あかく　ない(です)＜あかい .... Notes I -1

なにいろ ....what color.............. Notes II

うすい ....pale, light

ももいろ .... pink (color of peach blossoms) ...... Notes II

おおきく　ない(です)＜おおきい .... Notes I -1

さあ　(しりません) ....Well, (I don't know)... Notes II

しりません.................................(I) don't know

いけ ....pond

みち ....road

(この　みちの)　さき ....the end

いし ....stone

あまり (ふかく　ないです) .... Notes II

ふかく　ない(です)＜ふかい....................deep .... Notes I -1

Dialogue II

しずかでは　ありません＜しずかだ .... Notes I -2

(うちの)　そば ....near

ひろい ....wide, broad

とおり ....street

りょうがわ....................................both sides

しょうてん.................................store, shop

ですから ....therefore, so

にわ ……………………………………………garden

せまい(です)……………………………………narrow, small

にぎやかです＜にぎやかだ ……………………bustling, lively, busy

ふべんです＜ふべんだ ……………………………inconvenient

DIALOGUES

I. (Miss Black and Miss Ōki are taking a walk in the arboretum. They
see a big tree with pretty red blossoms in full bloom.)

1 ぶらっく　　　：　あの　あかい　きれいな　はなは
　　　　　　　　　　さくらですか。

2 おおき　　　　：　いいえ，さくらでは　ありません。さくらの
　　　　　　　　　　はなは　あかく　ないです。

3 ぶらっく　　　：　なにいろですか。

4 おおき　　　　：　うすい　ももいろです。

5 ぶらっく　　　：　はなは　おおきいですか。

6 おおき　　　　：　いいえ，おおきく　ないです。ちいさいです。

7 ぶらっく　　　：　あの　はなは　なんですか。

I　1. Black　　　：　Are those pretty red blossoms cherry blossoms?
　　2. Ōki　　　 ：　No, they aren't. Cherry blossoms aren't red.
　　3. Black　　　：　What color are they?
　　4. Ōki　　　 ：　They're pale pink.
　　5. Black　　　：　Are the blossoms large?
　　6. Ōki　　　 ：　No, they aren't. They're small.
　　7. Black　　　：　What kind of blossoms are those?

8	おおき	:	さあ, しりません。この へんには さくらの きは ありませんね。
9	ぶらっく	:	いけは どこですか。
10	おおき	:	この みちの さきに いしの はしが ありますね。あの みぎがわです。
11	ぶらっく	:	おおきい いけですか。
12	おおき	:	おおきいです。けれども, あまり ふかく ないです。

Ⅱ. (Miss Black is asking Miss Ōki about her house.)

1	ぶらっく	:	あなたの うちは たなかさんの うちの ちかくですか。
2	おおき	:	いいえ, ちかくでは ありません。
3	ぶらっく	:	しずかな ところですか。

8.	Ōki	:	Sorry, I don't know. There aren't any cherry trees around here, are there?
9.	Black	:	Where's the pond?
10.	Ōki	:	There's a stone bridge at the end of this road, right? The pond lies to its right.
11.	Black	:	Is it a big pond?
12.	Ōki	:	Yes, it's big but it's not very deep.
Ⅱ 1.	Black	:	Is your house near Mr. Tanaka's?
2.	Ōki	:	No, it isn't.
3.	Black	:	Is it in a quiet neighborhood?

4　おおき　　　：　あまり　しずかでは　ありません。うちの
　　　　　　　　　　そばに　ひろい　とおりが　あります。
　　　　　　　　　　とおりの　りょうがわには　しょうてんが
　　　　　　　　　　たくさん　あります。ですから，とても
　　　　　　　　　　べんりです。けれども，うちは　ふるくて
　　　　　　　　　　ちいさいです。にわも　せまいです。

5　ぶらっく　　：　たなかさんの　うちは　どんな　うちですか。

6　おおき　　　：　たなかさんの　うちも　あまり　あたらしく
　　　　　　　　　　ない　うちです。けれども，にわは　かなり
　　　　　　　　　　ひろいです。

7　ぶらっく　　：　たなかさんの　うちの　ちかくも
　　　　　　　　　　にぎやかですか。

---

4. Ōki　　　：　No, it isn't very quiet.　There's a main street near my
　　　　　　　house.　On both sides there are lots of stores, so it's
　　　　　　　very convenient.　But my house is old and small and
　　　　　　　my garden is small, too.

5. Black　　：　What is Mr. Tanaka's house like?

6. Ōki　　　：　His house is not very new, either.　But his garden is
　　　　　　　fairly big.

7. Black　　：　Is Mr. Tanaka's neighborhood also a bustling place?

8 おおき　　　：　いいえ，あまり　にぎやかでは　ありません。

ちかくに　しょうてんも　ありません。

ですから，すこし　ふべんです。

---

8. Ōki　　　：　No, not very.　There are no shops near his house, so
it's a little inconvenient.

DRILLS

Drill 1 〔Based on Notes Ⅰ— 1〕

れいのように いいかえて ください。
Change the following as shown in the examples.

れい Examples

1 あの はなは あかいです。

—→あの はなは あか<u>く</u> ないです。

2 この うちは あたらしいです。

—→この うちは あたらし<u>く</u> ないです。

もんだい Exercises

1 あの はなは あかいです。—→

2 この うちは あたらしいです。—→

3 その みちは ひろいです。—→

4 この さかなは たかいです。—→

5 あの へやは うるさいです。—→

6 この うちは ふるいです。—→

7 この ほんは やすいです。—→

8 その みちは せまいです。—→

9 あの いぬは おおきいです。—→

10 その えんぴつは みじかいです。—→

こたえ Answers —————————————

1 あの はなは あかく ないです。

2 この うちは あたらしく ないです。

3 その みちは ひろく ないです。

4 この さかなは たかく ないです。

5 あの へやは うるさく ないです。

6　この　うちは　ふるく　ないです。

7　この　ほんは　やすく　ないです。

8　その　みちは　せまく　ないです。

9　あの　いぬは　おおきく　ないです。

10　その　えんぴつは　みじかく　ないです。

Drill 2　〔Based on Notes Ⅰ—2〕

れいのように　いいかえて　ください。
Change the following as shown in the examples.

れい　Examples

1　この　はなは　きれいです。

　　——→この　はなは　きれいでは　ありません。

2　あの　へやは　しずかです。

　　——→あの　へやは　しずかでは　ありません。

もんだい　Exercises

1　この　はなは　きれいです。——→

2　あの　へやは　しずかです。——→

3　この　みちは　にぎやかです。——→

4　あの　うちは　りっぱです。——→

5　この　いぬは　まっくろです。——→

6　あの　ねこは　まっしろです。——→

7　この　じびきは　べんりです。——→

8　あの　へやは　りっぱです。——→

9　この　みちは　しずかです。——→

10　あの　わえいじてんは　ふべんです。——→

こたえ　Answers————————

1　この　はなは　きれいでは　ありません。

— 301 —

2 あの へやは しずかでは ありません。

3 この みちは にぎやかでは ありません。

4 あの うちは りっぱでは ありません。

5 この いぬは まっくろでは ありません。

6 あの ねこは まっしろでは ありません。

7 この じびきは べんりでは ありません。

8 あの へやは りっぱでは ありません。

9 この みちは しずかでは ありません。

10 あの わえいじてんは ふべんでは ありません。

Drill 3 〔Based on Notes Ⅰ— 1, 2〕

れいのように こたえて ください。
Answer the following questions as shown in the examples.

れい Examples

1 しゅうかいしつは しずかですか。

　　——いいえ，しゅうかいしつは しずかでは ありません。

2 あの さかなは たかいですか。

　　——いいえ，あの さかなは たかく ないです。

もんだい Exercises

1 しゅうかいしつは しずかですか。 ——

2 あの さかなは たかいですか。 ——

3 あなたの うちは しずかですか。 ——

4 こうどうは ちいさいですか。 ——

5 あなたの じびきは べんりですか。 ——

6 あなたの へやは せまいですか。 ——

7 すみすさんの うちは りっぱですか。 ——

8 たなかさんの ほんは あたらしいですか。 ——

9 あなたの うちの ねこは まっしろですか。 ──→

10 あの せんせいの えんぴつは みじかいですか。 ──→

こたえ　Answers————————————————

1 いいえ, しゅうかいしつは しずかでは ありません。

2 いいえ, あの さかなは たかく ないです。

3 いいえ, わたしの うちは しずかでは ありません。

4 いいえ, こうどうは ちいさく ないです。

5 いいえ, わたしの じびきは べんりでは ありません。

6 いいえ, わたしの へやは せまく ないです。

7 いいえ, すみすさんの うちは りっぱでは ありません。

8 いいえ, たなかさんの ほんは あたらしく ないです。

9 いいえ, わたしの うちの ねこは まっしろでは ありません。

10 いいえ, あの せんせいの えんぴつは みじかく ないです。

———————————————

Drill 4 〔Based on Notes I ― 3〕

つぎの ぶんを よんで ください。
Read the following sentences.

1 わたしの へやは しゅうかいしつの まえに あります。
　ですから, いつも うるさいです。

2 わたしたちの りょうは だいがくの なかに あります。
　ですから, しずかです。

3 あの あかい さかなは あたらしいです。
　ですから, おいしいです。

4 その さかなは いっぴき ごじゅうえんです。
　ですから, にひきで ひゃくえんです。

〔いつも¹　always〕

— 303 —

5 いとうさんの¹ うちは あたらしく ないです。

　 ですから, あまり きれいでは ありません。

6 うちの ちかくには しょうてんが たくさん あります。

　 ですから, たいへん べんりです。

7 しろい かみが さんまいと あかい かみが にまい あります。

　 ですから, かみは ぜんぶで ごまい あります。

8 おとこの こが ふたりと おんなの こが よにん います。

　 ですから, こどもは みんなで ろくにん います。

9 わたしの へやには かんたんな じびきしか ありません。

　 ですから, ふべんです。

10 わたしの へやは しずかでは ありません。

　 ですから, へやだいが やすいです。

Drill 5 〔Based on Notes Ⅰ— 3〕

つぎの ぶんを よんで ください。
Read the following sentences.

1 { わたしの うちの そばには しょうてんが たくさん あります。
ですから, にぎやかです。
わたしの うちの そばには しょうてんが たくさん あります。
けれども, しずかです。

2 { わたしの へやは へやだいが やすいです。ですから,
ちいさいです。
わたしの へやは へやだいが たかいです。けれども,
ちいさいです。

〔¹いとう　surname〕

— 304 —

3 {
　あの　おおきい　さかなは　あたらしいです。ですから，
　おいしいです。
　あの　おおきい　さかなは　あたらしいです。けれども，
　おいしく　ないです。
}

4 {
　あの　ひとの　うちは　えきの　ちかくです。ですから，
　うるさいです。
　あの　ひとの　うちは　えきの　ちかくでは　ありません。
　けれども，うるさいです。
}

5 {
　たなかさんの　つくえは　あたらしいです。ですから，きれいです。
　たなかさんの　つくえは　あたらしいです。けれども，きたないです。
}

Drill 6　〔Based on Notes Ⅱ〕

れいのように　こたえて　ください。
Answer the following questions as shown in the examples.

れい　Examples

1　やまださんの　うちの　ちかくは　しずかですか。／はい
　　──→はい，たいへん　しずかです。

2　せんせいの　うちは　おおきいですか。／いいえ
　　──→いいえ，あまり　おおきく　ないです。

もんだい　Exercises

1　やまださんの　うちの　ちかくは　しずかですか。／はい　──→

2　せんせいの　うちは　おおきいですか。／いいえ　──→

3　たなかさんの　うちは　あたらしいですか。／はい　──→

4　あなたの　うちの　ちかくは　にぎやかですか。／いいえ　──→

5　すみすさんの　うちは　りっぱですか。／はい　──→

6　あなたの　うちの　まえの　みちは　ひろいですか。／いいえ　──→

7　がっこうの　まえの　みちは　せまいですか。／はい　──→

8　あなたの　へやは　きれいですか。／　いいえ　——→

9　あなたの　うちは　べんりですか。／　はい　——→

10　やまなかさんの　うちは　ふるいですか。／　いいえ　——→

こたえ　Answers————————————

1　はい，たいへん　しずかです。

2　いいえ，あまり　おおきく　ないです。

3　はい，たいへん　あたらしいです。

4　いいえ，あまり　にぎやかでは　ありません。

5　はい，たいへん　りっぱです。

6　いいえ，あまり　ひろく　ないです。

7　はい，たいへん　せまいです。

8　いいえ，あまり　きれいでは　ありません。

9　はい，たいへん　べんりです。

10　いいえ，あまり　ふるく　ないです。

————————————

PRONUNCIATION DRILL

1. す *versus* つ

2. ら, れ, ろ (*Line 9*) *versus* だ, で, ど (*Line 13*)

1. す *versus* つ

Practice 1: Listen to the following minimal pairs on the tape. Try to distinguish between す and つ.

1.	す	つ
2.	すい	つい
3.	すいほう	ついほう
4.	すきあう	つきあう
5.	すける	つける
6.	くす	くつ
7.	かす	かつ
8.	なす	なつ
9.	ます	まつ
10.	たす	たつ

Practice 2: Pronounce the minimal pairs in Practice 1. The consonant sound in す is like that in the English word 'Sue', while that for つ is like the 'tes' in 'He hates ooze'.

Recognition Test A: Listen to each word and write す when you hear a word with す and つ when you hear a word with つ.

1. _____   6. _____

2. _____   7. _____

3. _____   8. _____

4. _____   9. _____

5. _____   10. _____   (Answers on page 510.)

— 307 —

2.　ら, れ, ろ　(Line 9) *versus* だ, で, ど (Line 13)

Practice 1: Listen to the following minimal pairs on the tape.　Try to distinguish Line 9 syllables from Line 13 syllables.

1. らいか　　　だいか
2. らしゃ　　　だしゃ
3. れんぽう　　でんぽう
4. れんしゅう　でんしゅう
5. ろうし　　　どうし
6. あら　　　　あだ
7. たら　　　　ただ
8. たれ　　　　たで
9. それ　　　　そで
10. くろい　　　くどい

Practice 2: Pronounce the minimal pairs in Practice 1.　The consonant sound in the syllables だ, で, and ど is pronounced similarly to that in the English word 'do'.　The consonant sound in ら, れ, and ろ is pronounced by flapping the upper gum ridge once with the tip of the tongue.　English has no similarly made sound.

Recognition Test B: Listen to each word and write in Hiragana the syllable from Line 9 or Line 13 that you hear.

1. _____　　　　6. _____
2. _____　　　　7. _____
3. _____　　　　8. _____
4. _____　　　　9. _____
5. _____　　　　10. _____　　(Answers on page 511.)

LESSON 12

KEY SENTENCES

- きのうは $\left\{\begin{array}{l}\text{いい てんき} \\ \text{わたしの たんじょうび}\end{array}\right\}$ でした。

- おとといは $\left\{\begin{array}{l}\text{いい てんき} \\ \text{やすみ}\end{array}\right\}$ では ありませんでした。

- きのうの あさは **さむかったです。**

- おとといの あさは **さむく なかったです。**

- おとといは あまり さむく なかったです**が,** きのうは とても さむかったです。

- はるやすみは さんがつ いつか**から** しがつ ここのか**まで**です。

さむ**かった**
さむく**なかった**

INDEX to NEW WORDS,

EXPRESSIONS and PATTERNS

Dialogue I

きょう ……………………today

ごがつ ……………………May

ついたち ……………………the first day of a month

なんにち ……………………what day

ふつか ……………………the second day of a month

たんじょうび……………………birthday

みっか ……………………the third day of a month

ろくがつ ……………………June

いつ ……………………when

いちがつ ……………………January

ようか ……………………the eighth day of a month

Dialogue II

さんがつ ……………………March

よっか ……………………the fourth day of a month

じむしょくいん ……………………office clerk

はるやすみ……………………spring vacation ……………… Notes II

(あした)から……………………………… Notes I -5

あさって ……………………the day after tomorrow

しんがっき……………………new (school) term

じゅぎょう……………………class

しがつ ……………………April

とおか ……………………………the tenth day of a month

いつか ……………………………the fifth day of a month

ここのか ……………………………the ninth day of a month

（ここのか）まで ………………through, until ………………… Notes Ⅰ-5

らいげつ ……………………………next month

Dialogue Ⅲ

あたたかい（です） ………………warm

なかむら* ……………………………Nakamura, surname……………Notes Ⅱ

きょうと ……………………………ancient capital of Japan

さむかった（です）＜さむい………cold………………………… Notes Ⅰ-2

おととい ……………………………the day before yesterday

さむく　なかった（です）＜さむい ………………………………… Notes Ⅰ-2

（さむく　なかったです）が， ……………………………………… Notes Ⅰ-3

きのう ……………………………yesterday

（さむく）は（なかったです）…………………………………… Notes Ⅰ-4

てんき ……………………………weather

（いい　てんき）では　ありませんでした …………………… Notes Ⅰ-1

そうでしたか………………………Really? ………………………… Notes Ⅱ

しかし ……………………………but, however………………… Notes Ⅰ-3

（いい　てんき）でした ………………………………………… Notes Ⅰ-1

よかった（です）＜よい ……………good ………………………… Notes Ⅰ-6

けさ ……………………………this morning

あさ ……………………………morning

DIALOGUES

I . (A dialogue on the second of May.)

1 おおき : きょうは ごがつついたちですね。

2 たなか : いいえ, ちがいます。

3 おおき : それでは, きょうは なんにちですか。

4 たなか : きょうは ごがつふつかです。

5 おおき : それでは, あなたの たんじょうびは

あしたですね。

6 たなか : いいえ, わたしの たんじょうびは

ごがつみっかでは ありません。

ろくがつみっかです。あなたの

たんじょうびは いつですか。

3月 March	日 SUN	月 MON	火 TUE	水 WED	木 THU	金 FRI	土 SAT	5月 May	日 SUN	月 MON	火 TUE	水 WED	木 THU	金 FRI	土 SAT
	1	2	3	4	5	6	7							1	2
	8	9	10	11	12	13	14		3	4	5	6	7	8	9
	15	16	17	18	19	20	21		10	11	12	13	14	15	16
	22	23	24	25	26	27	28		17	18	19	20	21	22	23
	29	30	31						24/31	25	26	27	28	29	30

4月 April	日 SUN	月 MON	火 TUE	水 WED	木 THU	金 FRI	土 SAT	6月 June	日 SUN	月 MON	火 TUE	水 WED	木 THU	金 FRI	土 SAT
			1	2	3	4			1	2	3	4	5	6
	5	6	7	8	9	10	11		7	8	9	10	11	12	13
	12	13	14	15	16	17	18		14	15	16	17	18	19	20
	19	20	21	22	23	24	25		21	22	23	24	25	26	27
	26	27	28	29	30				28	29	30

I 1. Ōki : Today's May 1st, isn't it?

2. Tanaka : No, it's not.

3. Ōki : What day is today, then?

4. Tanaka : Today's May 2nd.

5. Ōki : Well, then, tomorrow is your birthday, isn't it?

6. Tanaka : No, my birthday isn't May 3rd. It's June 3rd. When is your birthday?

7 おおき　　　：　わたしの　たんじょうびは

　　　　　　　　いちがつようかです。

Ⅱ．(In the university office.)

1 がくせい　　　　：　あしたは　さんがつよっかですね。

2 じむしょくいん：　はい，そうです。

3 がくせい　　　：　はるやすみは　あしたからですね。

4 じむしょくいん：　いいえ，そうでは　ありません。はるやすみは

　　　　　　　　あさってからです。

5 がくせい　　　：　しんがっきの　じゅぎょうは

　　　　　　　　しがつついたちからですか。

6 じむしょくいん：　いいえ，しがつとおかからです。

7 がくせい　　　：　それでは　はるやすみは　さんがついつかから

　　　　　　　　しがつここのかまでですね。

8 じむしょくいん：　はい，そうです。

---

　　7. Ōki　　　　：　My birthday is January 8th.

Ⅱ　1. Student　　　：　Tomorrow is March 4th, isn't it?

　　2. Office Clerk　：　Yes, it is.

　　3. Student　　　：　Spring vacation starts tomorrow, doesn't it?

　　4. Office Clerk　：　No, it doesn't. Spring vacation starts the day after
　　　　　　　　　　　tomorrow.

　　5. Student　　　：　Does the new term start on April 1st?

　　6. Office Clerk　：　No, from the tenth of April.

　　7. Student　　　：　Then, spring vacation lasts from March 5th until April
　　　　　　　　　　　9th, doesn't it?

　　8. Office Clerk　：　Yes, it does.

☆　　　　☆　　　　☆

　きょうは　さんがつみっかです。はるやすみは　あさってから
らいげつの　ここのかまでです。

Ⅲ.　(Miss Satō has returned after a few days in Kyoto and is chatting with
　　Nakamura.)

1　さとう　　　　：　とうきょうは　あたたかいですね。

2　なかむら　　　：　そうですか。きょうとは　さむかったですか。

3　さとう　　　　：　おとといは　あまり　さむく
　　　　　　　　　　　なかったですが，きのうは　とても
　　　　　　　　　　　さむかったです。

4　なかむら　　　：　とうきょうは，きのうも　おとといも
　　　　　　　　　　　さむくは　なかったですが，あまり　いい
　　　　　　　　　　　てんきでは　ありませんでした。

5　さとう　　　　：　そうでしたか。しかし，きょうは　いい
　　　　　　　　　　　てんきですね。きょうとは　きのうも
　　　　　　　　　　　おとといも　いい　てんきでした。

6　なかむら　　　：　それは　よかったですね。

☆　　　　☆　　　　☆

　Today is March 3rd. Spring vacation starts the day after tomorrow and lasts
until the 9th of next month.

Ⅲ　1. Satō　　　：　It's warm in Tokyo, isn't it?
　　2. Nakamura　：　Really? Was it cold in Kyoto?
　　3. Satō　　　：　It was not so cold the day before yesterday, but it was
　　　　　　　　　　very cold yesterday.
　　4. Nakamura　：　Here in Tokyo, it wasn't cold either yesterday or the
　　　　　　　　　　day before, but the weather wasn't very nice.
　　5. Satō　　　：　Really? But it's fine today, isn't it? Yesterday and
　　　　　　　　　　the day before the weather in Kyoto was fine.
　　6. Nakamura　：　That's good.

☆　　　　　　☆　　　　　　☆

けさは　あたたかいですが，きのうの　あさは　とても
さむかったです。おとといは　あまり　いい　てんきでは
ありませんでした。しかし，さむくは　なかったです。

☆　　　　　　☆　　　　　　☆

It's warm this morning, but it was very cold yesterday morning.　The
weather wasn't so good the day before yesterday, but it wasn't cold.

DRILLS

Drill 1 〔Based on Notes I ー 5〕

れいのように いいかえて ください。
Change the following as shown in the examples.

1 あなたの たんじょうびは なんにちですか。

　　──→あなたの たんじょうびは いつですか。

2 はるやすみは なんにちからですか。

　　──→はるやすみは いつからですか。

もんだい Exercises

1 あなたの たんじょうびは なんにちですか。 ──→

2 はるやすみは なんにちからですか。 ──→

3 じゅぎょうは なんにちまでですか。 ──→

4 たなかさんの たんじょうびは なんにちですか。 ──→

5 なつやすみは¹ なんにちからですか。 ──→

6 ふゆやすみは² なんにちまでですか。 ──→

7 しんがっきの じゅぎょうは なんにちからですか。 ──→

8 しんがっきの じゅぎょうは なんにちまでですか。 ──→

9 せんせいの たんじょうびは なんにちですか。 ──→

10 にがっきの³ じゅぎょうは なんにちからですか。 ──→

こたえ Answers────────────

1 あなたの たんじょうびは いつですか。

2 はるやすみは いつからですか。

3 じゅぎょうは いつまでですか。

4 たなかさんの たんじょうびは いつですか。

〔¹なつやすみ summer vacation, ²ふゆやすみ winter vacation
³にがっき second term　　　　　　　　　　　　　　　　 〕

5　なつやすみは　いつからですか。

6　ふゆやすみは　いつまでですか。

7　しんがっきの　じゅぎょうは　いつからですか。

8　しんがっきの　じゅぎょうは　いつまでですか。

9　せんせいの　たんじょうびは　いつですか。

10　にがっきの　じゅぎょうは　いつからですか。

Drill 2 〔Based on Notes I― 5〕

れいのように　いいかえて　ください。
Change the following as shown in the examples.

れい　Examples

1　しんがっきは　しがつとおかからです。／　しがつむいか

　　──→しんがっきは　しがつむいかからです。

2　はるやすみは　さんがつはつかから　しがつとおかまでです。

　　／　さんがつじゅうごにち，　しがつむいか

　　──→はるやすみは　さんがつじゅうごにちから

　　しがつむいかまでです。

もんだい　Exercises

1　しんがっきは　しがつとおかからです。／　しがつむいか　──→

2　はるやすみは　さんがつはつかから　しがつとおかまでです。

　　／　さんがつじゅうごにち，　しがつむいか　──→

3　なつやすみは，はちがつさんじゅういちにちまでです。

　　／　くがつとおか　──→

4　にがっきは　くがつついたちから　じゅうにがつはつかまでです。

　　／　くがつとおか，　じゅうにがつにじゅうごにち　──→

5　ふゆやすみは　じゅうにがつにじゅうごにちからです。

　　／　じゅうにがつはつか　──→

6 いちがっきは¹ しちがつとおかまでです。

　　／ しちがつにじゅうごにち ⟶

7 なつやすみは しちがつじゅういちにちからです。

　　／ しちがつついたち ⟶

8 ふゆやすみは じゅうにがつにじゅうごにちから いちがつようか

　　までです。／ じゅうにがつはつか, いちがつとおか ⟶

9 さんがっきは² さんがつはつかまでです。

　　／ さんがつにじゅうごにち ⟶

10 はるやすみは さんがつ ようかからです。／ さんがつついたち ⟶

こたえ　Answers ─────────────────────

1 しんがっきは しがつむいかからです。

2 はるやすみは さんがつじゅうごにちから しがつむいかまでです。

3 なつやすみは くがつとおかまでです。

4 にがっきは くがつとおかから じゅうにがつにじゅうごにちまでです。

5 ふゆやすみは じゅうにがつはつかからです。

6 いちがっきは しちがつにじゅうごにちまでです。

7 なつやすみは しちがつついたちからです。

8 ふゆやすみは じゅうにがつはつかから いちがつとおかまでです。

9 さんがっきは さんがつにじゅうごにちまでです。

10 はるやすみは さんがつついたちからです。

─────────────────────

Drill 3　〔Based on Notes I ─ 1〕

れいのように いいかえて ください。
Change the following as shown in the examples.

れい　Examples

1 きょうは いい てんきです。

　　⟶ きのうは いい てんきでした。

〔¹いちがっき　first term, ²さんがっき　third term〕

2 きょうは わるい てんきでは ありません。

 ⟶ きのうは わるい てんきでは ありませんでした。

もんだい Exercises

1 きょうは いい てんきです。⟶

2 きょうは わるい[1] てんきでは ありません。⟶

3 きょうは いい てんきでは ありません。⟶

4 きょうは わるい てんきです。⟶

5 きょうは わるい てんきでは ありません。⟶

こたえ Answers——————————————

1 きのうは いい てんきでした。

2 きのうは わるい てんきでは ありませんでした。

3 きのうは いい てんきでは ありませんでした。

4 きのうは わるい てんきでした。

5 きのうは わるい てんきでは ありませんでした。

—————————————————

Drill 4 〔Based on Notes Ⅰ— 2〕

れいのように いいかえて ください。
Change the following as shown in the examples.

れい Examples

1 きょうは さむいです。

 ⟶ きのうは さむかったです。

2 きょうは あたたかく ないです。

 ⟶ きのうは あたたかく なかったです。

もんだい Exercises

1 きょうは さむいです。

2 きょうは あたたかく ないです。

3 きょうは あついです[2]。

〔[1]わるい bad, [2]あつい hot〕

— 319 —

4 きょうは　すずしく[1]　ないです。⟶

5 きょうは　あたたかいです。⟶

6 きょうは　さむく　ないです。⟶

7 きょうは　すずしいです。⟶

8 きょうは　あつく　ないです。⟶

9 きょうは　さむいです。⟶

10 きょうは　あたたかく　ないです。⟶

こたえ　Answers ───────────────

1 きのうは　さむかったです。

2 きのうは　あたたかく　なかったです。

3 きのうは　あつかったです。

4 きのうは　すずしく　なかったです。

5 きのうは　あたたかかったです。

6 きのうは　さむく　なかったです。

7 きのうは　すずしかったです。

8 きのうは　あつく　なかったです。

9 きのうは　さむかったです。

10 きのうは　あたたかく　なかったです。

───────────────────────

Drill 5　〔Based on Notes Ⅰ— 1, 2〕

れいのように　こたえて　ください。
Answer the following questions as shown in the examples.

れい　Examples

1 きょうは　すずしいですか。／あつい

　　⟶ いいえ，きょうは　すずしく　ないです。あついです。

2 きのうは　いい　てんきでしたか。／わるい

　　⟶いいえ，きのうは　いい　てんきでは　ありませんでした。わるい

〔[1]すずしい　cool〕

てんき<u>でした</u>。

3 きのうの よるは[1] さむ<u>かったですか</u>。 ／ あたたかい

——いいえ， きのうの よるは さむ<u>く</u> <u>なかったです</u>。

あたた<u>かったです</u>。

もんだい Exercises

1 きょうは すずしいですか。 ／ あつい

2 きのうは いい てんきでしたか。 ／ わるい

3 きのうの よるは さむかったですか。 ／ あたたかい

4 きょうは わるい てんきですか。 ／ いい

5 きのうの あさは あつかったですか。 ／ すずしい

6 おとといは あたたかかったですか。 ／ さむい

7 きょうは さむいですか。 ／ あたたかい

8 おとといの あさは わるい てんきでしたか。 ／ いい

9 きのうの よるは すずしかったですか。 ／ あつい

10 おとといの よるは あたたかかったですか。 ／ さむい

こたえ Answers————————————————

1 いいえ， きょうは すずしく ないです。あついです。

2 いいえ， きのうは いい てんきでは ありませんでした。わるい
てんきでした。

3 いいえ， きのうの よるは さむく なかったです。
あたたかかったです。

4 いいえ， きょうは わるい てんきでは ありません。いい
てんきです。

5 いいえ， きのうの あさは あつく なかったです。すずしかったです。

6 いいえ， おとといは あたたかく なかったです。さむかったです。

7 いいえ， きょうは さむく ないです。あたたかいです。

8 いいえ， おとといの あさは わるい てんきでは ありませんでした。
いい てんきでした。

〔[1]よる night〕

9 いいえ, きのうの よるは すずしく なかったです。あつかったです。

10 いいえ, おとといの よるは あたたかく なかったです。

　　さむかったです。

Drill 6 〔Based on Notes I — 1, 2〕

れいのように いいかえて ください。
Change the following as shown in the examples.

れい Examples

　　　　　　きょうは ほんとうに¹ あついですね。

1 あまり 　　—→きょうは あまり あつく ないですね。

2 きのう 　　—→きのうは あまり あつく なかったですね。

3 さむい 　　—→きのうは あまり さむく なかったですね。

4 ほんとうに—→きのうは ほんとうに さむかったですね。

もんだい Exercises

　　　　　　きょうは ほんとうに あついですね。

1 あまり 　　—→

2 きのう 　　—→

3 さむい 　　—→

4 ほんとうに—→

5 きょう 　　—→

6 あたたかい—→

7 きのう 　　—→

8 あまり 　　—→

9 すずしい 　—→

10 ほんとうに—→

11 きょう 　　—→

12 あまり ・ —→

　　〔¹ほんとうに　really〕

13 おととい ⟶

こたえ Answers ━━━━━━━━━━━━━━━━

1 きょうは あまり あつく ないですね。

2 きのうは あまり あつく なかったですね。

3 きのうは あまり さむく なかったですね。

4 きのうは ほんとうに さむかったですね。

5 きょうは ほんとうに さむいですね。

6 きょうは ほんとうに あたたかいですね。

7 きのうは ほんとうに あたたかかったですね。

8 きのうは あまり あたたかく なかったですね。

9 きのうは あまり すずしく なかったですね。

10 きのうは ほんとうに すずしかったですね。

11 きょうは ほんとうに すずしいですね。

12 きょうは あまり すずしく ないですね。

13 おとといは あまり すずしく なかったですね。

━━━━━━━━━━━━━━━━

Drill 7 〔Based on Notes I — 3〕

れいのように いいかえて ください。
Change the following as shown in the examples.

れい Examples

1 きのうは いい てんきでした。しかし,あさは さむかったです。

⟶きのうは いい てんきでしたが,あさは さむかったです。

2 あの へやは おおきいです。しかし,あまり りっぱでは ありません。

⟶あの へやは おおきいですが,あまり りっぱでは ありません。

もんだい Exercises

1 きのうは いい てんきでした。しかし,あさは さむかったです。⟶

2 あの へやは おおきいです。しかし,あまり りっぱでは
ありません。⟶

3 たなかさんの うちは しずかです。しかし, すこし
   せまいです。——→

4 さくらの はなは きれいです。しかし, おおきく ないです。——→

5 おとといは いい てんきでした。しかし, よるは あたたかく
   なかったです。——→

6 しゅうかいしつは きれいで りっぱです。しかし, すこし
   うるさいです。——→

7 やまなかさんの うちは ひろいです。しかし, あたらしく
   ないです。——→

8 この さかなは おいしいです。しかし, すこし たかいです。——→

9 きのうは わるい てんきでした。しかし, あさは
   あたたかかったです。——→

10 とうきょうは きのうも おとといも さむくは なかったです。
   しかし, あまり いい てんきでは ありませんでした。——→

こたえ Answers——————————————————

1 きのうは いい てんきでしたが, あさは さむかったです。

2 あの へやは おおきいですが, あまり りっぱでは ありません。

3 たなかさんの うちは しずかですが, すこし せまいです。

4 さくらの はなは きれいですが, おおきく ないです。

5 おとといは いい てんきでしたが, よるは あたたかく
   なかったです。

6 しゅうかいしつは きれいで りっぱですが, すこし うるさいです。

7 やまなかさんの うちは ひろいですが, あたらしく ないです。

8 この さかなは おいしいですが, すこし たかいです。

9 きのうは わるい てんきでしたが, あさは あたたかかったです。

10 とうきょうは きのうも おとといも さむくは なかったですが,
   あまり いい てんきでは ありませんでした。

PRONUNCIATION DRILL

1. わ

2. *Syllables from Lines 5 and 19 versus word medial or final syllables from Lines 11 and 23.*

1. わ

Practice 1: Listen to the words on the tape. Notice that the semi-vowel in わ is softer than the English 'w' sound.

1.	わ	6.	わいわい
2.	わたし	7.	かわ
3.	わえいじてん	8.	くわしい
4.	わかめ	9.	でんわ
5.	わるい	10.	かんわじてん

Practice 2: Pronounce the words in Practice 1. Do not purse your lips when saying わ.

2. *Syllables from Lines 5 and 19 versus word medial or final syllables from Lines 11 and 23.*

Practice 1: Listen to the minimal pairs on the tape. Try to distinguish between words containing a syllable from Line 5 or 19, and words containing a syllable from Line 11 or 23.

1.	こくがい	こくない
2.	たかがり	たかなり
3.	くぎ	くに
4.	かぎ	かに
5.	きぐ	きぬ
6.	たてぐ	たてぬ

7. せいげん　せいねん

8. ほうげん　ほうねん

9. あご　　あの

10. かごう　　かのう

Practice 2: Pronounce the minimal pairs in Practice 1.   When word medial or final, Line 11 and 23 syllables are often pronounced with a consonant sound like the final sound in the English word 'song'.

Recognition Test: Listen to each word and write in Hiragana the syllable from Lines 5, 19, 11 or 23 That you hear.

1. _____   6. _____

2. _____   7. _____

3. _____   8. _____

4. _____   9. _____

5. _____   10. _____   (Answers on page 511.)

LESSON 13

KEY SENTENCES

- わたしは まいばん じゅうじごろ **ねます。**

- がっこうは $\left\{ \begin{array}{l} はちじはん \\ くじ \end{array} \right\}$ に はじまります。

- わたしは $\left\{ \begin{array}{l} がっこう \\ としょかん \\ きょうと \end{array} \right\}$ へ いきます。

- **どこかへ** いきますか。
  いいえ, **どこへも** いきません。

- わたしは うちへ かえります。**そして,** すこし ねます。

— 327 —

INDEX to NEW WORDS,

EXPRSSIONS and PATTERNS

Dialogue I

おおかわ* ································Ōkawa, surname ················ Notes Ⅱ

まいにち ································every day ················ Notes Ⅱ

なんじ ································what time

（なんじ）に ································at (what) time ················ Notes Ⅰ-1

はじまります＜はじまる ············to begin, to start················ Notes Ⅰ-1

はちじはん ································eight-thirty················ Notes Ⅱ

まいあさ ································every morning················ Notes Ⅱ

（がっこう）へ································ Notes Ⅰ-2

いきます＜いく ································to go ················ Notes Ⅲ

はちじじゅうごふんすぎ ············a quarter past eight················ Notes Ⅱ

おきます＜おきる ································to get up, to rise················ Notes Ⅰ-1

ろくじ ································six o'clock

はやい ································early, fast

まいばん ································every night, every evening··· Notes Ⅱ

ねます＜ねる································to sleep, to go to bed ········ Notes Ⅰ-1

じゅういちじごろ ································about eleven o'clock ············ Notes Ⅱ

おわります＜おわる ················to finish, to end

ちょうど ································exactly

にじ ································two o'clock

どようび ································Saturday

ひる ································noon

— 328 —

Dialogue II

おおた	Ōta, surname	Notes Ⅱ
しばらく	a little while, a long time	Notes Ⅱ
よく	often	
みせ	shop	
きます＜くる	to come	Notes Ⅲ
おわり	end	
ごご	afternoon	
じゅうにじごふん　まえ	five to twelve	Notes Ⅱ
じゅうにじよんじっぷん	twelve-forty	
かえります＜かえる	to return	
そして	and	Notes Ⅰ-4

Dialogue III

ブラン*	Blanc, a French surname	
あきます＜あく	to open	
くじ	nine o'clock	
にちようび	Sunday	
にちようびは　どうですか		Notes Ⅰ-3
おなじだ	same	Notes Ⅰ-7
どこか	somewhere	Notes Ⅰ-5
でかけます＜でかける	to go out	
どこへも	anywhere	Notes Ⅰ-5
いきません＜いく		Notes Ⅰ-5
いちにちじゅう	all day long	Notes Ⅱ
（うちに）います＜いる	to be at home	
いって　きます	good-bye, (be) leaving	Notes Ⅱ
いって　いらっしゃい	good-bye	Notes Ⅱ

DIALOGUES

I. (Ōkawa, while visiting Bailey, asks him about his school, etc.)

1 おおかわ　　：　がっこうは　まいにち　なんじに
　　　　　　　　　　はじまりますか。

2 ベイリー　　：　がっこうは　はちじはんに　はじまります。

3 おおかわ　　：　まいあさ　なんじに　がっこうへ
　　　　　　　　　　いきますか。

4 ベイリー　　：　わたしは　まいあさ　はちじじゅうごふん
　　　　　　　　　　すぎに　がっこうへ　いきます。

5 おおかわ　　：　そうですか。あなたは　あさ　なんじに
　　　　　　　　　　おきますか。

6 ベイリー　　：　わたしは　まいあさ　ろくじに　おきます。

7 おおかわ　　：　はやいですね。まいばん　なんじに
　　　　　　　　　　ねますか。

8 ベイリー　　：　じゅういちじごろ　ねます。

9 おおかわ　　：　がっこうは　なんじに　おわりますか。

I 　1. Ōkawa　　：　What time does your school start?
　　2. Bailey　　：　School starts at eight-thirty.
　　3. Ōkawa　　：　What time do you go to school every morning?
　　4. Bailey　　：　I usually go to school at a quarter past eight every
　　　　　　　　　　morning.
　　5. Ōkawa　　：　Oh, then what time do you get up?
　　6. Bailey　　：　I get up at six every morning.
　　7. Ōkawa　　：　My, that's early, isn't it? What time do you go to bed
　　　　　　　　　　every night?
　　8. Bailey　　：　I go to bed about eleven.
　　9. Ōkawa　　：　What time is school over?

10 ベイリー　　：　ちょうど　にじに　おわります。

11 おおかわ　　：　どようびも　じゅぎょうは　にじまでですか。

12 ベイリー　　：　いいえ，どようびの　じゅぎょうは
　　　　　　　　　　ひるまでです。

Ⅱ.　(In front of a restaurant near the university, Johnson greets Ōta, who has just come out the door. Both Ōta and Johnson go to the same university but belong to different departments.)

1 ジョンソン　：　こんにちは。

2 おおた　　　：　ああ，こんにちは。しばらく。あなたは　よく
　　　　　　　　　　この　みせへ　きますか。

3 ジョンソン　：　ええ，よく　きます。

4 おおた　　　：　きょうの　じゅぎょうは　おわりですか。

5 ジョンソン　：　いいえ，ごごも　あります。いま
　　　　　　　　　　なんじですか。

6 おおた　　　：　じゅうにじごふん　まえです。じゅぎょうは
　　　　　　　　　　なんじからですか。

---

	10. Bailey	:	It's over at two o'clock.
	11. Ōkawa	:	Do classes end at two on Saturdays, too?
	12. Bailey	:	No, we have classes until noon on Saturdays.
Ⅱ	1. Johnson	:	Hello.
	2. Ōta	:	Oh. Hello. How have you been? Do you often come here?
	3. Johnson	:	Yes, quite often.
	4. Ōta	:	Are you through with classes today?
	5. Johnson	:	No, I have afternoon classes. What time is it now?
	6. Ōta	:	It's five to twelve. What time does your class begin?

7 ジョンソン　：　じゅうにじよんじっぷんからです。あなたは
　　　　　　　　　　うちへ　かえりますか。

8 おおた　　　：　ええ，かえります。そして，すこし　ねます。

Ⅲ. (One morning during spring vacation, Blanc, who has only recently
arrived in Japan, is talking to Johnson, a senior, who is getting ready
to go out.)

1 ブラン　　　：　どこへ　いきますか。

2 ジョンソン　：　としょかんへ　いきます。

3 ブラン　　　：　としょかんは　なんじに　あきますか。

4 ジョンソン　：　くじです。

5 ブラン　　　：　にちようびは　どうですか。

6 ジョンソン　：　にちようびも　おなじです。あなたも
　　　　　　　　　　どこかへ　でかけますか。

7 ブラン　　　：　いいえ，わたしは　どこへも　いきません。
　　　　　　　　　　いちにちじゅう　うちに　います。

8 ジョンソン　：　そうですか。では，いって　きます。

9 ブラン　　　：　いって　いらっしゃい。

	7.	Johnson	:	It's at 12:40. Are you going home?
	8.	Ōta	:	Yes, I'm going to go home and take a nap.
Ⅲ	1.	Blanc	:	Where are you going?
	2.	Johnson	:	I'm going to the library.
	3.	Blanc	:	What time does it open?
	4.	Johnson	:	At nine.
	5.	Blanc	:	How about on Sundays?
	6.	Johnson	:	It's the same on Sundays. Are you going somewhere, too?
	7.	Blanc	:	No, I'm not going anywhere. I'll be at home all day.
	8.	Johnson	:	I see. Well, see you later.
	9.	Blanc	:	Good-bye.

DRILLS

Drill 1　〔Based on Notes Ⅰ—1〕

れいのように　いいかえて　ください。
Change the following as shown in the examples.

れい　Examples

　　　　　　わたしは　しちじに　おきます。

1　いきます　──→わたしは　しちじに　いきます。

2　じゅうじ　──→わたしは　じゅうじに　いきます。

3　ねます　　──→わたしは　じゅうじに　ねます。

もんだい　Exercises

　　　　　　わたしは　しちじに　おきます。

1　いきます　──→

2　じゅうじ　──→

3　ねます　　──→

4　じゅうにじ──→

5　かえります──→

6　ろくじ　　──→

7　きます　　──→

8　ごじ　　　──→

9　おきます　──→

10　はちじ　　──→

こたえ　Answers ─────────────────

1　わたしは　しちじに　いきます。

2　わたしは　じゅうじに　いきます。

3　わたしは　じゅうじに　ねます。

4　わたしは　じゅうにじに　ねます。

5 わたしは　じゅうにじに　かえります。

6 わたしは　ろくじに　かえります。

7 わたしは　ろくじに　きます。

8 わたしは　ごじに　きます。

9 わたしは　ごじに　おきます。

10 わたしは　はちじに　おきます。

Drill 2 〔Based on Notes I - 1〕

れいのように　こたえて　ください。
Answer the following questions as shown in the examples.

れい　Examples

1 がっこうは　なんじに　おわりますか。／ にじ

　　──→がっこうは　にじに　おわります。

2 あなたは　あさ　なんじに　おきますか。／ しちじ

　　──→わたしは　あさ　しちじに　おきます。

もんだい　Exercises

1 がっこうは　なんじに　おわりますか。／ にじ ──→

2 あなたは　あさ　なんじに　おきますか。／ しちじ ──→

3 あなたは　よる　なんじに　ねますか。／ じゅういちじ ──→

4 がっこうは　まいにち　なんじに　はじまりますか。／ はちじ ──→

5 あなたは　まいあさ　なんじに　きますか。

　　／ はちじじゅうごふん ──→

6 あなたは　なんじに　いきますか。／ いちじ ──→

7 あなたは　まいにち　なんじに　かえりますか。／ さんじはん ──→

8 あなたは　なんじに　いきますか。／ にじよんじゅうごふん ──→

9 あなたは　よる　なんじに　かえりますか。／ しちじじっぷん

　　すぎ ──→

10 あなたは　まいばん　なんじに　ねますか。／じゅうにじじっぷん

　　まえ　──→

こたえ　Answers ──────────────────

1　がっこうは　にじに　おわります。

2　わたしは　あさ　しちじに　おきます。

3　わたしは　よる　じゅういちじに　ねます。

4　がっこうは　まいにち　はちじに　はじまります。

5　わたしは　まいあさ　はちじじゅうごふんに　きます。

6　わたしは　いちじに　いきます。

7　わたしは　まいにち　さんじはんに　かえります。

8　わたしは　にじよんじゅうごふんに　いきます。

9　わたしは　よる　しちじじっぷん　すぎに　かえります。

10　わたしは　まいばん　じゅうにじじっぷん　まえに　ねます。

────────────────

Drill 3　〔Based on Notes Ⅰ─ 1〕

れいのように　しつもんして　ください。
Following the examples, make suitable questions for the answers given below.

れい　Examples

1　わたしは　くじに　いきます。

　　──→あなたは　なんじに　いきますか。

2　わたしは　みっかに　いきます。

　　──→あなたは　なんにちに　いきますか。

もんだい　Exercises

1　わたしは　くじに　いきます。──→

2　わたしは　みっかに　いきます。──→

3　がっこうは　さんじに　おわります。──→

4　がっこうは　くがつついたちに　はじまります。──→

5 わたしは さんじはんに かえります。 ⟶

6 わたしは しがつふつかに きます。 ⟶

7 わたしは まいあさ しちじに おきます。 ⟶

8 わたしは まいばん じゅうにじに ねます。 ⟶

9 ぎんこうは¹ あさ じゅうじに はじまります。 ⟶

10 がっこうは しがつとおかに はじまります。 ⟶

こたえ Answers ─────────────────

1 あなたは なんじに いきますか。

2 あなたは なんにちに いきますか。

3 がっこうは なんじに おわりますか。

4 がっこうは なんにちに はじまりますか。

5 あなたは なんじに かえりますか。

6 あなたは なんにちに きますか。

7 あなたは まいあさ なんじに おきますか。

8 あなたは まいばん なんじに ねますか。

9 ぎんこうは あさ なんじに はじまりますか。

10 がっこうは なんにちに はじまりますか。

─────────────────

Drill 4 〔Based on Notes I─ 2〕

れいのように しつもんして ください。
Following the examples, make suitable questions for the answers given below.

れい Examples

1 わたしは ぎんこう<u>へ</u> いき<u>ます</u>。

  ⟶あなたは どこ<u>へ</u> いき<u>ます</u>か。

2 わたしは がっこうに います。

  ⟶あなたは どこに <u>います</u>か。

〔¹ぎんこう bank〕

もんだい　Exercises

1　わたしは　ぎんこうへ　いきます。──→

2　わたしは　がっこうに　います。──→

3　スミスさんは　うちへ　かえります。──→

4　ジョンソンさんは　うちに　います。──→

5　やまなかさんは　ここへ　きます。──→

6　やまなかさんは　ここに　います。──→

7　やまかわさんは　おおさかに¹　います。──→

8　ピエールさんは²　おおさかへ　いきます。──→

9　ベイリーさんは　とうきょうへ　きます。──→

10　かわむらさんは　とうきょうに　います。──→

こたえ　Answers ──────────────────

1　あなたは　どこへ　いきますか。

2　あなたは　どこに　いますか。

3　スミスさんは　どこへ　かえりますか。

4　ジョンソンさんは　どこに　いますか。

5　やまなかさんは　どこへ　きますか。

6　やまなかさんは　どこに　いますか。

7　やまかわさんは　どこに　いますか。

8　ピエールさんは　どこへ　いきますか。

9　ベイリーさんは　どこへ　きますか。

10　かわむらさんは　どこに　いますか。

─────────────────────

〔¹おおさか　Osaka, a place name,　²ピエール　Pierre〕

Drill 5 〔Based on Notes I—2〕

れいのように いいかえて ください。
Change the following as shown in the examples.

れい Examples

わたしは いま がっこうに います。

1 あした　　─→わたしは あした がっこうに います。

2 いきます　─→わたしは あした がっこうへ いきます。

3 ぎんこう　─→わたしは あした ぎんこうへ いきます。

もんだい Exercises

わたしは いま がっこうに います。

1 あした　　─→

2 いきます　─→

3 ぎんこう　─→

4 きょう　　─→

5 います　　─→

6 うち　　　─→

7 かえります ─→

8 ここ　　　─→

9 います　　─→

10 きます　　─→

こたえ Answers

1 わたしは あした がっこうに います。

2 わたしは あした がっこうへ いきます。

3 わたしは あした ぎんこうへ いきます。

4 わたしは きょう ぎんこうへ いきます。

5 わたしは きょう ぎんこうに います。

6 わたしは きょう うちに います。

7 わたしは　きょう　うちへ　かえります。

8 わたしは　きょう　ここへ　かえります。

9 わたしは　きょう　ここに　います。

10 わたしは　きょう　ここへ　きます。

Drill 6 〔Based on Notes I ― 1, 2〕

れいのように　こたえて　ください。
Answer the following questions as shown in the examples.

れい　Examples

1 わたしは　はちじに　うちへ　かえります。

　　Q: あなたは　なんじに　うちへ　かえりますか。

　　　　→わたしは　はちじに　うちへ　かえります。

2 やまなかさんは　ごじに　がっこうへ　いきます。

　　Q: やまなかさんは　ごじに　どこへ　いきますか。

　　　　→やまなかさんは　ごじに　がっこうへ　いきます。

もんだい　Exercises

1 わたしは　はちじに　うちへ　かえります。

　　Q: あなたは　なんじに　うちへ　かえりますか。　→

2 やまなかさんは　ごじに　がっこうへ　いきます。

　　Q: やまなかさんは　ごじに　どこへ　いきますか。　→

3 スミスさんは　じゅうじに　ここへ　きます。

　　Q: スミスさんは　なんじに　ここへ　きますか。　→

4 わたしは　よじに　ぎんざへ[1]　いきます。

　　Q: あなたは　よじに　どこへ　いきますか。　→

5 ブランさんは　さんじはんに　りょうへ　かえります。

〔[1]ぎんざ　Ginza, a place name〕

― 339 ―

Q: ブランさんは なんじに りょうへ かえりますか。 —→

6 おおきさんは じゅうじに ぎんこうへ いきます。

Q: おおきさんは じゅうじに どこへ いきますか。 —→

7 わたしは まいあさ はちじに がっこうへ きます。

Q: あなたは まいあさ はちじに どこへ きますか。 —→

8 さとうさんは じゅういちじに ゆうびんきょくへ いきます。

Q: さとうさんは なんじに ゆうびんきょくへ いきますか。 —→

9 ジョンソンさんは きょう さんじに としょかんへ いきます。

Q: ジョンソンさんは きょう さんじに どこへ いきますか。 —→

10 ベイリーさんは ごじに うちへ かえります。

Q: ベイリーさんは なんじに どこへ かえりますか。 —→

こたえ　Answers —————————————————

1 わたしは はちじに うちへ かえります。

2 やまなかさんは ごじに がっこうへ いきます。

3 スミスさんは じゅうじに ここへ きます。

4 わたしは よじに ぎんざへ いきます。

5 ブランさんは さんじはんに りょうへ かえります。

6 おおきさんは じゅうじに ぎんこうへ いきます。

7 わたしは まいあさ はちじに がっこうへ きます。

8 さとうさんは じゅういちじに ゆうびんきょくへ いきます。

9 ジョンソンさんは きょう さんじに としょかんへ いきます。

10 ベイリーさんは ごじに うちへ かえります。

————————————————————

Drill 7 〔Based on Notes I— 3〕

れいのように こたえて ください。
Answer the following questions as shown in the examples.

れい　Examples

1 ぎんこうは さんじまでです。がっこうは どうですか。／ よじ

　　⟶ がっこうは よじまでです。

2 わたしは きょう ぎんこうへ いきます。あなたは どうですか。

　　／ いきます

　　　⟶ わたしも きょう ぎんこうへ いきます。

もんだい　Exercises

1 ぎんこうは さんじまでです。がっこうは どうですか。／ よじ ⟶

2 わたしは きょう ぎんこうへ いきます。あなたは どうですか。

　　／ いきます ⟶

3 がっこうは にじに おわります。ぎんこうは どうですか。

　　／ さんじ ⟶

4 たなかさんは きょう がっこうへ きます。スミスさんは

　　どうですか。／ きません ⟶

5 わたしは すぐ[1] うちへ かえります。あなたは どうですか。

　　／ かえります ⟶

6 わたしは まいあさ しちじに おきます。あなたは どうですか。

　　／ はちじ ⟶

7 がっこうは はちじに はじまります。としょかんは どうですか。

　　／ じゅうじ ⟶

8 ジョンソンさんは ぎんざへ いきます。あなたは どうですか。

　　／ いきません ⟶

9 かわむらさんは ここへ きます。やまなかさんは どうですか。

　　／ きます ⟶

10 わたしは まいばん じゅうじに ねます。あなたは どうですか。

　　／ じゅうじ ⟶

〔[1]すぐ　at once〕

こたえ Answers――――――――――――――――――――

1 がっこうは よじまでです。

2 わたしも きょう ぎんこうへ いきます。

3 ぎんこうは さんじに おわります。

4 スミスさんは きょう がっこうへ きません。

5 わたしも すぐ うちへ かえります。

6 わたしは まいあさ はちじに おきます。

7 としょかんは じゅうじに はじまります。

8 わたしは ぎんざへ いきません。

9 やまなかさんも ここへ きます。

10 わたしも まいばん じゅうじに ねます。

――――――――――――――――――――

PRONUNCIATION DRILL

1. *The consonant sounds in the syllables from Lines 2, 4, 15, 16, and 27.*

2. *た, て and と when they occur word medial.*

3. *Discrimination of vowel sounds.*

1. *The consonant sounds in the syllables from Lines 2, 4, 15, 16, and 27.*

Practice 1: Listen to the words on the tape. Notice that the Japanese consonants 'p', 't' and 'k' are pronounced with less aspiration than the English consonants 'p', 't' and 'k' when appearing in the initial position of a strongly stressed syllable.

1. ぱぱ   6. ととのう
2. ぷつりぷつり   7. てておや
3. ぽんぽん   8. とたん
4. ぺんぺんぐさ   9. かかさま
5. たたかい   10. こんこん

Practice 2: Pronounce the words in Practice 1.

2. *た, て and と when they occur word medial.*

Practice 1: Listen to the following minimal pairs on the tape. In English when a 't' occurs between two vowels, it is often pronounced like a 'd', as in the word 'water'. The Japanese syllables た, て and と are never pronounced with a 'd' sound. English speakers should be careful not to carry over this habit into Japanese.

1. はた   はだ
2. なた   なだ
3. はて   はで
4. のと   のど

5. さとう　　さどう

Practice 2: Pronounce the minimal pairs in Practice 1. Be sure you do not pronounce the Line 4 syllables with a 'd' sound.

3. Discrimination of vowel sounds.

Practice 1: Listen to the pairs of words on the tape. Notice that the Japanese vowels are always pronounced the same while English vowels change depending on whether or not they are strongly stressed. Compare the vowels in the words 'man' and 'Englishman'. If this English habit is applied to Japanese, misunderstanding will arise.

1. きもの　　　　　けもの
2. さきづけ　　　　さけずき
3. あにうえ　　　　あねうえ
4. つばさ　　　　　つぶさ
5. ゆさぶる　　　　ゆすぶる
6. いってから　　　いったから
7. まねき　　　　　まぬけ
8. いろいろ　　　　いるいる
9. くだもの　　　　こどもの
10. あのた　　　　　あなた
11. かたがた　　　　ことごと
12. しょくじょ　　　しゅくじょ
13. きょうしょく　　きょうしゅく

Practice 2: Pronounce the minimal pairs in Practice 1. Do not forget to pronounce each vowel correctly.

LESSON 14

KEY SENTENCES

- わたしは　まいあさ　$\left\{ \begin{array}{l} しんぶん \\ ほん \end{array} \right\}$　を　よみます。

- わたしは　$\left\{ \begin{array}{l} きっさてん \\ りょうの　しょくどう \end{array} \right\}$　で　コーヒーを　のみました。

- $\left\{ \begin{array}{l} ジョンソンさん \\ せんせい \end{array} \right\}$　と　どんな　はなしを　しましたか。

- わたしは　あさは　しんぶんを　よみません。

- ばんごはんの　あと，すこし　ラジオの　ニュースや　おんがくを　ききます。**それから**，じゅういちじごろまで　にほんごや　れきしの　べんきょうを　します。

INDEX TO NEW WORDS,
EXPRESSIONS AND PATTERNS

Dialogue I

ごはん	cooked rice, a meal
（ごはん）を（たべます）	Notes I -1
たべます＜たべる	to eat
あさごはん	breakfast
よみます＜よむ	to read
（あさ）は（しんぶんを　よみません）	Notes I -5
ひるやすみ	noon recess ……… Notes II
（がっこう）で（よみます）	Notes I -3
ならいます＜ならう	to learn
ほか	other, others
かもく	subject
むずかしい	difficult
むずかしく　ありません＜むずかしい	Notes I -6
します＜する	to do
ばんごはん	dinner, supper
（ばんごはんの）あと	after (dinner)
ラジオ	radio
ニュース	news
おんがく	music
ききます＜きく	to listen
それから	then …… Notes I -7
れきし	history

べんきょう ······································study
はじめます＜はじめる ··························to begin

Dialogue II

テニス ··tennis
しました＜する ································· Notes Ⅰ-2
(だれ)と ·································with (whom)··········· Notes Ⅰ-4
しませんでした＜する ·······························Notes Ⅰ-2
なんじかんぐらい ·······················about how many hours··· Notes Ⅱ
きっさてん·····························tearoom, coffee shop··· Notes Ⅱ
コーヒー ·····································coffee
のみました＜のむ ·······················to drink ················· Notes Ⅰ-2
はなし ·····································story
えいが ·····································movie
スポーツ ·····································sports
みます＜みる·····································to see
いきました＜いく ··· Notes Ⅰ-2

DIALOGUES

I. (At Ōkawa's home. Continued from Lesson 13- I .)

1	おおかわ	:	あなたは　まいあさ　なんじごろ　ごはんを　たべますか。
2	ベイリー	:	わたしは　まいあさ　しちじごろ　あさごはんを　たべます。
3	おおかわ	:	あなたは　あさ　しんぶんを　よみますか。
4	ベイリー	:	いいえ，わたしは　あさは　しんぶんを　よみません。ひるやすみに　がっこうで　よみます。
5	おおかわ	:	あなたは　がっこうで　なにを　ならいますか。
6	ベイリー	:	わたしは　がっこうで　にほんごを　ならいます。
7	おおかわ	:	ほかの　かもくも　ならいますか。

I	1. Ōkawa	:	About what time do you eat every morning?
	2. Bailey	:	I eat breakfast around seven o'clock every morning.
	3. Ōkawa	:	Do you read a newspaper in the morning?
	4. Bailey	:	No, I don't read one in the morning. I read one during the noon recess at school.
	5. Ōkawa	:	What do you study at school?
	6. Bailey	:	I study Japanese at school.
	7. Ōkawa	:	Are you taking any other subjects?

8 ベイリー　　　：　いいえ，ほかの　かもくは　ならいません。

いちにちじゅう　にほんごだけを

ならいます。

9 おおかわ　　　：　にほんごは　むずかしいですか。

10 ベイリー　　　：　いいえ，あまり　むずかしく　ありません。

11 おおかわ　　　：　よるは　なにを　しますか。

12 ベイリー　　　：　ばんごはんの　あと，すこし　ラジオの

ニュースや　おんがくを　ききます。

それから，じゅういちじごろまで　にほんごや

れきしの　べんきょうを　します。

☆　　　　　☆　　　　　☆

　まいばん，ベイリーさんは　ごはんの　あと，ラジオの

ニュースや　おんがくを　ききます。それから　べんきょうを

はじめます。そして　じゅういちじごろに　ねます。

Ⅱ．(In the meeting room of the school dormitory in the evening. Blanc is
speaking to Smith, a senior.)

1 ブラン　　　　：　わたしは　きょう　テニスを　しました。

---

8. Bailey	:	No, I'm not taking any other subjects. I study Japanese all day long.
9. Ōkawa	:	Is Japanese difficult?
10. Bailey	:	No, it's not so difficult.
11. Ōkawa	:	What do you do in the evenings?
12. Bailey	:	After dinner I listen to the news on the radio or to music. Then, I study Japanese and history until about eleven o'clock.

☆　　　　　☆　　　　　☆

　After each evening meal, Bailey listens to the news on the radio or to some
music. Then he starts studying. He goes to bed around eleven o'clock.

Ⅱ　1. Blanc　　　：　I played tennis today.

2 スミス	:	だれと テニスを しましたか。
3 ブラン	:	ジョンソンさんと しました。
4 スミス	:	やまださんとは しませんでしたか。
5 ブラン	:	はい, しませんでした。
6 スミス	:	なんじかんぐらい しましたか。
7 ブラン	:	さんじごろから よじごろまで いちじかんぐらい しました。それから, ジョンソンさんと きっさてんで コーヒーを のみました。
8 スミス	:	ジョンソンさんと どんな はなしを しましたか。
9 ブラン	:	えいがの はなしや スポーツの はなしなどを しました。
10 スミス	:	あなたは よく えいがを みますか。
11 ブラン	:	はい, よく みます。

---

2. Smith	:	Who did you play with?
3. Blanc	:	I played with Mr. Johnson.
4. Smith	:	Didn't you play with Mr. Yamada
5. Blanc	:	No, I didn't.
6. Smith	:	How long did you play?
7. Blanc	:	I played for about an hour from around three until four. Then I went to a coffee shop with Mr. Johnson.
8. Smith	:	What did you talk about with Mr. Johnson?
9. Blanc	:	We talked about movies, sports and other things.
10. Smith	:	Do you often go to the movies?
11. Blanc	:	Yes, I go often.

☆　　　　　☆　　　　　☆

　ブランさんと　ジョンソンさんは，さんじごろから
よじごろまで　いちじかんぐらい　テニスを　しました。
それから，ふたりは　きっさてんへ　いきました。
きっさてんで　えいがや　スポーツの　はなしを　しました。

☆　　　　　☆　　　　　☆

　Blanc and Johnson played tennis for about an hour from around three until four.　Then, they went to a coffee shop.　They talked about movies and sports there.

DRILLS

Drill 1 〔Based on Notes I — 1, 2〕

れいのように いいかえて ください。
Change the following as shown in the examples.

れい Examples

1 わたしは きょう えいがを みます。

　　 ⟶わたしは きのう えいがを みました。

2 スミスさんは きょう テニスを しません。

　　 ⟶スミスさんは きのう テニスを しませんでした。

もんだい Exercises

1 わたしは きょう えいがを みます。 ⟶

2 スミスさんは きょう テニスを しません。 ⟶

3 かわむらさんは きょう コーヒーを のみます。 ⟶

4 わたしは きょう にほんごを ならいません。 ⟶

5 わたしは きょう ほんを よみます。 ⟶

6 ジョンソンさんは きょう テレビを[1] みません。 ⟶

7 ベルナールさんは きょう べんきょうを します。 ⟶

8 わたしは きょう コーヒーを のみません。 ⟶

9 やまかわさんは きょう えいごを ならいます。 ⟶

10 ベイリーさんは きょう しんぶんを よみません。 ⟶

こたえ Answers─────────────────

1 わたしは きのう えいがを みました。

2 スミスさんは きのう テニスを しませんでした。

3 かわむらさんは きのう コーヒーを のみました。

4 わたしは きのう にほんごを ならいませんでした。

〔[1]テレビ television〕

5 わたしは きのう ほんを よみました。

6 ジョンソンさんは きのう テレビを みませんでした。

7 ベルナールさんは きのう べんきょうを しました。

8 わたしは きのう コーヒーを のみませんでした。

9 やまかわさんは きのう えいごを ならいました。

10 ベイリーさんは きのう しんぶんを よみませんでした。

Drill 2 〔Based on Notes I — 1, 2〕

れいのように いいかえて ください。
Change the following as shown in the examples.

れい Examples

わたしは きょう テニスを します。

1 きのう ──→わたしは きのう テニスを しました。

2 Negative ──→わたしは きのう テニスを しませんでした。

3 ほんを よむ ──→わたしは きのう ほんを よみませんでした。

4 Affirmative ──→わたしは きのう ほんを よみました。

もんだい Exercises

わたしは きょう テニスを します。

1 きのう ──→

2 Negative ──→

3 ほんを よむ ──→

4 Affirmative ──→

5 あした ──→

6 Negative ──→

7 べんきょうを する ──→

8 きのう ──→

9 Affirmative ──→

10 テレビを　みる　　　⟶

こたえ　Answers ——————————————

1　わたしは　きのう　テニスを　しました。

2　わたしは　きのう　テニスを　しませんでした。

3　わたしは　きのう　ほんを　よみませんでした。

4　わたしは　きのう　ほんを　よみました。

5　わたしは　あした　ほんを　よみます。

6　わたしは　あした　ほんを　よみません。

7　わたしは　あした　べんきょうを　しません。

8　わたしは　きのう　べんきょうを　しませんでした。

9　わたしは　きのう　べんきょうを　しました。

10　わたしは　きのう　テレビを　みました。

——————————————

Drill 3　〔Based on Notes I—3〕

れいのように　いいかえて　ください。
Change the following as shown in the examples.

れい　Examples

　　　　　　　　わたしは　きっさてんで　コーヒーを　のみました。

1　Negative　　⟶わたしは　きっさてんで　コーヒーを
　　　　　　　のみませんでした。

2　はなしを　する　⟶わたしは　きっさてんで　はなしを
　　　　　　　しませんでした。

3　がっこう　　　⟶わたしは　がっこうで　はなしを
　　　　　　　しませんでした。

もんだい　Exercises

　　　　　　　　わたしは　きっさてんで　コーヒーを　のみました。

1　Negative　　⟶

2　はなしを　する　⟶

3 がっこう ⟶

4 しんぶんを よむ ⟶

5 うち ⟶

6 Affirmative ⟶

7 ラジオを きく ⟶

8 きっさてん ⟶

9 Negative ⟶

10 きょうかい ⟶

こたえ Answers————————————

1 わたしは きっさてんで コーヒーを のみませんでした。

2 わたしは きっさてんで はなしを しませんでした。

3 わたしは がっこうで はなしを しませんでした。

4 わたしは がっこうで しんぶんを よみませんでした。

5 わたしは うちで しんぶんを よみませんでした。

6 わたしは うちで しんぶんを よみました。

7 わたしは うちで ラジオを ききました。

8 わたしは きっさてんで ラジオを ききました。

9 わたしは きっさてんで ラジオを ききませんでした。

10 わたしは きょうかいで ラジオを ききませんでした。

————————————

Drill 4 〔Based on Notes I— 3〕

れいのように しつもんして ください。
Following the examples, make suitable questions for the answers given below.

れい Examples

1 わたしは きっさてんで コーヒーを のみました。

⟶あなたは どこで コーヒーを のみましたか。

2 スミスさんは がっこうへ いきました。

— 355 —

　　　──→スミスさんは　どこへ　いきましたか。

3　わたしは　うちに　いました。

　　　──→あなたは　どこに　いましたか。

もんだい　Exercises

1　わたしは　きっさてんで　コーヒーを　のみました。──→

2　スミスさんは　がっこうへ　いきました。──→

3　わたしは　うちに　いました。──→

4　ジョンソンさんは　がっこうで　テニスを　しました。──→

5　わたしは　ゆうびんきょくへ　いきました。──→

6　やまなかさんは　うちで　しんぶんを　よみました。──→

7　ベイリーさんは　としょかんに　いました。──→

8　ベルナールさんは　ぎんこうへ　いきました。──→

9　わたしは　しょくどうで　ごはんを　たべました。──→

10　わたしは　おおさかに　いました。──→

こたえ　Answers ─────────────────

1　あなたは　どこで　コーヒーを　のみましたか。

2　スミスさんは　どこへ　いきましたか。

3　あなたは　どこに　いましたか。

4　ジョンソンさんは　どこで　テニスを　しましたか。

5　あなたは　どこへ　いきましたか。

6　やまなかさんは　どこで　しんぶんを　よみましたか。

7　ベイリーさんは　どこに　いましたか。

8　ベルナールさんは　どこへ　いきましたか。

9　あなたは　どこで　ごはんを　たべましたか。

10　あなたは　どこに　いましたか。

Drill 5 〔Based on Notes I — 4〕

れいのように こたえて ください。
Answer the following questions as shown in the examples.

れい Examples

1 わたしは たなかさんと きっさてんで コーヒーを のみました。

　　Q A: あなたは だれと コーヒーを のみましたか。

　　　　　──→わたしは たなかさんと コーヒーを のみました。

　　Q B: あなたは どこで コーヒーを のみましたか。

　　　　　──→わたしは きっさてんで コーヒーを のみました。

2 わたしは がっこうで ジョンソンさんと テニスを しました。

　　Q A: あなたは だれと テニスを しましたか。

　　　　　──→わたしは ジョンソンさんと テニスを しました。

　　Q B: あなたは ジョンソンさんと なにを しましたか。

　　　　　──→わたしは ジョンソンさんと テニスを しました。

もんだい Exercises

1 わたしは たなかさんと きっさてんで コーヒーを のみました。

　　Q A: あなたは だれと コーヒーを のみましたか。──→

　　Q B: あなたは どこで コーヒーを のみましたか。──→

2 わたしは がっこうで ジョンソンさんと テニスを しました。

　　Q A: あなたは だれと テニスを しましたか。──→

　　Q B: あなたは ジョンソンさんと なにを しましたか。──→

3 わたしは かわむらさんと しんじゅくで えいがを みました。

　　Q A: あなたは どこで えいがを みましたか。──→

　　Q B: あなたは かわむらさんと なにを しましたか。──→

4 わたしは スミスさんと うちで はなしを しました。

　　Q A: あなたは だれと はなしを しましたか。──→

　　Q B: あなたは どこで はなしを しましたか。──→

5 わたしは やまかわさんと しょくどうで ごはんを たべました。

QA: あなたは だれと ごはんを たべましたか。→

QB: あなたは どこで ごはんを たべましたか。→

6 わたしは がっこうで ベルナールさんと にほんごを ならいました。

QA: あなたは がっこうで なにを ならいましたか。→

QB: あなたは どこで にほんごを ならいましたか。→

7 わたしは きっさてんで やまなかさんと ラジオを ききました。

QA: あなたは だれと ラジオを ききましたか。→

QB: あなたは きっさてんで なにを ききましたか。→

8 わたしは としょかんで やまださんと ほんを よみました。

QA: あなたは だれと ほんを よみましたか。→

QB: あなたは どこで ほんを よみましたか。→

9 わたしは うちで おおきさんと テレビを みました。

QA: あなたは だれと テレビを みましたか。→

QB: あなたは うちで なにを みましたか。→

10 わたしは スミスさんと しょくどうで ごはんを たべました。

QA: あなたは どこで ごはんを たべましたか。→

QB: あなたは だれと ごはんを たべましたか。→

こたえ　Answers——————————————

1 A わたしは たなかさんと コーヒーを のみました。

　 B わたしは きっさてんで コーヒーを のみました。

2 A わたしは ジョンソンさんと テニスを しました。

　 B わたしは ジョンソンさんと テニスを しました。

3 A わたしは しんじゅくで えいがを みました。

　 B わたしは かわむらさんと えいがを みました。

4 A わたしは スミスさんと はなしを しました。

　 B わたしは うちで はなしを しました。

5 A わたしは やまかわさんと ごはんを たべました。

B わたしは　しょくどうで　ごはんを　たべました。

6　A　わたしは　がっこうで　にほんごを　ならいました。

　　B　わたしは　がっこうで　にほんごを　ならいました。

7　A　わたしは　やまなかさんと　ラジオを　ききました。

　　B　わたしは　きっさてんで　ラジオを　ききました。

8　A　わたしは　やまださんと　ほんを　よみました。

　　B　わたしは　としょかんで　ほんを　よみました。

9　A　わたしは　おおきさんと　テレビを　みました。

　　B　わたしは　うちで　テレビを　みました。

10　A　わたしは　しょくどうで　ごはんを　たべました。

　　B　わたしは　スミスさんと　ごはんを　たべました。

Drill 6　〔Based on Notes I — 5〕

れいのように　こたえて　ください。
Answer the following questions as shown in the examples.

れい　Examples

1　じびきは　としょかんに　あります。

　　Q: じびきは　じむしつに　ありますか。

　　　──→じびきは　じむしつに<u>は</u>　ありません。

2　じゅぎょうは　しがつとおかから　はじまります。

　　Q: じゅぎょうは　しがつついたちから　はじまりますか。

　　　──→じゅぎょうは　しがつついたちから<u>は</u>　はじまりません。

もんだい　Exercises

1　じびきは　としょかんに　あります。

　　Q: じびきは　じむしつに　ありますか。──→

2　じゅぎょうは　しがつとおかから　はじまります。

　　Q: じゅぎょうは　しがつついたちから　はじまりますか。──→

3　わたしは　としょかんへ　いきます。

　　Q: あなたは　きょうかいへ　いきますか。——→

4　わたしは　がっこうで　べんきょうを　します。

　　Q: あなたは　きょうかいで　べんきょうを　しますか。——→

5　わたしは　ジョンソンさんと　テニスを　しました。

　　Q: あなたは　スミスさんと　テニスを　しましたか。——→

6　わたしは　よる　じゅういちじに　ねます。

　　Q: あなたは　よる　くじに　ねますか。——→

7　スミスさんは　たいいくかんに　います。

　　Q: スミスさんは　こうどうに　いますか。——→

8　たなかさんは　ぎんこうへ　いきました。

　　Q: たなかさんは　がっこうへ　いきましたか。——→

9　やまかわさんは　ベルナールさんと　はなしを　しました。

　　Q: やまかわさんは　ジョンソンさんと　はなしを　しましたか。——→

10　わたしは　しょくどうで　ごはんを　たべます。

　　Q: あなたは　きっさてんで　ごはんを　たべますか。——→

こたえ　Answers————————————

1　じびきは　じむしつには　ありません。

2　じゅぎょうは　しがつついたちからは　はじまりません。

3　わたしは　きょうかいへは　いきません。

4　わたしは　きょうかいでは　べんきょうを　しません。

5　わたしは　スミスさんとは　テニスを　しませんでした。

6　わたしは　よる　くじには　ねません。

7　スミスさんは　こうどうには　いません。

8　たなかさんは　がっこうへは　いきませんでした。

9　やまかわさんは　ジョンソンさんとは　はなしを　しませんでした。

10　わたしは　きっさてんでは　ごはんを　たべません。

Drill 7 〔Based on Notes I — 5〕

れいのように こたえて ください。
Answer the following questions as shown in the examples.

れい Examples

1 わたしは よる しんぶんを よみます。

　Q: あなたは あさ しんぶんを よみますか。

　　　──→いいえ わたしは あさは しんぶんを よみません。

2 わたしは きのう としょかんへ いきました。

　Q: あなたは きょう としょかんへ いきましたか。

　　　──→いいえ, わたしは きょうは としょかんへ

　　　　　いきませんでした。

もんだい Exercises

1 わたしは よる しんぶんを よみます。

　Q: あなたは あさ しんぶんを よみますか。──→

2 わたしは きのう としょかんへ いきました。

　Q: あなたは きょう としょかんへ いきましたか。──→

3 わたしは あさって やきゅうを¹ します。

　Q: あなたは あした やきゅうを しますか。──→

4 わたしは あさ ラジオの ニュースを ききます。

　Q: あなたは よる ラジオの ニュースを ききますか。──→

5 わたしは きょう ぎんこうへ いきました。

　Q: あなたは きのう ぎんこうへ いきましたか。──→

6 わたしは あした えいがを みます。

　Q: あなたは あさって えいがを みますか。──→

7 わたしは あさ パンを² たべます。

　Q: あなたは よる パンを たべますか。──→

〔¹やきゅう baseball, ²パン bread〕

— 361 —

8　わたしは　あした　きょうかいへ　いきます。

　　Q:　あなたは　きょう　きょうかいへ　いきますか。　——→

9　わたしは　きょう　スミスさんと　はなしを　しました。

　　Q:　あなたは　きのう　スミスさんと　はなしを　しましたか。　——→

10　わたしは　あさ　こうちゃを¹　のみます。

　　Q:　あなたは　よる　こうちゃを　のみますか。　——→

こたえ　Answers ——————————————————————

1　いいえ，わたしは　あさは　しんぶんを　よみません。

2　いいえ，わたしは　きょうは　としょかんへ　いきませんでした。

3　いいえ，わたしは　あしたは　やきゅうを　しません。

4　いいえ，わたしは　よるは　ラジオの　ニュースを　ききません。

5　いいえ，わたしは　きのうは　ぎんこうへ　いきませんでした。

6　いいえ，わたしは　あさっては　えいがを　みません。

7　いいえ，わたしは　よるは　パンを　たべません。

8　いいえ，わたしは　きょうは　きょうかいへ　いきません。

9　いいえ，わたしは　きのうは　スミスさんと　はなしを
　　しませんでした。

10　いいえ，わたしは　よるは　こうちゃを　のみません。

——————————————————————

Drill 8　〔Based on Notes Ⅰ— 6〕

　れいのように　いいかえて　ください。
　Change the following as shown in the examples.

　れい　Examples

1　にほんごは　あまり　むずかしく　ないです。

　　——→にほんごは　あまり　むずかし<u>く　ありません</u>。

2　きのうは　あまり　さむく　なかったです。

　　——→きのうは　あまり　さむ<u>く　ありませんでした</u>。

〔¹こうちゃ　black tea〕

もんだい　Exercises

1　にほんごは　あまり　むずかしく　ないです。──→

2　きのうは　あまり　さむく　なかったです。──→

3　これは　あまり　ふるく　ないです。──→

4　きのうの　あさは　あまり　あたたかく　なかったです。──→

5　わたしの　うちは　あまり　あたらしく　ないです。──→

6　きのうの　ごはんは　あまり　おいしく　なかったです。──→

7　はるやすみは　あまり　ながく　ないです。──→

8　きょねんの　はるやすみは　あまり　みじかく　なかったです。──→

9　この　さかなは　あまり　やすく　ないです。──→

10　きのうの　じゅぎょうは　あまり　むずかしく　なかったです。──→

こたえ　Answers ─────────────────────

1　にほんごは　あまり　むずかしく　ありません。

2　きのうは　あまり　さむく　ありませんでした。

3　これは　あまり　ふるく　ありません。

4　きのうの　あさは　あまり　あたたかく　ありませんでした。

5　わたしの　うちは　あまり　あたらしく　ありません。

6　きのうの　ごはんは　あまり　おいしく　ありませんでした。

7　はるやすみは　あまり　ながく　ありません。

8　きょねんの　はるやすみは　あまり　みじかく　ありませんでした。

9　この　さかなは　あまり　やすく　ありません。

10　きのうの　じゅぎょうは　あまり　むずかしく　ありませんでした。

PRONUNCIATION DRILL

Softened vowel sounds.

Practice 1: Listen to the following minimal pairs on the tape. Notice the difference between the syllables in which softened い or う occurs.

1. きし 　　　 くし
2. しき 　　　 すき
3. ちか 　　　 つか
4. ひか 　　　 ふか
5. ぴかぴか 　 ぷかぷか
6. あき 　　　 あく
7. ほうひ 　　 ほうふ
8. ひほう 　　 ふほう

Practice 2: Pronounce the minimal pairs in Practice 1. Japanese vowels, especially い and う, tend to be softened or completely silenced when they are preceded or followed by such consonants as 'p, t, k, h, s' or a pause. Do not forget to palatalize the consonants before い.

Recognition Test: Listen to each word and write い when you hear a word with a softened い sound and う when you hear a word with a softened う sound.

1. _____ 　　 6. _____
2. _____ 　　 7. _____
3. _____ 　　 8. _____
4. _____ 　　 9. _____
5. _____ 　　 10. _____ 　(Answers on page 511.)

Practice 3: Listen to the following sentences on the tape.

1. すこし　たかいです。

2. それを　にひき　ください。

3. へやだいは　たかいですか。

4. たなかさんの　うちの　ちかくですか。

5. ですから　とても　しずかです。

Practice 4 : Pronounce the sentences in Practice 3.

LESSON 15

KEY SENTENCES

- ぎんざへ いく バスの ていりゅうじょは えきの まえです。

- いちじかんめに じゅぎょうが ある ひは はやく おきますが, いちじかんめに じゅぎょうが ない ひは はちじごろ おきます。

- わたしたちは バスケットは やりません。わたしたちが やるのは ピンポンです。

INDEX to NEW WORDS,

EXPRESSIONS and PATTERNS

Dialogue I

バス ……………………………………………bus

ていりゅうじょ …………………………………stop

じゅんさ …………………………………………policeman

(えきの)まえ……………………………………in front of

いく ……………………………………………to go ………………… Notes Ⅰ-1

じゅうばん………………………………………No. 10 ……………… Notes Ⅱ

くる ……………………………………………to come ………………… Notes Ⅰ-1

うえの ………………………………………Ueno, a place name… Notes Ⅱ

(バス)に(のる) ……………………………………… Notes Ⅰ-2

のる ……………………………………to ride, to get on

(あなた)が(のるのは) ………………………………… Notes Ⅰ-2

(のる)の(は) ………………………………………Notes Ⅰ-2

(じゅうばんの バスです)よ……………………………… Notes Ⅰ-3

Dialogue II

はやく<はやい ………………………………early, fast ………… Notes Ⅰ-6

いちじかんめ………………………………………the first period (class) Notes Ⅱ

ある ……………………………………………… Notes Ⅰ-1

ない ……………………………………………to (be) not………… Notes Ⅰ-1

おそく<おそい ………………………………late ……………… Notes Ⅰ-6

Dialogue III

テニスコート	tennis court
バスケットボール	basketball
コート	court
じゅうどう	judo
ピンポンしつ	a room for table tennis
やる	to do ⋯⋯⋯⋯⋯ Notes Ⅱ
バスケット	basketball
ピンポン	table tennis
たっきゅうぶ	table tennis club⋯⋯ Notes Ⅱ
ごらくしつ	recreation room

DIALOGUES

I. (Johnson is asking a policeman where the bus stop is.)

1 ジョンソン : バスの　ていりゅうじょは　どこですか。

2 じゅんさ : バスの　ていりゅうじょは　えきの　まえにも，
あの　ぎんこうの　まえにも　あります。
どこへ　いく　バスの　ていりゅうじょですか。

3 ジョンソン : ぎんざへ　いく　バスの
ていりゅうじょです。

4 じゅんさ : ぎんざへ　いく　バスの　ていりゅうじょは
えきの　まえです。じゅうばんの
のりばです。

I 1. Johnson : Where is the bus stop?
2. Policeman : There's one in front of the station and another in front of the bank. Where do you want to go?
3. Johnson : I want to take the bus for the Ginza.
4. Policeman : You can get the bus for the Ginza at bus stop No. 10 in front of the station.

5　ジョンソン　　：　ああ，そうですか。どこから　くる
　　　　　　　　　　　バスですか。

6　じゅんさ　　　：　うえのから　きます。

7　ジョンソン　　：　あそこに　いるのは　みんな　バスに　のる
　　　　　　　　　　　ひとですか。

8　じゅんさ　　　：　ええ，そうです。あなたが　のるのは
　　　　　　　　　　　じゅうばんの　バスですよ。

9　ジョンソン　　：　はい，わかりました。どうも　ありがとう。

Ⅱ. (A teacher is asking a student about her daily activities. He wants to know, for instance, when she gets up and when she goes to bed.)

1　せんせい　　　：　あなたは　まいあさ　はやく　おきますか。

2　がくせい　　　：　いちじかんめに　じゅぎょうが　ある　ひは
　　　　　　　　　　　はやく　おきますが，いちじかんめに
　　　　　　　　　　　じゅぎょうが　ない　ひは　はちじごろ
　　　　　　　　　　　おきます。

3　せんせい　　　：　はやく　おきる　ひは　なんじごろですか。

4　がくせい　　　：　ろくじごろです。

---

　　5. Johnson　　：　Oh.　Where does it come from?
　　6. Policeman　：　It comes from Ueno.
　　7. Johnson　　：　Are those people over there all waiting for buses?
　　8. Policeman　：　Yes, they are.　Remember, your bus is at No. 10.
　　9. Johnson　　：　Right.　Thank you.

Ⅱ　1. Teacher　　：　Do you get up early every morning?
　　2. Student　　：　Well, I get up early when I have a first-period class.
　　　　　　　　　　　When I don't, I get up about eight.
　　3. Teacher　　：　What time is it when you do get up early?
　　4. Student　　：　Around six.

5 せんせい　　　：　よるは　なんじごろ　ねますか。

6 がくせい　　　：　はやく　ねる　ひも，おそく　ねる　ひも
　　　　　　　　　　あります。

Ⅲ．(Kawamura is visiting Smith at the university.)

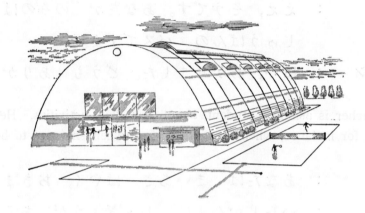

1 かわむら　　　：　テニスコートの　よこに　ある，あの
　　　　　　　　　　おおきい　たてものは　なんですか。

2 スミス　　　　：　あれは　たいいくかんです。
　　　　　　　　　　バスケットボールの　コートや
　　　　　　　　　　じゅうどうを　する　へやなどが　あります。
　　　　　　　　　　ピンポンしつも　あります。

5.	Teacher	:	What time do you go to bed?
6.	Student	:	Some nights I turn in early but other nights I stay up late.

Ⅲ 1.	Kawamura	:	What is that big building by the tennis courts?
2.	Smith	:	That's our gymnasium. We have a basketball court and a room for judo practice. There's a room for table tennis, too.

3 かわむら　　　：　あなたたちは　どんな　スポーツを
　　　　　　　　　　　やりますか。バスケットですか。

4 スミス　　　　：　いいえ，わたしたちは　バスケットは
　　　　　　　　　　　やりません。わたしたちが　やるのは
　　　　　　　　　　　ピンポンです。

5 かわむら　　　：　あなたたちも　あそこで　やりますか。

6 スミス　　　　：　いいえ，わたしたちは　あそこでは
　　　　　　　　　　　やりません。

7 かわむら　　　：　それでは，あそこでは　だれが　やりますか。

8 スミス　　　　：　あそこでは　たっきゅうぶの　ひとが
　　　　　　　　　　　やります。わたしたちが　やるのは
　　　　　　　　　　　しょくどうの　となりの　ごらくしつです。

---

3. Kawamura : What sports do you and your friends go in for?
Basketball?
4. Smith : No, we don't play basketball. We play table tennis.
5. Kawamura : Do you use the room over there?
6. Smith : No, we don't.
7. Kawamura : Well then, who plays there?
8. Smith : The table tennis club members use that room. The room we play in is the recreation room next to the dining hall.

DRILLS

Drill 1 〔Based on Notes I — 1〕

れいのように いいかえて ください。
Change the following as shown in the examples.

れい Examples

1 これは コーヒーです。/ わたしが この コーヒーを のみます。
  ——これは わたしが <u>のむ</u> コーヒーです。

2 これは バスです。/ これは ぎんざへ いきます。
  ——これは ぎんざへ <u>いく</u> バスです。

もんだい Exercises

1 これは コーヒーです。/ わたしが この コーヒーを のみます。
  ——

2 これは バスです。/ これは ぎんざへ いきます。 ——

3 これは テレビです。/ りょうの ひとが この テレビを みます。
  ——

4 これは とけいです。/ おんなの ひとが この とけいを
  つかいます[1]。——

5 これは ほんです。/ こどもが この ほんを よみます。 ——

6 これは ちゃわんです。/ わたしが いつも この ちゃわんを
  つかいます。——

7 これは バスです。/ わたしが この バスに のります。 ——

8 これは パンです。/ やまなかさんが いつも この パンを
  たべます。——

9 これは しんぶんです。/ がいこくじんが[2] この しんぶんを
  よみます。——

〔[1]つかう to use, [2]がいこくじん foreigner,〕

10　これは　おんがくの　ばんぐみです[1]。／スミスさんが　いつも　この
　　おんがくの　ばんぐみを　ききます。──→

こたえ　Answers ────────────────

1　これは　わたしが　のむ　コーヒーです。

2　これは　ぎんざへ　いく　バスです。

3　これは　りょうの　ひとが　みる　テレビです。

4　これは　おんなの　ひとが　つかう　とけいです。

5　これは　こどもが　よむ　ほんです。

6　これは　わたしが　いつも　つかう　ちゃわんです。

7　これは　わたしが　のる　バスです。

8　これは　やまなかさんが　いつも　たべる　パンです。

9　これは　がいこくじんが　よむ　しんぶんです。

10　これは　スミスさんが　いつも　きく　おんがくの　ばんぐみです。

────────────────

Drill 2　〔Based on Notes I─1〕

れいのように　こたえて　ください。
Answer the following questions as shown in the examples.

れい　Examples

1　だれが　テレビを　みますか。／たなかさん
　　──→テレビを　みる　ひとは　たなかさんです。

2　だれが　コーヒーを　のみますか。／スミスさん
　　──→コーヒーを　のむ　ひとは　スミスさんです。

もんだい　Exercises

1　だれが　テレビを　みますか。／たなかさん　──→

2　だれが　コーヒーを　のみますか。／スミスさん　──→

3　だれが　パンを　たべますか。／ジョンソンさん　──→

〔[1]ばんぐみ　program〕

4 だれが　ぎんざへ　いきますか。/ やまかわさん ⟶

5 だれが　ここへ　きますか。/ かわむらさん ⟶

6 だれが　うちへ　かえりますか。/ ベルナールさん ⟶

7 だれが　しんぶんを　よみますか。/ やまださん ⟶

8 だれが　ピンポンを　しますか。/ おおきさん ⟶

9 だれが　にほんごを　ならいますか。/ スミスさん ⟶

10 だれが　ラジオを　ききますか。/ たなかさん ⟶

こたえ　Answers ──────────────

1 テレビを　みる　ひとは　たなかさんです。

2 コーヒーを　のむ　ひとは　スミスさんです。

3 パンを　たべる　ひとは　ジョンソンさんです。

4 ぎんざへ　いく　ひとは　やまかわさんです。

5 ここへ　くる　ひとは　かわむらさんです。

6 うちへ　かえる　ひとは　ベルナールさんです。

7 しんぶんを　よむ　ひとは　やまださんです。

8 ピンポンを　する　ひとは　おおきさんです。

9 にほんごを　ならう　ひとは　スミスさんです。

10 ラジオを　きく　ひとは　たなかさんです。

─────────────

Drill 3 〔Based on Notes I ― 1〕

れいのように　いいかえて　ください。
Change the following as shown in the examples.

れい　Examples

1 いつも　わたしは　この　ほんを　よみます。

　⟶これは　いつも　わたしが　<u>よむ</u>　ほんです。

2 りょうの　ひとは　この　テレビを　みます。

　⟶これは　りょうの　ひとが　<u>みる</u>　テレビです。

もんだい　Exercises

1　いつも　わたしは　この　ほんを　よみます。──→

2　りょうの　ひとは　この　テレビを　みます。──→

3　やまなかさんは　この　パンを　たべます。──→

4　スミスさんは　この　へやで　ねます。──→

5　おとこの　ひとが　この　まんねんひつを　つかいます。──→

6　いつも　わたしは　この　おんがくを　ききます。──→

7　ベルナールさんは　この　コーヒーを　のみます。──→

8　かわむらさんは　この　ごはんを　たべます。──→

9　いつも　ベイリーさんは　この　ちずを　みます。──→

10　こどもは　この　しんぶんを　よみます。──→

こたえ　Answers ──────────────────

1　これは　いつも　わたしが　よむ　ほんです。

2　これは　りょうの　ひとが　みる　テレビです。

3　これは　やまなかさんが　たべる　パンです。

4　これは　スミスさんが　ねる　へやです。

5　これは　おとこの　ひとが　つかう　まんねんひつです。

6　これは　いつも　わたしが　きく　おんがくです。

7　これは　ベルナールさんが　のむ　コーヒーです。

8　これは　かわむらさんが　たべる　ごはんです。

9　これは　いつも　ベイリーさんが　みる　ちずです。

10　これは　こどもが　よむ　しんぶんです。

──────────────────

Drill 4　〔Based on Notes I — 2〕

れいのように　こたえて　ください。
Answer the following questions as shown in the examples.

れい　Examples

1　わたしが　のる　バスは　あれですか。

　　――→あなたが　のる<u>の</u>は　あれでは　ありません。

2　わたしが　いく　ところは　ぎんざですか。

　　――→あなたが　いく<u>の</u>は　ぎんざでは　ありません。

もんだい　Exercises

1　わたしが　のる　バスは　あれですか。――→

2　わたしが　いく　ところは　ぎんざですか。――→

3　あなたが　おきる　じかんは　ろくじですか。――→

4　あなたが　ピンポンを　する　ところは　あそこですか。――→

5　あなたが　くる　じかんは　さんじですか。――→

6　あなたが　ねる　じかんは　じゅうじですか。――→

7　わたしが　のむ　コーヒーは　これですか。――→

8　あなたが　ねる　へやは　ここですか。――→

9　あなたが　よむ　しんぶんは　これですか。――→

10　あなたが　たべる　ところは　あそこですか。――→

こたえ　Answers――――――――――――――

1　あなたが　のるのは　あれでは　ありません。

2　あなたが　いくのは　ぎんざでは　ありません。

3　わたしが　おきるのは　ろくじでは　ありません。

4　わたしが　ピンポンを　するのは　あそこでは　ありません。

5　わたしが　くるのは　さんじでは　ありません。

6　わたしが　ねるのは　じゅうじでは　ありません。

7　あなたが　のむのは　それでは　ありません。

8　わたしが　ねるのは　ここでは　ありません。

9　わたしが　よむのは　それでは　ありません。

10　わたしが　たべるのは　あそこでは　ありません。

Drill 5 〔Based on Notes I — 2〕

れいのように こたえて ください。
Answer the following questions as shown in the examples.

れい Examples

1 あなたは なんじに おきますか, ろくじですか。

　　—→ いいえ, わたしが おきる<u>の</u>は ろくじでは ありません。

2 あなたは どこで ごはんを たべますか, あそこですか。

　　—→ いいえ, わたしが たべる<u>の</u>は あそこでは ありません。

もんだい Exercises

1 あなたは なんじに おきますか, ろくじですか。—→

2 あなたは どこで ごはんを たべますか, あそこですか。—→

3 あなたは どの ほんを よみますか, あれですか。—→

4 あなたは なんじに ねますか, じゅういちじですか。—→

5 あなたは どこで ピンポンを しますか, あそこですか。—→

6 あなたは なにを しますか, テニスですか。—→

7 あなたは なんじに かえりますか, ろくじですか。—→

8 あなたは どこで テレビを みますか, しょくどうですか。—→

9 あなたは なにを かきますか, てがみですか。—→

10 あなたは どこに いますか, がっこうですか。—→

こたえ Answers ————————————————

1 いいえ, わたしが おきるのは ろくじでは ありません。

2 いいえ, わたしが たべるのは あそこでは ありません。

3 いいえ, わたしが よむのは あれでは ありません。

4 いいえ, わたしが ねるのは じゅういちじでは ありません。

5 いいえ, わたしが するのは あそこでは ありません。

6 いいえ, わたしが するのは テニスでは ありません。

7 いいえ, わたしが かえるのは ろくじでは ありません。

8 いいえ, わたしが みるのは しょくどうでは ありません。

9　いいえ，わたしが　かくのは　てがみでは　ありません。

10　いいえ，わたしが　いるのは　がっこうでは　ありません。

Drill 6

れいのように　いいかえて　ください。
Change the following as shown in the examples.

れい　Examples

　　　　　　　あの　バスは　うえのから　きます。

1　どこ　　　──→あの　バスは　どこから　きますか。

2　いく　　　──→あの　バスは　どこへ　いきますか。

3　ぎんざ　　──→あの　バスは　ぎんざへ　いきますか。

4　Affirmative ──→あの　バスは　ぎんざへ　いきます。

もんだい　Exercises

　　　　　　　あの　バスは　うえのから　きます。

1　どこ　　　──→

2　いく　　　──→

3　ぎんざ　　──→

4　Affirmative ──→

5　くる　　　──→

6　なかの　　──→

7　いく　　　──→

8　どこ　　　──→

9　くる　　　──→

10　はねだ　　──→

こたえ　Answers ───────────────

1　あの　バスは　どこから　きますか。

2　あの　バスは　どこへ　いきますか。

3 あの バスは ぎんざへ いきますか。

4 あの バスは ぎんざへ いきます。

5 あの バスは ぎんざから きます。

6 あの バスは なかのから きます。

7 あの バスは なかのへ いきます。

8 あの バスは どこへ いきますか。

9 あの バスは どこから きますか。

10 あの バスは はねだから きますか。

Drill 7 〔Based on Notes Ⅰ— 4〕

れいのように こたえて ください。
Answer the following questions as shown in the examples.

れい Examples

1 はやく おきる ひが ありますね。その ひには なんじごろ
おきますか。／ ろくじ
　　⟶はやく おきる ひは ろくじごろ<u>です</u>。

2 おそく がっこうへ いく ひが ありますね。その ひには
なんじごろ いきますか。／ じゅうじ
　　⟶おそく いく ひは じゅうじごろ<u>です</u>。

もんだい Exercises

1 はやく おきる ひが ありますね。その ひには なんじごろ
おきますか。／ ろくじ ⟶

2 おそく がっこうへ いく ひが ありますね。その ひには
なんじごろ いきますか。／ じゅうじ ⟶

3 おそく ごはんを たべる ひが ありますね。その ひには
なんじ ごろ たべますか。／ くじ ⟶

4 はやく うちへ かえる ひが ありますね。その ひには
なんじごろ かえりますか。／ さんじ ⟶

5 はやく　がっこうへ　くる　ひが　ありますね。その　ひには
　　なんじごろ　きますか。／　はちじはん　——→

6 おそく　ねる　ひが　ありますね。その　ひには　なんじごろ
　　ねますか。／　いちじ　——→

7 おそく　おきる　ひが　ありますね。その　ひには　なんじごろ
　　おきますか。／　はちじ　——→

8 はやく　かいしゃへ¹　いく　ひが　ありますね。その　ひには
　　なんじごろ　いきますか。／　しちじ　——→

9 はやく　ねる　ひが　ありますね。その　ひには　なんじごろ
　　ねますか。／　くじはん　——→

10 おそく　うちへ　かえる　ひが　ありますね。その　ひには
　　なんじごろ　かえりますか。／　じゅういちじ　——→

こたえ　Answers ————————————

1 はやく　おきる　ひは　ろくじごろです。
2 おそく　いく　ひは　じゅうじごろです。
3 おそく　たべる　ひは　くじごろです。
4 はやく　かえる　ひは　さんじごろです。
5 はやく　くる　ひは　はちじはんごろです。
6 おそく　ねる　ひは　いちじごろです。
7 おそく　おきる　ひは　はちじごろです。
8 はやく　いく　ひは　しちじごろです。
9 はやく　ねる　ひは　くじはんごろです。
10 おそく　かえる　ひは　じゅういちじごろです。

———————————————

Drill 8 〔Based on Notes I— 4〕

れいのように　しつもんして　ください。
Following the examples, make suitable questions for the answers given below.

〔¹かいしゃ　company〕

れい　Examples

1　はやく　おきる　ひは　ろくじごろです。

　　──→はやく　おきる　ひは　なんじごろですか。

2　おそく　ねる　ひは　じゅうじごろです。

　　──→　おそく　ねる　ひは　なんじごろですか。

もんだい　Exercises

1　はやく　おきる　ひは　ろくじごろです。──→

2　おそく　ねる　ひは　じゅうじごろです。──→

3　はやく　くる　ひは　くじごろです。──→

4　おそく　かえる　ひは　じゅうじごろです。──→

5　はやく　いく　ひは　しちじごろです。──→

6　おそく　たべる　ひは　はちじごろです。──→

7　はやく　ねる　ひは　じゅうじごろです。──→

8　おそく　いく　ひは　さんじごろです。──→

9　はやく　かえる　ひは　よじごろです。──→

10　おそく　おきる　ひは　じゅうじごろです。──→

こたえ　Answers ─────────────────

1　はやく　おきる　ひは　なんじごろですか。

2　おそく　ねる　ひは　なんじごろですか。

3　はやく　くる　ひは　なんじごろですか。

4　おそく　かえる　ひは　なんじごろですか。

5　はやく　いく　ひは　なんじごろですか。

6　おそく　たべる　ひは　なんじごろですか。

7　はやく　ねる　ひは　なんじごろですか。

8　おそく　いく　ひは　なんじごろですか。

9　はやく　かえる　ひは　なんじごろですか。

10　おそく　おきる　ひは　なんじごろですか。

Drill 9 〔Based on Notes Ⅰ—5〕

つぎの ぶんを ポーズの ちがいに きを つけて よんで ください。
Read the following sentences, paying attention to differences in phrasing.

1
{
さくらは つくえの うえに ある, <u>あの</u> しろい はなです。
さくらは <u>あの</u>, つくえの うえに ある, しろい はなです。
}

2
{
わたしのは つくえの したに ある, <u>あの</u> くろい かさです。
わたしのは <u>あの</u>, つくえの したに ある, くろい かさです。
}

3
{
ベイリーさんは じむしつに いる, あの ちいさい ひとです。
ベイリーさんは あの, じむしつに いる, ちいさい ひとです。
}

4
{
わたしのは いすの うえに ある, あの しろい かばんです。
わたしのは あの, いすの うえに ある, しろい かばんです。
}

5
{
わえいじてんは たなの¹ うえに ある, あの あつい ほんです。
わえいじてんは あの, たなの うえに ある, あつい ほんです。
}

6
{
としょかんは こうどうの となりに ある, あの りっぱな
たてものです。
としょかんは あの, こうどうの となりに ある, りっぱな
たてものです。
}

7
{
たなかさんは テニスコートの よこに いる, あの おおきい
ひとです。
たなかさんは あの, テニスコートの よこに いる, おおきい
ひとです。
}

8
{
こうどうは たいいくかんの うしろに ある, あの きれいな
たてものです。
こうどうは あの, たいいくかんの うしろに ある, きれいな
たてものです。
}

〔¹たな　shelf〕

9 {
じむしつは　けんきゅうしつの　となりに　ある，あの　あたらしい
へやです。

じむしつは　あの，けんきゅうしつの　となりに　ある，あたらしい
へやです。
}

10 {
おおきさんは　スミスさんの　うしろに　いる，あの　きれいな
ひとです。

おおきさんは　あの，スミスさんの　うしろに　いる，きれいな
ひとです。
}

PRONUNCIATION DRILL

Pitch Accent

Practice 1: Listen to each line read with no pause between the syllables. Listen carefully for the change of pitch within each line.

1. あいうえお

2. かきくけこ

3. さしすせそ

4. たちつてと

5. なにぬねの

6. はひふへほ

7. まみむめも

8. やいゆえよ

9. らりるれろ

10. わいうえを

Practice 2: Rewind the tape. While listening to the tape, repeat each line. Do not forget to listen to and repeat the pitch pattern. This pattern is typical of five-syllable nouns.

Recognition Test: Listen to the sequences of five syllables on the tape. Write T when you hear the pitch pattern introduced in Practice 1. Write F when you hear a different pitch pattern.

1. _____	6. _____
2. _____	7. _____
3. _____	8. _____
4. _____	9. _____
5. _____	10. _____ (Answers on page 511.)

REVIEW LESSON II

(Lesson 11 ～ 15)

Index to New Words and Expressions.

ひさしぶりですね	I haven't seen you for a long time.
つく	to arrive
どうですか	How about…?
（きっさてん）に	Note 1
いきませんか	Aren't you going?
このまえ	last time
きた	came
いつでした	When was it…? Note 2
もう	already
たつ	to pass
はやい	quick
しゅうしコース	Master's course
すむ	to finish
はかせコース	Ph. D. course
しゅうし	a person with a master's degree
ろんぶん	thesis
えどじだい	Edo Period
きょういく	education
（きょういく）に ついて	Note 3
こんど	next time
やはり	also
つづける	to continue

よねざわはん	…………………………………	Yonezawa clan
こと	…………………………………………	matter
くわしい	…………………………………	in detail
たいへんですね	…………………………	It's a lot of work, isn't it?
はじめ	……………………………………	beginning
とき	……………………………………………	Note 4
わかりませんでした＜わかる	……………	to understand
いそがしい	………………………………	busy
いっしょに	………………………………	together
しょくじ	…………………………………	meal
いいですね	………………………………	That sounds good!
わりあい	…………………………………	comparatively, rather
きっと	……………………………………	surely, without a doubt

Dialogues

1. (Hideo Yamamoto visits Johnson in his room as he promised to do the day before.)

やまもと ： ひさしぶりですね。

ジョンソン： ひさしぶりですね。

やまもと ： いつ つきました。

ジョンソン： きのう つきました。

やまもと ： そうですか。どうですか，そのへんに ある きっさてんに いきませんか。

ジョンソン： そうですね。どこかに いい きっさてんが ありますか。

やまもと ： ええ。

2. (Hideo and Johnson look for a coffee shop.)

ジョンソン： この きっさてんは どうですか。

やまもと ： この きっさてんは うるさいですよ。

ジョンソン： うるさいですか。

やまもと ： ええ。

ジョンソン： じゃ，あそこは どうですか。

やまもと ： ああ，あそこは しずかです。コーヒーも おいしいですよ。

3. (At the coffee shop they tell each other what they've been doing.)

やまもと ： このまえ ジョンソンさんが にほんへ きたのは いつでした。

ジョンソン： にねんまえです。

やまもと ： もう にねん たちましたか。

ジョンソン： ええ。

やまもと ： はやいですね。

ジョンソン: ええ。

やまもと : じゃ, もう しゅうしコースは すみましたか。

ジョンソン: ええ, もう すみました。いま はかせコースです。

やまもと : そうですか。しゅうしの ろんぶんは なにを かきました。

ジョンソン: えどじだいの きょういくに ついて かきました。

やまもと : こんどは なにを かきますか。

ジョンソン: やはり まえのを つづけますが, こんどは よねざわはんの
　　　　　　 ことを くわしく かきます。

やまもと : たいへんですね。ふるい にほんごを よむのは むずかしく
　　　　　　 ありませんか。

ジョンソン: ええ, はじめは むずかしかったですが, いまは あまり
　　　　　　 むずかしく ありません。

やまもと : まえの ときは にほんごが あまり
　　　　　　 わかりませんでしたね。

ジョンソン: ええ, すこししか わかりませんでした。

4. (Johnson invites Hideo to dinner.)

やまもと : もう ごじですね。

ジョンソン: ええ。きょうは いそがしいですか。

やまもと : いいえ, いそがしく ありません。

ジョンソン: じゃ, いっしょに しょくじを しませんか。

やまもと : いいですね。

ジョンソン: じゃ, ホテルの しょくどうへ いきませんか。けさのは
　　　　　　 わりあい おいしかったですよ。

やまもと : しょくどうは なんじからですか。

ジョンソン: ごじごろからでしょう。きっと もう はじまりましたよ。

Comprehension Test.

Based on the dialogues you've just heard on the tape, mark the true statements with a T.

1. Johnson met Hideo the day he arrived in Japan.

2. Hideo and Johnson hadn't seen each other for a long time.

3. They went into a coffee shop near the hotel.

4. They went into a noisy coffee shop.

5. The coffee served at the coffee shop was good.

6. The last time Johnson was in Japan was three years ago.

7. Johnson is now working for his M.A.

8. Johnson's Ph. D. dissertation is an extension of his M.A. thesis.

9. Johnson can read old-style Japanese.

10. When Johnson came to Japan for the first time, his Japanese was good.

11. Hideo was so busy that he didn't have time to eat leisurely.

12. Johnson suggested they have dinner at the coffee shop.

13. In the morning they served a good breakfast at the hotel where Johnson was staying.

14. The dining room at the hotel opens around five.

(Answers on page 397.)

Drills

Ⅰ　れいのように　いいかえて　ください。
Change the following as shown in the examples.

れい　Examples

　　　　　どうですか, そのへんに　ある　きっさてんに

　　　　　いきませんか。

1　しょくどう──どうですか, そのへんに　ある　しょくどうに

　　　　　いきませんか。

2 バー 　　　 →どうですか，そのへんに　ある　バーに　いきませんか。

もんだい　Exercises

1 しょくどう →

2 バー 　　 →

3 わしょくの　しょくどう →

4 きっさてん →

こたえ　Answers ─────────────────

1 どうですか，そのへんに　ある　しょくどうに　いきませんか。

2 どうですか，そのへんに　ある　バーに　いきませんか。

3 どうですか，そのへんに　ある　わしょくの　しょくどうに
　　いきませんか。

4 どうですか，そのへんに　ある　きっさてんに　いきませんか。

Ⅱ　れいのように　いいかえて　ください。
　　Change the following as shown in the examples.

れい　Examples

じゃ，あそこは　どうですか。

1 あの　みせ 　　　 →じゃ，あの　みせは　どうですか。

2 あの　しょくどう →じゃ，あの　しょくどうは　どうですか。

もんだい　Exercises

1 あの　みせ →

2 あの　しょくどう →

3 あちら →

4 あの　きっさてん →

5 むこうの　きっさてん →

6 この　きっさてん →

7 この　ホテル →

こたえ　Answers ────────────

1　じゃ, あの みせは どうですか。

2　じゃ, あの しょくどうは どうですか。

3　じゃ, あちらは どうですか。

4　じゃ, あの きっさてんは どうですか。

5　じゃ, むこうの きっさてんは どうですか。

6　じゃ, この きっさてんは どうですか。

7　じゃ, この ホテルは どうですか。

Ⅲ　れいのように いいかえて ください。
　　Change the following as shown in the examples.

れい　Examples

　　　　　このまえ ジョンソンさんが にほんへ きたのは
　　　　　いつでした。

1　うち──このまえ ジョンソンさんが うちへ きたのは いつでした。

2　ここ──このまえ ジョンソンさんが ここへ きたのは いつでした。

もんだい　Exercises

1　うち──

2　ここ──

3　この まち[1]──

4　とうきょう──

5　この みせ──

6　この バー──

こたえ　Answers ────────────

1　このまえ ジョンソンさんが うちへ きたのは いつでした。

2　このまえ ジョンソンさんが ここへ きたのは いつでした。

3　このまえ ジョンソンさんが この まちへ きたのは いつでした。

〔[1]まち　town〕

4 このまえ ジョンソンさんが とうきょうへ きたのは いつでした。

5 このまえ ジョンソンさんが この みせへ きたのは いつでした。

6 このまえ ジョンソンさんが この バーへ きたのは いつでした。

Ⅳ れいのように はなしを つづける れんしゅうを して ください。
   Practice making a conversation as in the examples.

れい　Examples

1. Student　　：　このまえ　にほんへ　きたのは　いつでした。

   Instructor　：　にねん　まえです。

   Student　　：　もう　にねん　たちましたか。

   Instructor　：　ええ。

   Student　　：　はやいですね。

2. Student　　：　このまえ　にほんへ　きたのは　いつでした。

   Instructor　：　さんねん　まえです。

   Student　　：　もう　さんねん　たちましたか。

   Instructor　：　ええ。

   Student　　：　はやいですね。

もんだい　Exercises

1　よねん　まえ─→

2　じゅうねん　まえ─→

3　じゅうにねん　まえ─→

4　にじゅうねん　まえ─→

こたえ　Answers ─────────────────

1. Student　　：　このまえ　にほんへ　きたのは　いつでした。

   Instructor　：　よねん　まえです。

   Student　　：　もう　よねん　たちましたか。

   Instructor　：　ええ。

Student　　：はやいですね。

2. Student　　：このまえ　にほんへ　きたのは　いつでした。

　　Instructor　：じゅうねん　まえです。

　　Student　　：もう　じゅうねん　たちましたか。

　　Instructor　：ええ。

　　Student　　：はやいですね。

3. Student　　：このまえ　にほんへ　きたのは　いつでした。

　　Instructor　：じゅうにねん　まえです。

　　Student　　：もう　じゅうにねん　たちましたか。

　　Instructor　：ええ。

　　Student　　：はやいですね。

4. Student　　：このまえ　にほんへ　きたのは　いつでした。

　　Instructor　：にじゅうねん　まえです。

　　Student　　：もう　にじゅうねん　たちましたか。

　　Instructor　：ええ。

　　Student　　：はやいですね。

Ⅴ　れいのように　いいかえて　ください。
　　Change the following as shown in the examples.

　れい　Examples

　　　　　　はじめは　むずかしかったですが，いまは　あまり

　　　　　　むずかしく　ありません。

1　たかい　──→はじめは　たかかったですが，いまは　あまり　たかく

　　　　　　　　ありません。

2　おいしい──→はじめは　おいしかったですが，いまは　あまり　おいしく

　　　　　　　　ありません。

もんだい　Exercises

1　たかい──→

2　おいしい──→

3　うるさい──→

4　やすい──→

5　いそがしい──→

6　いい──→

こたえ　Answers ─────────────

1　はじめは　たかかったですが，いまは　あまり　たかく　ありません。

2　はじめは　おいしかったですが，いまは　あまり　おいしく
　　ありません。

3　はじめは　うるさかったですが，いまは　あまり　うるさく
　　ありません。

4　はじめは　やすかったですが，いまは　あまり　やすく　ありません。

5　はじめは　いそがしかったですが，いまは　あまり　いそがしく
　　ありません。

6　はじめは　よかったですが，いまは　あまり　よく　ありません。

Ⅵ　れいのように　こたえて　ください。
　　Answer the following questions as shown in the examples.

れい　Examples

1　まえの　ときは　にほんごが　あまり　わかりませんでしたね。
　　──→ええ，すこししか　わかりませんでした。

2　まえの　ときは　あまり　にほんごを　よみませんでしたね。
　　──→ええ，すこししか　よみませんでした。

もんだい　Exercises

1　まえの　ときは　にほんごが　あまり　わかりませんでしたね。──→

2 まえの ときは あまり にほんごを よみませんでしたね。⟶

3 まえの ときは あまり テニスを しませんでしたね。⟶

4 まえの ときは あまり ろんぶんを かきませんでしたね。⟶

5 まえの ときは あまり いい みせが ありませんでしたね。⟶

6 まえの ときは あまり ほんを よみませんでしたね。⟶

こたえ Answers ─────────────

1 ええ, すこししか わかりませんでした。

2 ええ, すこししか よみませんでした。

3 ええ, すこししか しませんでした。

4 ええ, すこししか かきませんでした。

5 ええ, すこししか ありませんでした。

6 ええ, すこししか よみませんでした。

─────────────

Answers to the Comprehension Test.

1. F	4. F	7. F	10. F	13. T
2. T	5. T	8. T	11. F	14. T
3. T	6. F	9. T	12. F	

LESSON 16

KEY SENTENCES

- ここに　あなたの　なまえと　じゅうしょを　**かいて**
  ください。

- すみませんが，まんねんひつを　**かして**　**くださいませんか**。

- きょうしつでは　えいごを　**つかわないで**　**ください**。

- ブランさんは　$\left\{ \begin{array}{l} えいご \\ にほんご \end{array} \right\}$　で　はなしました。

  　　　かいて　ください。
  　　　わすれないで　ください。

INDEX to NEW WORDS,

EXPRESSIONS and PATTERNS

Dialogue I

なまえ	name	
じゅうしょ	address	
かいて　ください	please write	Notes I -1
かいて＜かく	to write	Notes III
うら	back	
すみませんが	excuse me, but....	Notes I -3
かして＜かす	to lend	Notes III
かして　くださいませんか	Won't you lend…?	Notes I -4
(はい)どうぞ		Notes II
かきおわる	to finish writing	Notes I -6
よろしい	all right	Notes II
でんわ	telephone	
でんわばんごう	telephone number	Notes II
もって　いって＜もって　いく		Notes II

Dialogue II

しゅじん	male head of the family	
おてつだいさん	maid	
だして＜だす	to mail, to send	Notes III
しょうちする	to give consent	
(それ)で		Notes I -5
かって＜かう	to buy	Notes III

おねがいする ································· Will you please······ ?

Dialogue III

はなす ································· to talk

つかわないで ください ································· Notes Ⅰ-2

つかわないで＜つかう ································· to use

すみません ································· I am sorry.············ Notes Ⅱ

みなさん ································· all ············ Notes Ⅱ

しゅくだい ································· homework

もって くる ································· to bring ············· Notes Ⅱ

もって きて＜もって くる

わすれる ································· to forget

まって＜まつ ································· to wait for··········· Notes Ⅲ

わすれないで＜わすれる ································· Notes Ⅲ

かならず ································· without fail

ベル ································· bell

なる ································· to ring

はいって くる ································· to enter

せきに つく ································· to take a seat

（いすに）かける ································· to sit (on a chair)

これから ································· from now on

DIALOGUES

I. (A teacher is having a student write his name and address on a sheet of paper.)

1 せんせい　　　：　ここに　あなたの　なまえと　じゅうしょを
　　　　　　　　　　　かいて　ください。そして，うらに　えきから
　　　　　　　　　　　うちまでの　かんたんな　ちずを　かいて
　　　　　　　　　　　ください。

2 がくせい　　　：　すみませんが，まんねんひつを　かして
　　　　　　　　　　　くださいませんか。

3 せんせい　　　：　はい，どうぞ。

4 がくせい　　　：　かきおわりました。あまり　きれいでは
　　　　　　　　　　　ありませんが，よろしいですか。

5 せんせい　　　：　でんわは　ありませんか。

6 がくせい　　　：　あります。

7 せんせい　　　：　それでは，でんわばんごうも　かいて
　　　　　　　　　　　ください。そして，それを　じむしつへ
　　　　　　　　　　　もって　いって　ください。

I　1. Teacher　：　Please write your name and address here. And then on the back of the paper, draw a simple map showing how to get from the station to your house.

　　2. Student　：　Excuse me, but could I borrow a fountain pen?

　　3. Teacher　：　Certainly, here you are.

　　4. Student　：　I've finished. This isn't very neat, but will it do?

　　5. Teacher　：　You have a telephone?

　　6. Student　：　Yes, I do.

　　7. Teacher　：　Please write down your phone number, too. And then, will you bring it to the office?

Ⅱ. (In a home. The man of the house is asking the maid to mail a letter for him.)

1 しゅじん　　　：　どこへ　いきますか。

2 おてつだいさん：　ゆうびんきょくへ　いきます。

3 しゅじん　　　：　それでは，そこに　ある　てがみを　だして　ください。

4 おてつだいさん：　はい，しょうちしました。

5 しゅじん　　　：　てがみの　よこに　にじゅうえん　ありますね。すみませんが，それで　きってを　かって　ください。

6 おてつだいさん：　はい，じゅうごえんの　きってですね。

7 しゅじん　　　：　そうです。おねがい　します。

Ⅲ. (Class has just started.)

1 せんせい　　　：　ブランさん。ベイリーさんと　いま　えいごで　なにを　はなしましたか。きょうしつでは　えいごを　つかわないで　ください。

Ⅱ	1. Man	:	Where are you going?
	2. Maid	:	I am going to the post office.
	3. Man	:	Well, will you mail the letter over there for me?
	4. Maid	:	Yes, sir.
	5. Man	:	See the twenty yen beside the letter? Sorry to trouble you, but would you use it to buy the stamp?
	6. Maid	:	Yes, you mean a fifteen yen stamp, sir?
	7. Man	:	That's right. Please take care of it for me.
Ⅲ	1. Teacher	:	Mr. Blanc. What were you just talking about with Mr. Bailey in English? Please don't use English in the classroom.

2 ブラン　　　　：　はい, すみません。

3 せんせい　　　：　みなさん, しゅくだいを　もって
　　　　　　　　　　きましたか。

4 がくせいたち　：　はい, もって　きました。

5 せんせい　　　：　それでは, ここへ　もって　きて　ください。

6 リン　　　　　：　すみません, わたしは　わすれました。
　　　　　　　　　　あしたまで　まって　くださいませんか。

7 せんせい　　　：　はい, いいです。あしたは　わすれないで
　　　　　　　　　　ください。

8 リン　　　　　：　はい, あしたは　かならず　もって　きます。

　　　　　　　　　☆　　　　　☆　　　　　☆

ベルが　なりました。

せんせいが　きょうしつに　はいって　きました。

がくせいは　みんな　せきに　つきました。せんせいも　いすに
かけました。これから　にほんごの　じゅぎょうが
はじまります。

---

2. Blanc　　　：　Yes, sir. I am sorry.
3. Teacher　　：　Did you all bring your homework?
4. Students　 ：　Yes, we did.
5. Teacher　　：　Well then, please bring it here.
6. Lin　　　　：　Sorry, but I forgot. Could you wait until tomorrow?
7. Teacher　　：　O. K. But don't forget tomorrow.
8. Lin　　　　：　No, I'll be sure to bring it tomorrow.

　　　　　☆　　　　　☆　　　　　☆

The bell has rung. The teacher has entered the classroom. Every student
has taken his seat. The teacher has also taken his seat. Now the Japanese
lesson starts.

DRILLS

Drill 1 〔Based on Notes Ⅰ— 1〕

れいのように いいかえて ください。
Change the following as shown in the examples.

れい Examples

1 そこに ある てがみを だす。

　　—→そこに ある てがみを だして ください。

2 ジョンソンさんと にほんごで はなす。

　　—→ジョンソンさんと にほんごで はなして ください。

もんだい Exercises

1 そこに ある てがみを だす。 —→

2 ジョンソンさんと にほんごで はなす。 —→

3 あそこに ある ほんを かす。 —→

4 おゆを¹ わかす²。 —→

5 ふとんを ほす³。 —→

こたえ Answers————————————————

1 そこに ある てがみを だして ください。

2 ジョンソンさんと にほんごで はなして ください。

3 あそこに ある ほんを かして ください。

4 おゆを わかして ください。

5 ふとんを ほして ください。

————————————————————

Drill 2 〔Based on Notes Ⅰ—1 〕

れいのように いいかえて ください。
Change the following as shown in the examples.

〔¹おゆ hot water,　²わかす to boil,　³ほす to dry〕

れい　Examples

1　げんかんで　くつを　ぬぐ[1]。

　　　──→げんかんで　くつを　ぬいで　ください。

2　この　かみに　じゅうしょを　かく。

　　　──→この　かみに　じゅうしょを　かいて　ください。

もんだい　Exercises

1　げんかんで　くつを　ぬぐ。　──→

2　この　かみに　じゅうしょを　かく。　──→

3　ラジオの　ニュースを　きく。　──→

4　しずかに　あるく。　──→

5　はねだへ　いく。　──→

6　この　うみで　およぐ。　──→

7　せんせいの　いう　ことを　きく。　──→

8　うちの　なかで　コートを[2]　ぬぐ。　──→

9　ここに　なまえを　かく。　──→

10　じゅうじごろ　がっこうへ　いく。　──→

こたえ　Answers ─────────────────────────

1　げんかんで　くつを　ぬいで　ください。

2　この　かみに　じゅうしょを　かいて　ください。

3　ラジオの　ニュースを　きいて　ください。

4　しずかに　あるいて　ください。

5　はねだへ　いって　ください。

6　この　うみで　およいで　ください。

7　せんせいの　いう　ことを　きいて　ください。

8　うちの　なかで　コートを　ぬいで　ください。

9　ここに　なまえを　かいて　ください。

10　じゅうじごろ　がっこうへ　いって　ください。

[[1]ぬぐ　to take off,　[2]コート　coat]

── 406 ──

Drill 3 〔Based on Notes Ⅰ— 1〕

れいのように いいかえて ください。
Change the following as shown in the examples.

れい Examples

1 ここで まつ。

 ⟶ここで まって ください。

2 この ほんを かう。

 ⟶この ほんを かって ください。

もんだい Exercises

1 ここで まつ。⟶

2 この ほんを かう。⟶

3 あれを もつ。⟶

4 この バスに のる。⟶

5 あそこへ いく。⟶

6 きってを はる¹。⟶

7 まんねんひつを つかう。⟶

8 はやく かえる。⟶

9 もう いちど いう。⟶

10 さんじに おわる。⟶

こたえ Answers

1 ここで まって ください。

2 この ほんを かって ください。

3 あれを もって ください。

4 この バスに のって ください。

5 あそこへ いって ください。

〔¹(きってを)はる　to put, to stick ⟨a stamp⟩〕

6 きってを はって ください。

7 まんねんひつを つかって ください。

8 はやく かえって ください。

9 もう いちど いって ください。

10 さんじに おわって ください。

Drill 4 〔Based on Notes I－1〕

れいのように いいかえて ください。
Change the following as shown in the examples.

れい Examples

1 この てがみを よむ。

　　──→この てがみを よんで ください。

2 おおきい こえで¹ よぶ。

　　──→おおきい こえで よんで ください。

もんだい Exercises

1 この てがみを よむ。──→

2 おおきい こえで よぶ。──→

3 この くすりを のむ。──→

4 これを えきまで はこぶ²。──→

5 わたしと いっしょに しぬ。──→

6 これを ジョンソンさんに たのむ。³ ──→

7 たなかさんと あそぶ。──→

8 この ほんを よむ。──→

9 あの コーヒーを のむ。──→

10 やまなかさんを よぶ。──→

〔¹こえ voice, ²はこぶ to carry, ³たのむ to ask〕

こたえ Answers ───────────────

1 この てがみを よんで ください。

2 おおきい こえで よんで ください。

3 この くすりを のんで ください。

4 これを えきまで はこんで ください。

5 わたしと いっしょに しんで ください。

6 これを ジョンソンさんに たのんで ください。

7 たなかさんと あそんで ください。

8 この ほんを よんで ください。

9 あの コーヒーを のんで ください。

10 やまなかさんを よんで ください。

─────────────────

Drill 5 〔Based on Notes I ― 1〕

れいのように いいかえて ください。
Change the following as shown in the examples.

れい Examples

1 あした くる──→

　　──→あした きて ください。

2 もっと¹ べんきょうを する。

　　──→もっと べんきょうを して ください。

もんだい Exercises

1 あした くる。──→

2 もっと べんきょうを する。──→

3 もっと ここに いる。──→

4 パンを たべる。──→

5 もっと はやく おきる。──→

〔¹もっと more〕

─ 409 ─

6　コーヒーを　もって　くる。 ⟶

7　あした　テニスを　する。 ⟶

8　この　えを　みる。 ⟶

9　きょうは　はやく　ねる。 ⟶

10　あの　ひとから　えんぴつを　かりる[1]。 ⟶

こたえ　Answers —————————————

1　あした　きて　ください。

2　もっと　べんきょうを　して　ください。

3　もっと　ここに　いて　ください。

4　パンを　たべて　ください。

5　もっと　はやく　おきて　ください。

6　コーヒーを　もって　きて　ください。

7　あした　テニスを　して　ください。

8　この　えを　みて　ください。

9　きょうは　はやく　ねて　ください。

10　あの　ひとから　えんぴつを　かりて　ください。

———————————————

Drill 6　〔Based on Notes I — 2〕

れいのように　いいかえて　ください。
Change the following as shown in the examples.

れい　Examples

1　そこに　ある　てがみを　だす。

　　⟶すみませんが，そこに　ある　てがみを　だして　ください。

2　この　かみに　なまえを　かく。

　　⟶すみませんが，この　かみに　なまえを　かいて　ください。

〔[1]かりる　to borrow〕

— 410 —

もんだい　Exercises

1　そこに　ある　てがみを　だす。──→

2　この　かみに　なまえを　かく。──→

3　あそこに　ある　ほんを　よむ。──→

4　そこに　ある　えんぴつを　つかう。──→

5　あそこから　コーヒーを　もって　くる。──→

6　ろくじに　かえる。──→

7　げんかんで　くつを　ぬぐ。──→

8　じゅうじに　がっこうへ　いく。──→

9　あした　わたしと　テニスを　する。──→

10　ここで　やまなかさんを　まつ。──→

こたえ　Answers ───────────────

1　すみませんが，そこに　ある　てがみを　だして　ください。

2　すみませんが，この　かみに　なまえを　かいて　ください。

3　すみませんが，あそこに　ある　ほんを　よんで　ください。

4　すみませんが，そこに　ある　えんぴつを　つかって　ください。

5　すみませんが，あそこから　コーヒーを　もって　きて　ください。

6　すみませんが，ろくじに　かえって　ください。

7　すみませんが，げんかんで　くつを　ぬいで　ください。

8　すみませんが，じゅうじに　がっこうへ　いって　ください。

9　すみませんが，あした　わたしと　テニスを　して　ください。

10　すみませんが，ここで　やまなかさんを　まって　ください。

Drill 7　〔Based on Notes Ⅰ─ 4〕

れいのように　いいかえて　ください。
Change the following as shown in the examples.

れい　Examples

1　すみませんが，あした　もう　いちど　きて　ください。

　　──→あした　もう　いちど　きて　くださいませんか。

2　すみませんが，この　てがみを　よんで　ください。

　　──→この　てがみを　よんで　くださいませんか。

もんだい　Exercises

1　すみませんが，あした　もう　いちど　きて　ください。──→

2　すみませんが，この　てがみを　よんで　ください。──→

3　すみませんが，ジョンソンさんを　まって　ください。──→

4　すみませんが，ここに　なまえを　かいて　ください。──→

5　すみませんが，あした　はねだへ　いって　ください。──→

こたえ　Answers ─────────────────

1　あした　もう　いちど　きて　くださいませんか。

2　この　てがみを　よんで　くださいませんか。

3　ジョンソンさんを　まって　くださいませんか。

4　ここに　なまえを　かいて　くださいませんか。

5　あした　はねだへ　いって　くださいませんか。

────────────

Drill 8　〔Based on Notes Ⅰ─ 3〕

れいのように　いいかえて　ください。
Change the following as shown in the examples.

れい　Examples

1　この　てがみを　よんで　ください。

　　──→この　てがみを　よまないで　ください。

2　にほんごで　はなして　ください。

　　──→にほんごで　はなさないで　ください。

もんだい　Exercises

1　この　てがみを　よんで　ください。──→

2　にほんごで　はなして　ください。──→

3　あした　がっこうへ　いって　ください。──→

4　ここに　なまえを　かいて　ください。──→

5　ここに　ある　まんねんひつを　つかって　ください。──→

6　うみで　およいで　ください。──→

7　たなかさんが　くるのを　まって　ください。──→

8　ここに　ある　でんしゃに　のって　ください。──→

9　おおきい　こえで　スミスさんを　よんで　ください。──→

10　ここに　きってを　はって　ください。──→

こたえ　Answers ──────────────────

1　この　てがみを　よまないで　ください。

2　にほんごで　はなさないで　ください。

3　あした　がっこうへ　いかないで　ください。

4　ここに　なまえを　かかないで　ください。

5　ここに　ある　まんねんひつを　つかわないで　ください。

6　うみで　およがないで　ください。

7　たなかさんが　くるのを　またないで　ください。

8　ここに　ある　でんしゃに　のらないで　ください。

9　おおきい　こえで　スミスさんを　よばないで　ください。

10　ここに　きってを　はらないで　ください。

────────────────────

Drill 9 〔Based on Notes I ─ 3〕

れいのように　いいかえて　ください。
Change the following as shown in the examples.

れい　Examples

1 あしたは ここに いて ください。

  ——→あしたは ここに <u>いないで ください</u>。

2 あしたは はやく おきて ください。

  ——→あしたは はやく <u>おきないで ください</u>。

もんだい Exercises

1 あしたは ここに いて ください。——→

2 あしたは はやく おきて ください。——→

3 あなたは これを たべて ください。——→

4 わたしの へやへ きて ください。——→

5 ここで べんきょうを して ください。——→

6 きょう した ことを わすれて ください。——→

7 あしたは はやく ねて ください。——→

8 あそこで テニスを して ください。——→

9 やまなかさんから えんぴつを かりて ください。——→

10 あした がっこうへ きて ください。——→

こたえ Answers————————————

1 あしたは ここに いないで ください。

2 あしたは はやく おきないで ください。

3 あなたは これを たべないで ください。

4 わたしの へやへ こないで ください。

5 ここで べんきょうを しないで ください。

6 きょう した ことを わすれないで ください。

7 あしたは はやく ねないで ください。

8 あそこで テニスを しないで ください。

9 やまなかさんから えんぴつを かりないで ください。

10 あした がっこうへ こないで ください。

————————————

PRONUNCIATION DRILL

Pitch Accent in Unaccented Words.

Although there are no stressed syllables in Japanese words, there are syllables that are said in a higher pitch than are other syllables. The Pronunciation Drill for this lesson and for Lessons 17, 18, and 20 all concern this pitch accent. There are three general rules on placement of pitch in a Japanese words.

1. There are only two pitches in Japanese. We will call the higher one *high* and the lower one *low*. All syllables in a Japanese word are one or the other.

2. The first and second syllables in a word are always of different pitch.

3. No two high syllables in a word can be separated by a low syllable.

From these three rules, it follows that:

1. If the first syllable in a word is high, then the remaining are all low.

2. If the first syllable is low, then at least the second syllable is high.

3. In order to determine the pitch pattern of a word, all we have to know is which is the last high syllable. For example, if we want to know the pattern of the pitch accent of あ￤いう￤えお, all we have to know is that う is the last high syllable. In the case of な￤かなか the last high syllable is the end of the word.

From the above, we can see that Japanese words can be divided into two groups according to pitch pattern. One group consists of words that contain a shift from a high pitch syllable to low pitch syllable, and the other group consists of words that contain no such shift. We call the former group words "accented" words and the latter group of words "unaccented" words. For instance は￤は (mother) is an accented word and は￤な (nose) is an unaccented word.　The drills here give practice in saying unaccented words.

Practice 1 :　Listen to the words on the tape.　Notice that each word has low pitch on the first syllable and high pitch on the remaining syllables.　Notice also that each syllable is pronounced with the same intensity and time value.

1.　な|かなか
2.　わ|れわれ
3.　が|たがた
4.　と|きどき
5.　わ|たくし
6.　は|らきり
7.　よ|こはま
8.　な|かざわ
9.　な|かむら
10.　わ|たなべ

Practice 2 :　Pronounce the words in Practice 1.　Pay attention to the pitch pattern.　Do not stress any of the syllables.

Practice 3 :　Listen to the following words on the tape.　They have the same pitch pattern as those in Practice 1.　Listen to the way the consecutive vowel sounds are pronounced.

1.　ま|いしゅう
2.　ま|いとし
3.　ま|いつき
4.　お|いしい
5.　ら|いねん

Practice 4 :　Pronounce the words in Practice 3.　Pay attention to the pitch pattern and also the pronunciation of the consecutive vowel sounds.

Practice 5: The following phrases are pronounced with the same pitch pattern as those in Practices 1 and 3, i. e. low-high-high.... Listen to them on the tape and repeat them.

1. お|はよう

2. こ|んにちは

3. こ|んばんは

4. お|かげさまで

LESSON 17

KEY SENTENCES

- ピエールさんは へやで ほんを **よんで** **います**。

- あそこで テレビを **みて** **いる** ひとは だれですか。

- ゆうべは ひとばんじゅう あめが **ふって** いました。

- さっき あなたと **はなしを** **して** **いた** ひとは
  だれですか。

- その $\left\{\begin{array}{l}\text{レコード} \\ \text{ほん}\end{array}\right\}$ は とおかぐらい まえに かいました。

して います。
して いました。

INDEX to NEW WORDS,

EXPRESSIONS and PATTERNS

Dialogue I

して　います ……………………………………………… Notes I-1

して　いません …………………………………………… Notes I-1

みて　いる　（ひと）……………………………………… Notes I-3

（なまえ)は　（しりません)……………………………… Notes I-6

Dialogue II

そと………………………………………… outside

さむいでしょう＜さむい ………………… cold

（さむい)でしょう(ね)………………………………… Notes I-4

まだ………………………………………… still

あめ………………………………………… rain

ふる………………………………………… to rain

やむ………………………………………… to stop

はれるでしょう＜はれる ………………… to clear up…………… Notes I-4

ゆうべ ……………………………………… last night

ひとばんじゅう …………………………… all night, all through the night … Notes II

ひどく＜ひどい …………………………… hard, very

ふって　いました ………………………………………… Notes I-2

おそく ……………………………………… late ……………… Notes II

べんきょうする …………………………… to study

さくぶん …………………………………… composition

こんばん …………………………………… this evening, tonight

おさきに ……………………………………… before you, first …… Notes Ⅱ

おやすみなさい ……………………………… Good night. ………… Notes Ⅱ

Dialogue Ⅲ

パーカー* …………………………………… Parker

さっき ………………………………………… a while ago

（して）いた（ひと）………………………………… Notes Ⅰ-3

きた （ひと）くくる ………………………………… Notes Ⅰ-3

「ちょうちょうふじん」 …………………… "Madam Butterfly"

レコード ……………………………………… a record

かける ………………………………………… to put on

きこえる ……………………………………… to hear

ちょっと ……………………………………… for a moment

みせる ………………………………………… to show

もつ……………………………………………… to have

DIALOGUES

I. (In the lobby of the dormitory, Yamanaka is talking with Blanc. Yamanaka has come to see Smith and is asking Blanc about him.)

1 やまなか : スミスさんは　どこに　いますか。

2 ブラン : スミスさんは　いま　たいいくかんに　います。

3 やまなか : たいいくかんで　なにを　して　いますか。

4 ブラン : ジョンソンさんと　ピンポンを　して　います。

5 やまなか : ピエールさんも　いっしょに　して　いますか。

I
1. Yamanaka : Where is Mr. Smith?
2. Blanc : Mr. Smith is now at the gym.
3. Yamanaka : What is he doing there?
4. Blanc : He is playing table tennis with Mr. Johnson.
5. Yamanaka : Is Pierre playing with them, too?

6 ブラン　　　　　：　いいえ、ピエールさんは　して　いません。
　　　　　　　　　　　へやで　ほんを　よんで　います。

7 やまなか　　　　：　あそこで　テレビを　みて　いる　ひとは
　　　　　　　　　　　だれですか。

8 ブラン　　　　　：　あの　ひとは　イギリスじんです。なまえは
　　　　　　　　　　　しりません。

Ⅱ. (In the corridor of the dormitory, Bailey is speaking to Blanc, who has just returned.)

1 ベイリー　　　　：　そとは　さむいでしょうね。まだ　あめが
　　　　　　　　　　　ふって　いますか。

2 ブラン　　　　　：　いいえ、もう　やみました。

3 ベイリー　　　　：　あしたは　はれるでしょうね。

4 ブラン　　　　　：　ええ、あしたは　はれるでしょう。

5 ベイリー　　　　：　ゆうべは　ひとばんじゅう　ひどく　ふって
　　　　　　　　　　　いましたね。

6 ブラン　　　　　：　そうですね。あなたは　ゆうべも　おそくまで
　　　　　　　　　　　べんきょうして　いましたか。

---

	6. Blanc	:	No, he isn't. He's reading in his room.
	7. Yamanaka	:	Who's that person watching television over there ?
	8. Blanc	:	He is British, but I don't know his name.
Ⅱ	1. Bailey	:	It's cold out, isn't it ? Is it still raining ?
	2. Blanc	:	No, it's stopped.
	3. Bailey	:	I suppose it will clear up tomorrow.
	4. Blanc	:	Yes. It probably will.
	5. Bailey	:	It rained really hard all last night, didn't it ?
	6. Blanc	:	Yes, it did. Were you studying until late again last night ?

7 ベイリー : はい, いちじごろまで べんきょうして
いました。

8 ブラン : おそくまで なんの べんきょうを して
いましたか。

9 ベイリー : しゅくだいの さくぶんを かいて
いました。

10 ブラン : こんばんも まだ ねませんか。

11 ベイリー : はい, まだ ねません。

12 ブラン : では, おさきに。おやすみなさい。

13 ベイリー : おやすみなさい。

Ⅲ. (In the dormitory meeting room, Parker is talking with Lin.)

1 パーカー : さっき あなたと はなしを して いた
ひとは だれですか。

2 リン : げんかんで はなしを して いた
ひとですか。

3 パーカー : ええ。

---

	7. Bailey	:	Yes. I studied until around one.
	8. Blanc	:	What were you studying until so late ?
	9. Bailey	:	I had to write a composition for homework.
	10. Blanc	:	Aren't you going to bed yet ?
	11. Bailey	:	No, not yet.
	12. Blanc	:	Well then, I'll go on to bed. Good night.
	13. Bailey	:	Good night.
Ⅲ	1. Parker	:	Who was the person you were talking with a while ago ?
	2. Lin	:	You mean the person I was talking with in the entry way ?
	3. Parker	:	Yes.

4 リン　　　　　：　あの　ひとは　スミスさんの　ところへ　きた
　　　　　　　　　　　　ひとです。

5 パーカー　　：　ああ，　そうですか。

(Lin, looking at what Parker is holding in his hand.)

6 リン　　　　　：　それは　なんですか。

7 パーカー　　：　「ちょうちょうふじん」の　レコードです。

8 リン　　　　　：　さっき　かけて　いたのは　その
　　　　　　　　　　　　レコードですか。

9 パーカー　　：　そうです。きこえましたか。

10 リン　　　　：　ええ，　すこし。ちょっと　みせて　ください。

(Lin, with the record in his hand.)

11 リン　　　　：　まだ　あたらしいですね。いつ
　　　　　　　　　　　　かいましたか。

12 パーカー　：　その　レコードは　とおかぐらい　まえに
　　　　　　　　　　　　かいました。

13 リン　　　　：　あなたは　レコードを　たくさん　もって
　　　　　　　　　　　　いますね。

4.	Lin	:	That was a man who came to see Mr. Smith.
5.	Parker	:	Oh, I see.
6.	Lin	:	What's that?
7.	Parker	:	This is a recording of "Madam Butterfly".
8.	Lin	:	Is that the one you were playing a while ago?
9.	Parker	:	Yes, it is. Did you hear it?
10.	Lin	:	Yes, a little. May I have a look at it, please?
11.	Lin	:	It's still new, isn't it? When did you buy it?
12.	Parker	:	I bought it about ten days ago.
13.	Lin	:	You've got a lot of records, haven't you?

14 パーカー　　：　ごじゅうまいぐらい　もって　います。
　　　　　　　　　きのうも　いちまい　かいました。

---

14. Parker　　:　I have about fifty.　I bought another one yesterday.

DRILLS

Drill 1 〔Based on Notes I — 1〕

つぎの ぶんを よんで ください。 Read the following sentences.

1 {
わたしは まいにち ほんを よみます。
わたしは いま ほんを よんで います。
}

2 {
ブラックさんは まいにち にほんごを はなします。
ブラックさんは いま にほんごを はなして います。
}

3 {
さとうさんは まいにち テレビを みます。
さとうさんは いま テレビを みて います。
}

4 {
ジョンソンさんは まいあさ パンを たべます。
ジョンソンさんは いま パンを たべて います。
}

5 {
ベイリーさんは まいにち てがみを かきます。
ベイリーさんは いま てがみを かいて います。
}

6 {
ベルナールさんは まいにち しんぶんを かいます。
ベルナールさんは いま しんぶんを かって います。
}

7 {
かわむらさんは まいあさ さんぽを[1] します。
かわむらさんは いま さんぽを して います。
}

8 {
おおきさんは まいばん コーヒーを のみます。
おおきさんは いま コーヒーを のんで います。
}

9 {
スミスさんは まいにち おんがくを ききます。
スミスさんは いま おんがくを きいて います。
}

10 {
わたしは まいにち こどもと あそびます。
わたしは いま こどもと あそんで います。
}

〔[1]さんぽ walk, stroll〕

Drill 2 〔Based on Notes I ― 1〕

れいのように いいかえて ください。
Change the following as shown in the examples.

れい Examples

スミスさんは いま ほんを よんで います。

1 テレビを みる ──→スミスさんは いま テレビを みて います。

2 てがみを かく ──→スミスさんは いま てがみを かいて います。

もんだい Exercises

スミスさんは いま ほんを よんで います。

1 テレビを みる。──→

2 てがみを かく。──→

3 ゆうごはんを¹ たべる。──→

4 にもつを² はこぶ。──→

5 ピンポンを する。──→

6 フランスごを はなす。──→

7 ビールを³ のむ。──→

8 まんねんひつを かう。──→

9 ともだちを まつ。──→

10 べんきょうを する。──→

こたえ Answers ───────────────

1 スミスさんは いま テレビを みて います。

2 スミスさんは いま てがみを かいて います。

3 スミスさんは いま ゆうごはんを たべて います。

4 スミスさんは いま にもつを はこんで います。

5 スミスさんは いま ピンポンを して います。

6 スミスさんは いま フランスごを はなして います。

〔¹ゆうごはん supper, ²にもつ luggage, ³ビール beer〕

7 スミスさんは いま ビールを のんで います。

8 スミスさんは いま まんねんひつを かって います。

9 スミスさんは いま ともだちを まって います。

10 スミスさんは いま べんきょうを して います。

Drill 3 〔Based on Notes Ⅰ— 1〕

れいのように いいかえて ください。
Change the following as shown in the examples.

れい Examples

1 わたしは まいにち ラジオを ききます。

　　→わたしは いま ラジオを きいて います。

2 ブラックさんは まいにち しんぶんを よみます。

　　→ブラックさんは いま しんぶんを よんで います。

もんだい Exercises

1 わたしは まいにち ラジオを ききます。→

2 ブラックさんは まいにち しんぶんを よみます。→

3 スミスさんは まいにち にほんごを はなします。→

4 かわむらさんは まいにち こどもと あそびます。→

5 たなかさんは まいにち かいものを¹ します。→

6 おおきさんは まいにち コーヒーを のみます。→

7 なかむらさんは まいにち テレビを みます。→

8 さとうさんは まいあさ プールで² およぎます。→

9 まいにち あめが ふります。→

10 やまかわさんは まいにち パンを たべます。→

こたえ Answers ————

1 わたしは いま ラジオを きいて います。

2 ブラックさんは いま しんぶんを よんで います。

〔¹かいもの shopping, ²プール swimming pool〕

— 429 —

3 スミスさんは いま にほんごを はなして います。

4 かわむらさんは いま こどもと あそんで います。

5 たなかさんは いま かいものを して います。

6 おおきさんは いま コーヒーを のんで います。

7 なかむらさんは いま テレビを みて います。

8 さとうさんは いま プールで およいで います。

9 いま あめが ふって います。

10 やまかわさんは いま パンを たべて います。

Drill 4 〔Based on Notes Ⅰ— 2〕

つぎの ぶんを よんで ください。 Read the following sentences.

1 { ゆうべは テレビを みました。
ゆうべは はちじごろ テレビを みて いました。

2 { きのうは にほんごを べんきょうしました。
きのうは いちにちじゅう にほんごを べんきょうして いました。

3 { けさは りゅうがくせいと はなしを しました。
けさは はちじごろ りゅうがくせいと はなしを して いました。

4 { おとといは ともだちと あそびました。
おとといは さんじごろ ともだちと あそんで いました。

5 { きのうは ぎんざで くつを かいました。
きのうは よじごろ ぎんざで くつを かって いました。

6 { ゆうべは ほんを よみました。
ゆうべは ひとばんじゅう ほんを よんで いました。

7 { けさは てがみを かきました。
けさは しちじごろ てがみを かいて いました。

8 { きのうは あめが ふりました。
きのうは にじごろ あめが ふって いました。

9 {
ゆうべは　レコードを　ききました。
ゆうべは　くじごろ　レコードを　きいて　いました。
}

10 {
けさは　フランスの　しょうせつを[1]　よみました。
けさは　はちじごろ　フランスの　しょうせつを　よんで　いました。
}

Drill 5　〔Based on Notes I ― 2〕

れいのように　こたえて　ください。
Change the following as shown in the examples.

れい　Examples

1　いま　わたしは　ごはんを　たべて　います。／　きのうの　はちじごろ
　　──きのうの　はちじごろ　わたしは　ごはんを　たべて　いました。

2　いま　おおきさんは　にもつを　はこんで　います。／　きのうの
　　じゅうじごろ
　　──きのうの　じゅうじごろ　おおきさんは　にもつを　はこんで
　　いました。

もんだい　Exercises

1　いま　わたしは　ごはんを　たべて　います。／　きのうの
　　はちじごろ　──

2　いま　おおきさんは　にもつを　はこんで　います。／　きのうの
　　じゅうじごろ　──

3　いま　ベルナールさんは　さんぽを　して　います。／　おとといの
　　にじごろ　──

4　いま　スミスさんは　ともだちを　まって　います。／　ゆうべの
　　はちじごろ　──

5　いま　ベイリーさんは　さくぶんを　かいて　います。／　けさの
　　はちじごろ　──

〔[1]しょうせつ　a novel〕

― 431 ―

6 いま せんせいは にほんごを おしえて[1] います。／ きのうの
　じゅういちじごろ ⟶

7 いま スミスさんは ピンポンを して います。／ きょうの
　さんじごろ ⟶

8 いま ピエールさんは ほんを よんで います。／ ゆうべの
　じゅうじごろ ⟶

9 いま わたしの こどもは となりの へやで ねて います。
　／ きょうの さんじごろ ⟶

10 いま スミスさんは ラジオを きいて います。／ けさの
　くじごろ ⟶

こたえ　Answers ────────────

1 きのうの はちじごろ わたしは ごはんを たべて いました。
2 きのうの じゅうじごろ おおきさんは にもつを はこんで
　いました。
3 おとといの にじごろ ベルナールさんは さんぽを して いました。
4 ゆうべの はちじごろ スミスさんは ともだちを まって いました。
5 けさの はちじごろ ベイリーさんは さくぶんを かいて いました。
6 きのうの じゅういちじごろ せんせいは にほんごを おしえて
　いました。
7 きょうの さんじごろ スミスさんは ピンポンを して いました。
8 ゆうべの じゅうじごろ ピエールさんは ほんを よんで いました。
9 きょうの さんじごろ わたしの こどもは となりの へやで ねて
　いました。
10 けさの くじごろ スミスさんは ラジオを きいて いました。

──────────────

〔[1]おしえる　to teach〕

Drill 6 〔Based on Notes I— 1, 2〕

れいのように いいかえて ください。
Change the following as shown in the examples.

れい Examples

いま べんきょうして います。

1 けさの はちじごろ ──→けさの はちじごろ べんきょうして
いました。

2 テレビを みる ──→けさの はちじごろ テレビを みて
いました。

3 まいにち ──→まいにち テレビを みます。

もんだい Exercises

いま べんきょうして います。

1 けさの はちじごろ ──→

2 テレビを みる ──→

3 まいにち ──→

4 コーヒーを のむ ──→

5 いま ──→

6 けさの しちじごろ ──→

7 ニュースを きく ──→

8 いま ──→

9 まいにち ──→

10 しんぶんを よむ ──→

11 ゆうべの くじごろ ──→

こたえ Answers ─────────────

1 けさの はちじごろ べんきょうして いました。

2 けさの はちじごろ テレビを みていました。

3 まいにち テレビを みます。

4 まいにち コーヒーを のみます。

5 いま コーヒーを のんで います。

6 けさの しちじごろ コーヒーを のんで いました。

7 けさの しちじごろ ニュースを きいて いました。

8 いま ニュースを きいて います。

9 まいにち ニュースを ききます。

10 まいにち しんぶんを よみます。

11 ゆうべの くじごろ しんぶんを よんで いました。

Drill 7 〔Based on Notes Ⅰ— 3〕

れいのように こたえて ください。
Answer the following questions as shown in the examples.

れい Examples

1 ゆうべ しぶやへ いった ひとは だれですか。/ たなかさん
　　——→ゆうべ しぶやへ いった ひとは たなかさんです。

2 きのう テレビを みた ひとは だれですか。/ おおかわさん
　　——→きのう テレビを みた ひとは おおかわさんです。

もんだい Exercises

1 ゆうべ しぶやへ いった ひとは だれですか。/ たなかさん ——→

2 きのう テレビを みた ひとは だれですか。/ おおかわさん ——→

3 きのう この ほんを よんだ ひとは だれですか。
　　/ かわむらさん ——→

4 おととい フランスへ かえった ひとは だれですか。
　　/ ベルナールさん ——→

5 ゆうべ ビールを のんだ ひとは だれですか。/ おおきさん ——→

6 さっき はなしを した ひとは だれですか。/ ピエールさん ——→

7 けさ しんぶんを かった ひとは だれですか。/ ブラックさん ——→

8 きのう ほんを かりた ひとは だれですか。／ ベイリーさん ⟶

9 けさ この へやに いた ひとは だれですか。／ さとうさん ⟶

10 ゆうべ かわむらさんと あそんだ ひとは だれですか。

　／ スミスさん ⟶

こたえ Answers ─────────────────

1 ゆうべ しぶやへ いった ひとは たなかさんです。

2 きのう テレビを みた ひとは おおかわさんです。

3 きのう この ほんを よんだ ひとは かわむらさんです。

4 おととい フランスへ かえった ひとは ベルナールさんです。

5 ゆうべ ビールを のんだ ひとは おおきさんです。

6 さっき はなしを した ひとは ピエールさんです。

7 けさ しんぶんを かった ひとは ブラックさんです。

8 きのう ほんを かりた ひとは ベイリーさんです。

9 けさ この へやに いた ひとは さとうさんです。

10 ゆうべ かわむらさんと あそんだ ひとは スミスさんです。

─────────────────

Drill 8 〔Based on Notes Ⅰ— 3〕

れいのように こたえて ください。
Answer the following questions as shown in the examples.

れい Examples

1 たなかさんは けさ テレビを みて いましたか。／ やまなかさん
　⟶いいえ, けさ テレビを みて いた ひとは
　　やまなかさんです。

2 ブラックさんは ゆうべ てがみを かいて いましたか。
　／ ベイリーさん
　⟶いいえ, ゆうべ てがみを かいて いた ひとは
　　ベイリーさんです。

もんだい　Exercises

1　たなかさんは　けさ　テレビを　みて　いましたか。

　　／　やまなかさん　⟶

2　ブラックさんは　ゆうべ　てがみを　かいて　いましたか。

　　／　ベイリーさん　⟶

3　おおきさんは　きのう　えいごを　はなして　いましたか。

　　／　たなかさん　⟶

4　ベイリーさんは　きのう　せんせいの　こうぎを¹　きいて　いましたか。

　　／　スミスさん　⟶

5　ブラウンさんは²　けさ　ピンポンを　して　いましたか。

　　／　ブラックさん　⟶

6　おおきさんは　ゆうべ　あそんで　いましたか。／　たなかさん　⟶

7　おおかわさんは　けさ　ほんを　よんで　いましたか。

　　／　さとうさん　⟶

8　たなかさんは　きのうの　にじごろ　ひるごはんを³　たべて

　　いましたか。／　おおきさん　⟶

9　ブラックさんは　きのう　おそくまで　べんきょうして　いましたか。

　　／　ジョンソンさん　⟶

10　あなたは　きのう　しょくどうで　みかんを　たべて　いましたか。

　　／　たなかさん　⟶

こたえ　Answers ──────────────

1　いいえ，けさ　テレビを　みて　いた　ひとは　やまなかさんです。

2　いいえ，ゆうべ　てがみを　かいて　いた　ひとは　ベイリーさんです。

3　いいえ，きのう　えいごを　はなして　いた　ひとは　たなかさんです。

4　いいえ，きのう　せんせいの　こうぎを　きいて　いた　ひとは

　　スミスさんです。

[¹こうぎ　lecture，²ブラウン　Brown，³ひるごはん　lunch]

5 いいえ, けさ ピンポンを して いた ひとは ブラックさんです。

6 いいえ, ゆうべ あそんで いた ひとは たなかさんです。

7 いいえ, けさ ほんを よんで いた ひとは さとうさんです。

8 いいえ, きのうの にじごろ ひるごはんを たべて いた ひとは
おおきさんです。

9 いいえ, きのう おそくまで べんきょうして いた ひとは
ジョンソンさんです。

10 いいえ, きのう しょくどうで みかんを たべて いた ひとは
たなかさんです。

Drill 9 〔Based on Notes I— 5〕

れいのように こたえて ください。
Answer the following questions as shown in the examples.

れい Examples

1 やまなかさんは まだ テレビを みて いますか。／ はい
——→はい, まだ みて います。

2 ベイリーさんは まだ さくぶんを かいて いますか。／ いいえ
——→いいえ, もう かいて いません。

もんだい Exercises

1 やまなかさんは まだ テレビを みて いますか。／ はい ——→

2 ベイリーさんは まだ さくぶんを かいて いますか。／ いいえ ——→

3 ベルナールさんは まだ せんせいと はなして いますか。
／ いいえ ——→

4 スミスさんは まだ ほんを よんで いますか。／ はい ——→

5 ブラウンさんは まだ テニスを して いますか。／ はい ——→

6 たなかさんは まだ ひるごはんを たべて いますか。／ いいえ ——→

7 せんせいは まだ プールで およいで いますか。／ はい ——→

8 ベルナールさんは まだ おんがくを きいて いますか。
　／ いいえ ⟶

9 ベイリーさんは まだ べんきょうして いますか。／ いいえ ⟶

10 さとうさんは まだ ビールを のんで いますか。／ はい ⟶

こたえ　Answers ───────────────────

1 はい, まだ みて います。

2 いいえ, もう かいて いません。

3 いいえ, もう はなして いません。

4 はい, まだ よんで います。

5 はい, まだ して います。

6 いいえ, もう たべて いません。

7 はい, まだ およいで います。

8 いいえ, もう きいて いません。

9 いいえ, もう べんきょうして いません。

10 はい, まだ のんで います。

PRONUNCIATION DRILL

Pitch Pattern of Verbs

In this lesson we practice the pitch pattern of verbs. Some verbs have an accented dictionary form and some have an unaccented one. The last high syllable in an accented dictionary form is always the second syllable from the end of the word.

Practice 1: Listen to the verbs on the tape. Write A when you hear an accented word, and write U when you hear an unaccented word.

1. いく _____   6. する _____

2. おきる _____   7. きく _____

3. ねる _____   8. のむ _____

4. ける _____   9. みる _____

5. ある _____   10. ならう _____

(Answers on page 511.)

Practice 2: Rewind the tape. While listening to the tape, repeat the words in Practice 1.

Practice 3: Listen to the following verbs on the tape. Pay attention to the pitch pattern. Notice that the *masu*-form of verbs are always accented words.

1. いきます   6. します

2. おきます   7. ききます

3. ねます   8. のみます

4. けります   9. みます

5. あります   10. ならいます

— 439 —

Practice 4: Listen to and repeat the following verbs in various *masu*-forms.

1. いきます　　いきません　　いきました　　いきませんでした

2. おきます　　おきません　　おきました　　おきませんでした

3. ねます　　　ねません　　　ねました　　　ねませんでした

4. けります　　けりません　　けりました　　けりませんでした

5. あります　　ありません　　ありました　　ありませんでした

6. します　　　しません　　　しました　　　しませんでした

7. きます　　　きません　　　きました　　　きませんでした

8. のみます　　のみません　　のみました　　のみませんでした

9. みます　　　みません　　　みました　　　みませんでした

10. ならいます　ならいません　ならいました　ならいませんでした

LESSON 18

KEY SENTENCES

- やすみの ひには, おおやまさんが ピアノを ひいて, わたしが うたを うたいます。

- じゅういちじごろ かまくらに ついて, だいぶつを みて, それから, かいがんへ いきました。

- わたしは でんしゃに のって かまくらへ いきました。

- うちを でたのは 九じごろです。

INDEX to NEW WORDS,

EXPRESSIONS and PATTERNS

Dialogue I

すむ .... to live

たちかわ .... Tachikawa, a place name ··· Notes Ⅱ

（すんで　い）て, ... Notes Ⅰ-1

かよう .... to attend, to commute to ··· Notes Ⅱ

げしゅくする .... to live in a lodging house······ Notes Ⅱ

おおやま .... Ōyama, a surname ··········· Notes Ⅱ

（おおやま）という .... by the name of (Ōyama) ··· Notes Ⅰ-8

ともだち .... friend

（ふたり）で .... (the two) together·············· Notes Ⅰ-4

アパート .... apartment house

おんがくがっこう .... conservatory, school of music

（おんがくがっこう）に（かよう）.................................... Notes Ⅰ-6

ピアノ .... piano

ひく .... to play

うた .... song

うたう .... to sing

（ともだち）の（おおやま） .... Note Ⅰ-9

Dialogue II

つれる .... to take

（つれ）て（いく） .... Note Ⅰ-3

かまくら .... Kamakura, a place name ··· Notes Ⅱ

くるま ……………………………………… car

(くるま)で ですか …………………………………………… Notes Ⅰ-10

(のっ)て ……………………………………………………… Notes Ⅰ-3

(うち)を (でる) …………………………………………… Notes Ⅰ-7

でる…………………………………………… to leave, to go out

(つい)て, ………………………………………………………… Notes Ⅰ-2

だいぶつ ……………………………………… a large statue of Buddha

かいがん ……………………………………… beach, sea shore

すなはま ……………………………………… sandy beach

かえって くる …………………………… to return

みず………………………………………………… water

つめたい ……………………………………… cold

つかれる ……………………………………… to get tired

(つかれた)でしょう ……………………………………………… Notes Ⅰ-11

ふろ………………………………………… bath

まず………………………………………………… first of all

DIALOGUES

I. (Miss Tanaka is asking Miss Black about where she lives.)

1 たなか　　　：　ブラックさん，あなたは　がっこうの
　　　　　　　　　りょうに　すんで　いますか。

2 ブラック　　：　いいえ，わたしは　たちかわに　すんで
　　　　　　　　　いて，がっこうに　まいにち　でんしゃで
　　　　　　　　　かよって　います。

3 たなか　　　：　にほんじんの　うちに　げしゅくして
　　　　　　　　　いますか。

4 ブラック　　：　いいえ，おおやまという　ともだちと
　　　　　　　　　ふたりで　アパートに　います。

5 たなか　　　：　その　ひとも　がくせいですか。

6 ブラック　　：　はい，おんがくがっこうに　かよって　いて，
　　　　　　　　　ピアノを　ならって　います。

7 たなか　　　：　あなたも　ピアノを　ひきますか。

I　1. Tanaka　　：　Miss Black, do you live in a dormitory?
　　2. Black　　：　No, I live in Tachikawa and go to school by train every
　　　　　　　　　　day.
　　3. Tanaka　　：　Are you boarding with a Japanese family?
　　4. Black　　：　No, I live in an apartment with my friend Miss Ōyama.
　　5. Tanaka　　：　Is she a student, too?
　　6. Black　　：　Yes, she goes to a music school and is studying the
　　　　　　　　　　piano.
　　7. Tanaka　　：　Do you play the piano, too?

8 ブラック　　：　いいえ，わたしは　ピアノは　ひきません。
　　　　　　　　　　うたを　うたいます。やすみの　ひには，よく
　　　　　　　　　　おおやまさんが　ピアノを　ひいて，わたしが
　　　　　　　　　　うたを　うたいます。

☆　　　　　　☆　　　　　　☆

　ブラックさんは　ともだちの　おおやまさんと　アパートに
すんで　います。おおやまさんは　おんがくがっこうに
かよって　います。そして，ピアノを　ならって　います。

Ⅱ. (On Monday morning, Bernard and Nakamura are chatting.)

1 ベルナール　　：　きのうの　にちようびは　いい
　　　　　　　　　　てんきでしたね。

2 なかむら　　　：　ほんとうに　いちにちじゅう　いい
　　　　　　　　　　てんきでした。

3 ベルナール　　：　どこかへ　いきましたか。

4 なかむら　　　：　いいえ，うちで　テレビを　みて　いました。
　　　　　　　　　　あなたは。

---

8. Black　　　　　：　No, I don't play the piano, but I do sing. On days when there is no school, Miss Ōyama often plays the piano and I sing.

☆　　　　　　☆　　　　　　☆

Miss Black lives in an apartment with her friend Miss Ōyama, who goes to a music school and is studying the piano.

Ⅱ　1. Bernard　　：　Yesterday was a fine day, wasn't it ?
　　2. Nakamura　：　It certainly was a fine day.
　　3. Bernard　　：　Did you go somewhere ?
　　4. Nakamura　：　No, I stayed home and watched television. How about you ?

 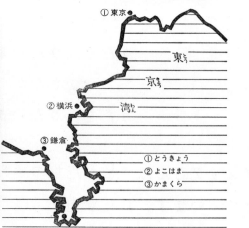

5　ベルナール　　：　わたしは　こどもを　つれて　かまくらへ
　　　　　　　　　　　いきました。

6　なかむら　　　：　くるまでですか。

7　ベルナール　　：　いいえ，でんしゃに　のって　いきました。

8　なかむら　　　：　はやく　でかけましたか。

9　ベルナール　　：　うちを　でたのは　九じごろでしょう。

　　　　　　　　　　　じゅういちじごろ　かまくらに　ついて，

　　　　　　　　　　　だいぶつを　みて，それから　かいがんへ

　　　　　　　　　　　いきました。すなはまで　一じかんぐらい

　　　　　　　　　　　あそんで，かえって　きました。

10　なかむら　　　：　およぎませんでしたか。

---

5. Bernard　：　I took my children to Kamakura.
6. Nakamura　：　Did you go by car?
7. Bernard　：　No, we went by train.
8. Nakamura　：　Did you leave home early?
9. Bernard　：　I think we left home around nine.　We arrived in Kama-
　　　　　　　　kura around eleven and saw the Daibutsu, a big statue
　　　　　　　　of Buddha. Then, we went to the seashore. We played
　　　　　　　　on the beach for about an hour and then came home.
10. Nakamura　：　Didn't you go swimming?

11 ベルナール　　：　ええ。およいで　いる　ひとも　いましたが，
　　　　　　　　　　わたしは　およぎませんでした。まだ　みずが
　　　　　　　　　　つめたいです。

12 なかむら　　　：　つかれたでしょう。

13 ベルナール　　：　ええ，すこし　つかれました。よるは　ふろに
　　　　　　　　　　はいって，すぐ　ねました。

　　　　　　　　☆　　　　　　☆　　　　　　☆

　ベルナールさんは　きのうの　にちようびに　こどもを
つれて　かまくらへ　いきました。かまくらに　ついて，まず
だいぶつを　みました。それから　かいがんへ　いって，
すなはまで　あそびました。

---

11. Bernard : No, some people were swimming, but we didn't. The water is still cold.

12. Nakamura : You must have been tired.

13. Bernard : Yes, we were a bit tired. We took a hot bath in the evening and went right to bed.

　　　　　☆　　　　　☆　　　　　☆

Bernard took his children to Kamakura yesterday. After they arrived in Kamakura, they saw the big statue of Buddha first, and then went to the beach to play on the sand.

DRILLS

Drill 1 〔Based on Notes Ⅰ— 1〕

れいのように　いいかえて　ください。
Change the following as shown in the examples.

れい　Examples

　　　　おおやまさんが　ピアノを　ひい<u>て</u>, わたしが　うたを
　　　　うたいます。

1　はなしを　する ／ はなしを　きく

　　　⟶おおやまさんが　はなしを　し<u>て</u>, わたしが　はなしを
　　　ききます。

2　まんねんひつを　つかう ／ えんぴつを　つかう

　　　⟶おおやまさんが　まんねんひつを　つか<u>って</u>, わたしが
　　　えんぴつを　つかいます。

もんだい　Exercises

　　　　おおやまさんが　ピアノを　ひいて, わたしが　うたを
　　　　うたいます。

1　はなしを　する ／ はなしを　きく ⟶
2　まんねんひつを　つかう ／ えんぴつを　つかう ⟶
3　うたを　うたう ／ ろくおんを　する ⟶
4　コーヒーを　のむ ／ こうちゃを　のむ ⟶
5　テニスを　する ／ ピンポンを　する ⟶
6　ラジオを　きく ／ テレビを　みる ⟶
7　ほんを　かう ／ ノートを　かう ⟶
8　そうじを² する ／ せんたくを³ する ⟶
9　わえいじてんを　つかう ／ かんじじてんを　つかう ⟶
〔¹ろくおん　recording,　そうじ　sweeping, ²せんたく　washing 〕

— 448 —

10 かいものを　する／りょうりを¹つくる²──→

こたえ　Answers ─────────────────────

1　おおやまさんが　はなしを　して，わたしが　はなしを　ききます。

2　おおやまさんが　まんねんひつを　つかって，わたしが　えんぴつを
　つかいます。

3　おおやまさんが　うたを　うたって，わたしが　ろくおんを　します。

4　おおやまさんが　コーヒーを　のんで，わたしが　こうちゃを
　のみます。

5　おおやまさんが　テニスを　して，わたしが　ピンポンを　します。

6　おおやまさんが　ラジオを　きいて，わたしが　テレビを　みます。

7　おおやまさんが　ほんを　かって，わたしが　ノートを　かいます。

8　おおやまさんが　そうじを　して，わたしが　せんたくを　します。

9　おおやまさんが　わえいじてんを　つかって，わたしが
　かんじじてんを　つかいます。

10　おおやまさんが　かいものを　して，わたしが　りょうりを
　つくります。

────────────────

Drill 2　〔Based on Notes Ⅰ─ 1〕

れいのように　いいかえて　ください。
Change the following as shown in the examples.

れい　Examples

1　たなかさんは　てがみを　かきます。そして，わたしは　ほんを
　よみます。
　　──→たなかさんは　てがみを　かいて，わたしは　ほんを　よみます。

2　ジョンソンさんは　うちで　べんきょうします。そして，
　ブラウンさんは　うみで　あそびます。

〔⁴りょうり　food，　⁵つくる　to cook 〕

　　──→ジョンソンさんは　うちで　べんきょうして，ブラウンさんは
　　　うみで　あそびます。

もんだい　Exercises

1　たなかさんは　てがみを　かきます。そして，わたしは　ほんを
　よみます。──→

2　ジョンソンさんは　うちで　べんきょうします。そして，
　ブラウンさんは　うみで　あそびます。──→

3　ベルナールさんは　じゅうどうを　します。そして，おおたさんは
　バスケットボールを　します。──→

4　リンさんは　こうちゃを　のみます。そして，パーカーさんは
　コーヒーを　のみます。──→

5　おおきさんは　レコードを　ききます。そして，さとうさんは
　テレビを　みます。──→

6　スミスさんは　ノートを　かいます。そして，ベイリーさんは
　えんぴつを　かいます。──→

7　ブラックさんは　えいがを　みます。そして，おおやまさんは
　かいものを　します。──→

8　やまなかさんは　そとへ　でます。そして，おおかわさんは　なかに
　はいります。──→

9　ピエールさんは　バスで　いきます。そして，なかむらさんは
　でんしゃで　いきます。──→

10　かわむらさんは　えを　かきます[1]。そして，やまかわさんは
　きょうかいへ　いきます。──→

こたえ　Answers ────────────────

1　たなかさんは　てがみを　かいて，わたしは　ほんを　よみます。

2　ジョンソンさんは　うちで　べんきょうして，ブラウンさんは　うみで

〔[1]（えを）かく　to draw, paint 〈a picture〉〕

── 450 ──

あそびます。

3 ベルナールさんは　じゅうどうを　して, おおたさんは
バスケットボールを　します。

4 リンさんは　こうちゃを　のんで, パーカーさんは　コーヒーを
のみます。

5 おおきさんは　レコードを　きいて, さとうさんは　テレビを　みます。

6 スミスさんは　ノートを　かって, ベイリーさんは　えんぴつを
かいます。

7 ブラックさんは　えいがを　みて, おおやまさんは　かいものを
します。

8 やまなかさんは　そとへ　でて, おおかわさんは　なかに　はいります。

9 ピエールさんは　バスで　いって, なかむらさんは　でんしゃで
いきます。

10 かわむらさんは　えを　かいて, やまかわさんは　きょうかいへ
いきます。

Drill 3 〔Based on Notes Ⅰ— 2〕

れいのように　いいかえて　ください。
Change the following as shown in the examples.

れい　Examples

わたしは　ぎんざへ　いっ<u>て</u>　かいものを　します。

1 てがみを　かく ／ きってを　はる。

——わたしは　てがみを　かい<u>て</u>　きってを　はります。

2 えきまで　あるく ／ でんしゃに　のる。

——わたしは　えきまで　あるい<u>て</u>　でんしゃに　のります。

もんだい　Exercises

わたしは　ぎんざへ　いって　かいものを　します。

— 451 —

1 てがみを　かく／きってを　はる　──→

2 えきまで　あるく／でんしゃに　のる　──→

3 あさ　はやく　おきる／しんぶんを　よむ　──→

4 としょかんへ　いく／ほんを　かりる　──→

5 ふろに　はいる／すぐ　ねる　──→

6 はなを　かう／うちへ　かえる　──→

7 くつを　ぬぐ／へやに　はいる　──→

8 がっこうから　かえる／しゅくだいを　する　──→

9 しょくじを　する／おちゃを　のむ　──→

10 えいがを　みる／きっさてんへ　いく　──→

こたえ Answers────────────────────────

1 わたしは　てがみを　かいて　きってを　はります。

2 わたしは　えきまで　あるいて　でんしゃに　のります。

3 わたしは　あさ　はやく　おきて　しんぶんを　よみます。

4 わたしは　としょかんへ　いって　ほんを　かります。

5 わたしは　ふろに　はいって　すぐ　ねます。

6 わたしは　はなを　かって　うちへ　かえります。

7 わたしは　くつを　ぬいで　へやに　はいります。

8 わたしは　がっこうから　かえって　しゅくだいを　します。

9 わたしは　しょくじを　して　おちゃを　のみます。

10 わたしは　えいがを　みて　きっさてんへ　いきます。

────────────────

Drill 4 〔Based on Notes Ⅰ─2〕

れいのように　いいかえて　ください。
Change the following as shown in the examples.

れい Examples

1 わたしは　うちへ　かえります。それから，ごはんを　たべます。

　　　──→　わたしは　うちへ　かえって　ごはんを　たべます。

2　ピエールさんは　しゅくだいを　します。それから, ふろに

　　はいります。

　　　──→ピエールさんは　しゅくだいを　して　ふろに　はいります。

もんだい Exercises

1　わたしは　うちへ　かえります。それから, ごはんを　たべます。──→

2　ピエールさんは　しゅくだいを　します。それから, ふろに

　　はいります。──→

3　ジョンソンさんは　あさ　コーヒーを　のみます。それから,

　　がっこうへ　いきます。──→

4　ブラックさんは　とうきょうえきで　おります。それから, バスに

　　のります。──→

5　すずきさんは　くつを　ぬぎます。それから, スリッパを¹

　　はきます。² ──→

6　スミスさんは　としょかんで　べんきょうします。それから,

　　ピンポンを　やります。──→

7　おおきさんは　えいがを　みます。それから, かいものを

　　します。──→

8　パーカーさんは　てがみを　だします。それから, ほんやへ

　　いきます。──→

9　ブランさんは　うみで　およぎます。それから, でんしゃで

　　かえります。──→

10　ベルナールさんは　よる　レコードを　ききます。それから, ほんを

　　よみます。──→

こたえ Answers ─────────────────

1　わたしは　うちへ　かえって　ごはんを　たべます。

（¹スリッパ <a pair of>slippers,

²(スリッパ)を　はく　to put on <slippers, shoes, stockings, trousers>）

── 453 ──

2 ピエールさんは しゅくだいを して ふろに はいります。

3 ジョンソンさんは あさ コーヒーを のんで がっこうへ
いきます。

4 ブラックさんは とうきょうえきで おりて バスに のります。

5 すずきさんは くつを ぬいで スリッパを はきます。

6 スミスさんは としょかんで べんきょうして ピンポンを
やります。

7 おおきさんは えいがを みて かいものを します。

8 パーカーさんは てがみを だして ほんやへ いきます。

9 ブランさんは うみで およいで でんしゃで かえります。

10 ベルナールさんは よる レコードを きいて ほんを よみます。

Drill 5 〔Based on Notes Ⅰ— 2〕

れいのように こたえて ください。
Answer the following questions as shown in the examples.

れい Examples

1 テレビは うちへ かえって みますか。／ スミスさんの うちで
みる。

——いいえ, スミスさんの うちで みて かえります。

2 くつは へやに はいって ぬぎますか。／ げんかんで ぬぐ
——いいえ, げんかんで ぬいで はいります。

もんだい Exercises

1 テレビは うちへ かえって みますか。／ スミスさんの うちで
みる ——

2 くつは へやに はいって ぬぎますか。／ げんかんで ぬぐ ——

3 ゆうごはんは うちへ かえって たべますか。／ そとで たべる ——

4 かばんは おおさかへ いって かいますか。／ とうきょうで
かう ——

5 にもつは　ゆうびんきょくへ　はこんで　つつみますか。[1]／　ここで
　　つつむ　──→

6 コーヒーは　りょうへ　かえって　のみますか。／　きっさてんで
　　のむ　──→

7 じびきは　きょうしつへ　いって　ひきますか。／　としょかんで
　　ひく　──→

8 しごとは　うちへ　かえって　しますか。／　かいしゃで　する　──→

9 ごはんは　がっこうへ　いって　たべますか。／　わたしの　うちで
　　たべる　──→

10 ピアノは　がっこうから　かえって　れんしゅうしますか。[2]
　　／　がっこうで　れんしゅうする　──→

こたえ　Answers ──────────────────

1 いいえ，スミスさんの　うちで　みて　かえります。

2 いいえ，げんかんで　ぬいで　はいります。

3 いいえ，そとで　たべて　かえります。

4 いいえ，とうきょうで　かって　いきます。

5 いいえ，ここで　つつんで　はこびます。

6 いいえ，きっさてんで　のんで　かえります。

7 いいえ，としょかんで　ひいて　いきます。

8 いいえ，かいしゃで　して　かえります。

9 いいえ，わたしの　うちで　たべて　いきます。

10 いいえ，がっこうで　れんしゅうして　かえります。

────────────────

Drill 6　〔Based on Notes Ⅰ— 3〕

れいのように　こたえて　ください。
Answer the following questions as shown in the examples.

〔[1]つつむ　to wrap，[2]れんしゅうする　to practice〕

れい　Examples

1　ぎんざへ　あるい<u>て</u>　いきましたか。／　でんしゃに　のる
　　──→いいえ，でんしゃに　のっ<u>て</u>　いきました。

2　せんせいは　たっ<u>て</u>　はなしましたか。／　いすに　かける
　　──→いいえ，いすに　かけ<u>て</u>　はなしました。

もんだい　Exercises

1　ぎんざへ　あるいて　いきましたか。／　でんしゃに　のる　──→

2　せんせいは　たって　はなしましたか。／　いすに　かける　──→

3　がっこうから　くるまに　のって　かえりましたか。／　あるく　──→

4　まんねんひつを　つかって　かきましたか。／　つかわない　──→

5　あの　しょうせつを　かって　よみましたか。／　かりる　──→

6　にほんへ　ふねに　のって　きましたか。／　ひこうきに　のる　──→

7　くつを　はいて　あるきましたか。／　スリッパを　はく　──→

8　じびきを　みて　こたえましたか。[1]　／　みない　──→

9　かまくらへ　ともだちを　つれて　いきましたか。／　こどもを
　　つれる　──→

10　ゆうべ　ふろに　はいって　ねましたか。／　はいらない　──→

こたえ　Answers ───────────────

1　いいえ，でんしゃに　のって　いきました。

2　いいえ，いすに　かけて　はなしました。

3　いいえ，あるいて　かえりました。

4　いいえ，つかわないで　かきました。

5　いいえ，かりて　よみました。

6　いいえ，ひこうきに　のって　きました。

7　いいえ，スリッパを　はいて　あるきました。

8　いいえ，みないで　こたえました。

　　〔[1]こたえる　to answer〕

9 いいえ, こどもを つれて いきました。

10 いいえ, はいらないで ねました。

Drill 7 〔Based on Notes I — 5〕

れいのように こたえて ください。
Answer the following questions as shown in the examples.

れい Examples

1 やすみの ひには なにを しますか。/ ピアノを ひく
  ——やすみの ひには よく ピアノを ひきます。

2 ともだちが きた ひには なにを しますか。/ レコードを きく
  ——ともだちが きた ひには よく レコードを ききます。

もんだい Exercises

1 やすみの ひには なにを しますか。/ ピアノを ひく ——

2 ともだちが きた ひには なにを しますか。/ レコードを
  きく ——

3 なつやすみには なにを しますか。/ うみで およぐ ——

4 にちようびの よるには なにを しますか。/ てがみを かく ——

5 ひるやすみには なにを しますか。/ ピンポンを する ——

6 はるやすみには なにを しますか。/ えを かく ——

7 にちようびの あさには なにを しますか。/ きょうかいへ
  いく ——

8 あめが ふる ひには なにを しますか。/ ほんを よむ ——

9 どようびの ごごには なにを しますか。/ えいがを みる ——

10 じゅぎょうが はやく おわった ひには なにを しますか。
   / ほんやへ いく ——

こたえ Answers ————————————

1 やすみの ひには よく ピアノを ひきます。

— 457 —

2 ともだちが きた ひには よく レコードを ききます。

3 なつやすみには よく うみで およぎます。

4 にちようびの よるには よく てがみを かきます。

5 ひるやすみには よく ピンポンを します。

6 はるやすみには よく えを かきます。

7 にちようびの あさには よく きょうかいへ いきます。

8 あめが ふる ひには よく ほんを よみます。

9 どようびの ごごには よく えいがを みます。

10 じゅぎょうが はやく おわった ひには よく ほんやへ いきます。

Drill 8 〔Based on Notes I— 6, 7〕

れいのように いいかえて ください。
Change the following as shown in the examples.

れい Examples

1 わたしは でんしゃに のりました。／ おりる

　——→わたしは でんしゃを おりました。

2 わたしは いちじごろ かまくらを でました。／ つく

　——→わたしは いちじごろ かまくらに つきました。

もんだい Exercises

1 わたしは でんしゃに のりました。／ おりる ——→

2 わたしは いちじごろ かまくらを でました。／ つく ——→

3 わたしは ふろに はいりました。／ でる ——→

4 わたしは くるまを おりました。／ のる ——→

5 わたしは きのう きょうとに つきました。／ でる ——→

6 わたしは ごご ごじごろ うちを でました。／ はいる ——→

7 わたしは おおさかで ひこうきに のりました。／ おりる ——→

8 わたしは あさ はやく りょうを でました。／ つく ——→

9　わたしの　ちちは　とうきょうえきで　バスに　のりました。

　　／おりる　──→

10　わたしの　ははは　けさ　とうきょうを　でました。／つく　──→

こたえ　Answers ────────────────

1　わたしは　でんしゃを　おりました。

2　わたしは　いちじごろ　かまくらに　つきました。

3　わたしは　ふろを　でました。

4　わたしは　くるまに　のりました。

5　わたしは　きのう　きょうとを　でました。

6　わたしは　ごご　ごじごろ　うちに　はいりました。

7　わたしは　おおさかで　ひこうきを　おりました。

8　わたしは　あさ　はやく　りょうに　つきました。

9　わたしの　ちちは　とうきょうえきで　バスを　おりました。

10　わたしの　ははは　けさ　とうきょうに　つきました。

────────────────

PRONUNCIATION DRILL

Pitch Pattern of "noun + particle" and "noun + desu" combinations.

This lesson covers nouns when followed by a particle or by です。
Compare the following:

    1. は|な|が······ "A flower is ...."

    2. は|なが   "A nose is   ...."

はな (flower) and はな (nose) are pronounced with the same pitch in isolation,
but when they are followed by a particle, such as が, は, を etc, or a form
of です, you can distinguish between them because the syllable following はな
(flower) is low while the syllable following はな (nose) is high. Even though
these words are pronounced the same, はな (flower) is classified as an accent-
ed word and はな (nose) is classified as an unaccented word.

Practice 1: Listen to the following three-syllable nouns directly followed by
         the particle が. Write A when you hear an accented word, and
         U when you hear an unaccented word.

    1. こどもが _____

    2. ひとつが _____

    3. つくえが _____

    4. おとこが _____

    5. ノートが _____   (Answers on page 511.)

Practice 2: Pronounce the phrases in Practice 1.

Practice 3: Listen to the following unaccented nouns directly followed by
         です. Notice the pitch pattern of です.

1. これです
2. それです
3. あれです
4. こどもです
5. つくえです

6. イギリスです
7. アメリカです
8. ふうとうです
9. たんごちょうです
10. れんしゅうちょうです

Practice 4 : Listen to the following accented nouns directly followed by です.

Listen to the pitch pattern of です.

1. えきです
2. へやです
3. テレビです
4. ひとりです
5. おとこです

6. げんかんです
7. さんにんです
8. ついたちです
9. いちがつです
10. あさごはんです

Practice 5 : Pronounce the phrases in Practice 4.

Practice 6 : Listen to the following nouns directly followed by が, and pronounce the sentences, dropping が, and attaching です to the noun you have just heard. Pronounce them with the proper pitch patterns.

1. これが
2. アメリカが
3. えきが
4. へやが
5. こどもが

6. ひとりが
7. つくえが
8. たんごちょうが
9. ついたちが
10. あさごはんが

LESSON 19

KEY SENTENCES

- わたしは のどが かわきました。

- わたしは { きょうだい / こども } が あります。

- どこかで おちゃを のみましょう。

   ええ, そう しましょう。

- わたしは 一しゅうかんに 一ど りょうしんに てがみを
  だします。

INDEX TO NEW WORDS,

EXPRESSIONS AND PATTERNS

Dialogue I

げんき ………………………………… well, healthy ……………… Notes Ⅱ

ありません＜ある……………………… Notes Ⅰ-2

かぜ…………………………………… a cold

ひく …………………………………… to catch

あたま ………………………………… head

（あたま）が（いたい）………………………………………… Notes Ⅰ-1

いたい ………………………………… ache, (be) painful

ねつ…………………………………… fever

せき…………………………………… cough

いけませんね ………………………… That's too bad. ……………… Notes Ⅱ

おだいじに …………………………… Take care of your self. …… Notes Ⅱ

Dialogue II

おなか ………………………………… stomach

すく…………………………………… to become empty, to get hungry

のど…………………………………… throat

かわく ………………………………… to get dry, be thirsty

どこか（で）………………………… somewhere ………………… Notes Ⅰ-4

おちゃ ………………………………tea

のみましょう＜のむ ……………………………………………… Notes Ⅰ-3

（のみ）ましょう ……………………… let's (drink)………………… Notes Ⅰ-3

あつい ………………………………… hot

そうしましょう＜そうする ………… to do ～ ………………………… Notes Ⅰ-3

どこか（いい　きっさてん）………… someplace ………………… Notes Ⅰ-5

しって　います ……………………… to know ……………………… Notes Ⅰ-6

Dialogue Ⅲ

おとうさん ………………………… your father……………… Notes Ⅲ

おかあさん ………………………… your mother ……………… Notes Ⅲ

（お）げんきです（か）＜げんきだ ……………………………… Notes Ⅱ

おかげさまで ……………………… thanks to, owing to………… Notes Ⅱ

ちち……………………………… my father …………………… Notes Ⅲ

はは……………………………… my mother ………………… Notes Ⅲ

きょうだい ………………………… brother(s) and sister(s)

あに……………………………… my elder (older) brother …… Notes Ⅲ

あね……………………………… my elder (older) sister ……… Notes Ⅲ

ひとりずつ ………………………… Notes Ⅱ

おにいさん ………………………… your elder brother ………… Notes Ⅲ

なにを　して　いますか ………… What does he do? ………… Notes Ⅱ

はたらく ………………………… to work

おねえさん ………………………… your elder sister …………… Notes Ⅲ

いくつ ……………………………… how old ……………………… Notes Ⅱ

はたち ……………………………… twenty years of age ………… Notes Ⅱ

つとめる ………………………… to be employed, to work for (at)

うちに　います……………………… Notes Ⅱ

ときどき ………………………… sometimes

ごりょうしん ……………………… parents ……………………… Notes Ⅲ

（ごりょうしん）に（てがみを　だす）………………………… Notes Ⅰ-7

いっしゅうかん ………………… one week …………………… Notes Ⅱ

（いっしゅうかん）に（いちど）……………………………… Notes Ⅰ-8

いちど ……………………………… once ………………………… Notes Ⅱ

DIALOGUES

Ⅰ. (Miss Tanaka is worried because Bailey isn't looking well.)

1	たなか	:	あまり げんきが ありませんね。
2	ベイリー	:	はい, かぜを ひきました。
3	たなか	:	あたまが いたいですか。
4	ベイリー	:	いまは いたく ありませんが, ゆうべは とても いたかったです。
5	たなか	:	ねつが ありますか。
6	ベイリー	:	いいえ, ねつは ありません。 しかし, すこし せきが でます。
7	たなか	:	そうですか。 それは いけませんね。 どうぞ おだいじに。
8	ベイリー	:	はい, どうも ありがとう ございます。

Ⅰ 1. Tanaka : I'm afraid you don't seem too well.
   2. Bailey : Yes, I've caught a cold.
   3. Tanaka : Do you have a headache?
   4. Bailey : Not now, but I had a terrible headache last night.
   5. Tanaka : Do you have a fever?
   6. Bailey : No, I don't. But I have a little cough.
   7. Tanaka : Oh, that's too bad. Please take care of yourself.
   8. Bailey : Thank you, I will.

Ⅱ. (Miss Ōki and Miss Tanaka are taking a walk together.)

1	おおき	:	おなかが　すきましたか。
2	たなか	:	おなかは　すきませんが，のどが かわきました。
3	おおき	:	わたしも　のどが　かわきました。どこかで おちゃを　のみましょう。
4	たなか	:	ええ，そう　しましょう。あつい コーヒーが　いいですね。
5	おおき	:	どこか　いい　きっさてんを　しって いますか。
6	たなか	:	いいえ，しりません。

Ⅱ			
1.	Ōki	:	Are you getting hungry?
2.	Tanaka	:	I'm not hungry, but I'm thirsty.
3.	Ōki	:	I'm thirsty, too. Let's go somewhere and get something to drink.
4.	Tanaka	:	Yes, let's do. Hot coffee sounds good!
5.	Ōki	:	Do you know any good coffee shops?
6.	Tanaka	:	No, I don't.

7 おおき　　　　:　それでは, そこの　きっさてんに
　　　　　　　　　　はいりましょう。

Ⅲ. (A teacher is asking a student about her family.)

1 せんせい　　　:　おとうさんも　おかあさんも
　　　　　　　　　　おげんきですか。

2 がくせい　　　:　はい, おかげさまで　ちちも　ははも
　　　　　　　　　　げんきです。

3 せんせい　　　:　あなたは　きょうだいが　ありますか。

4 がくせい　　　:　はい, あにと　あねが　ひとりずつ
　　　　　　　　　　あります。

5 せんせい　　　:　おにいさんは　なにを　して　いますか。

6 がくせい　　　:　あには　ちちの　かいしゃで　はたらいて
　　　　　　　　　　います。

7 せんせい　　　:　おねえさんは　いくつですか。

8 がくせい　　　:　あねは　はたちです。

9 せんせい　　　:　おねえさんは　どこかに　つとめて
　　　　　　　　　　いますか。

---

7. Ōki　　　　　:　Well then, let's try that coffee shop there.

Ⅲ 1. Teacher　:　Are your father and mother both well?
　2. Student　:　Both are well, thank you.
　3. Teacher　:　Do you have brothers and sisters?
　4. Student　:　Yes, I have a brother and a sister.
　5. Teacher　:　What does your brother do?
　6. Student　:　He works for my father's company.
　7. Teacher　:　How old is your sister?
　8. Student　:　She is twenty.
　9. Teacher　:　Does she work somewhere?

10 がくせい　　:　いいえ, あねは うちに います。

11 せんせい　　:　あなたは ときどき ごりょうしんに

　　　　　　　　　　てがみを だしますか。

12 がくせい　　:　はい, 一しゅうかんに 一ど かならず

　　　　　　　　　　だします。

10.	Student	:	No, she stays at home.
11.	Teacher	:	Do you write your parents sometimes?
12.	Student	:	Yes, I write them once a week without fail.

DRILLS

Drill 1 〔Based on Note Ⅰ— 1〕

れいのように こたえて ください。
Answer the following questions as shown in the examples.

れい　Examples

1　のどが かわきましたか。／ はい

　　　⟶ はい, のどが かわきました。

2　おなかが すきましたか。／ いいえ

　　　⟶いいえ, おなかは すきません。

3　あたまが いたいですか。／ いいえ

　　　⟶いいえ, あたまは いたく ないです。

もんだい　Exercises

1　のどが かわきましたか。／ はい ⟶

2　おなかが すきましたか。／ いいえ ⟶

3　あたまが いたいですか。／ いいえ ⟶

4　まいにち さんじごろ おなかが すきますか。／ はい ⟶

5　きのう おなかが いたかったですか。／ はい ⟶

6　のどが かわきましたか。／ いいえ ⟶

7　きのう はが[1] いたかったですか。／ いいえ ⟶

8　あしが[2] いたいですか。／ はい ⟶

9　ゆうべ のどが いたかったですか。／ はい ⟶

10　せなかが[3] いたいですか。／ いいえ ⟶

こたえ　Answers ————————————————

1　はい, のどが かわきました。

2　いいえ, おなかは すきません。

〔[1]は tooth,　あし foot, leg,　せなか back〕

— 470 —

3 いいえ, あたまは いたく ないです。

4 はい, まいにち さんじごろ おなかが すきます。

5 はい, きのう おなかが いたかったです。

6 いいえ, のどは かわきません。

7 いいえ, きのう はは いたく なかったです。

8 はい, あしが いたいです。

9 はい, ゆうべ のどが いたかったです。

10 いいえ, せなかは いたく ないです。

Drill 2 〔Based on Notes Ⅰ— 1〕

れいのように こたえて ください。
Answer the following questions as shown in the examples.

れい Examples

1 のどが かわきましたか。 ／ おなかが すく

　　—→いいえ, のどは かわきませんが, おなかが すきました。

2 あたまが いたかったですか。 ／ めが いたい

　　—→いいえ, あたまは いたく なかったですが, めが

　　いたかったです。

もんだい Exercises

1 のどが かわきましたか。 ／ おなかが すく —→

2 あたまが いたかったですか。 ／ めが いたい —→

3 おなかが すきましたか。 ／ のどが かわく —→

4 のどが いたかったですか。 ／ はが いたい —→

5 てが² いたいですか。 ／ あしが いたい —→

こたえ Answers————————————————

1 いいえ, のどは かわきませんが, おなかが すきました。

〔¹め　eye,　²て　hand, arm〕

— 471 —

2 いいえ, あたまは いたく なかったですが, めが いたかったです。

3 いいえ, おなかは すきませんが, のどが かわきました。

4 いいえ, のどは いたく なかったですが, はが いたかったです。

5 いいえ, ては いたく ないですが, あしが いたいです。

Drill 3 〔Based on Notes I－2〕

れいのように こたえて ください。
Answer the following questions as shown in the examples.

れい Examples

1 あなたは きょうだいが ありますか。／ はい

　　──→はい, わたしは きょうだいが あります。

2 あの ひとは ねつが ありますか。／ いいえ

　　──→いいえ, あの ひとは ねつは ありません。

もんだい Exercises

1 あなたは きょうだいが ありますか。／ はい ──→

2 あの ひとは ねつが ありますか。／ いいえ ──→

3 あなたは まだ べんきょうする げんきが ありますか。／ はい ──→

4 あなたは おにいさんが ありますか。／ はい ──→

5 あの ひとは おねえさんが ありますか。／ いいえ ──→

6 あの ひとは ねつが ありますか。／ はい ──→

7 あなたは いもうとさんが[1] ありますか。／ いいえ ──→

8 あの ひとは しょうせつを かく さいのうが ありますか。
　　／ はい ──→

9 あなたは おねえさんが ありますか。／ はい ──→

10 あの ひとは なにか しんぱいごとが[2] ありますか。／ いいえ ──→

〔[1]いもうと　younger sister, [2]しんぱいごと　troubles, worries〕

こたえ　Answers ─────────────────

1　はい, わたしは　きょうだいが　あります。

2　いいえ, あの　ひとは　ねつは　ありません。

3　はい, わたしは　まだ　べんきょうする　げんきが　あります。

4　はい, わたしは　あにが　あります。

5　いいえ, あの　ひとは　おねえさんは　ありません。

6　はい, あの　ひとは　ねつが　あります。

7　いいえ, わたしは　いもうとは　ありません。

8　はい, あの　ひとは　しょうせつを　かく　さいのうが　あります。

9　はい, わたしは　あねが　あります。

10　いいえ, あの　ひとは　なにも　しんぱいごとは　ありません。

───────────────

Drill 4　〔Based on Notes I ─ 2〕

れいのように　こたえて　ください。
Answer the following questions as shown in the examples.

れい　Examples

1　スミスさんは　おにいさんが　ふたり　あります。

　　Q：スミスさん, あなたは　きょうだいが　ありますか。

　　　　── はい, わたしは　あにが　ふたり　あります。

2　やまかわさんは　おとうとさんが　ひとり　あります。

　　Q：やまかわさん, あなたは　おにいさんが　ありますか。

　　　　──いいえ, わたしは　あには　ありませんが, おとうとが

　　　　ひとり　あります。

もんだい　Exercises

1　スミスさんは　おにいさんが　ふたり　あります。

　　Q：スミスさん, あなたは　きょうだいが　ありますか。──

〔¹おとうと　younger brother〕

2 やまかわさんは　おとうとさんが　ひとり　あります。

　Q：やまかわさん，あなたは　おにいさんが　ありますか。──→

3 ジョンソンさんは　おねえさんが　さんにん　あります。

　Q：ジョンソンさん，あなたは　おねえさんが　ありますか。──→

4 ベイリーさんは　いもうとさんが　ふたり　あります。

　Q：ベイリーさん，あなたは　おねえさんが　ありますか。──→

5 おおきさんは　いもうとさんが　ひとりと　おとうとさんが　ふたり
　あります。

　Q：おおきさん，あなたは　きょうだいが　ありますか。──→

6 たなかさんは　おねえさんが　ふたり　あります。

　Q：たなかさん，あなたは　おにいさんが　ありますか。──→

7 さとうさんは　おにいさんが　ふたり　あります。

　Q：さとうさん，あなたは　おにいさんが　ありますか。──→

8 やまなかさんは　おとうとさんが　ひとり　あります。

　Q：やまなかさん，あなたは　きょうだいが　ありますか。──→

9 リンさんは　おねえさんが　ふたりと　おとうとさんが　さんにん
　あります。

　Q：リンさん，あなたは　おにいさんが　ありますか。──→

10 ベルナールさんは　おにいさんが　ふたりと　おねえさんが　ひとり
　あります。

　Q：ベルナールさん，あなたは　おとうとさんが　ありますか。──→

こたえ　Answers────────────────

1 はい，わたしは　あにが　ふたり　あります。

2 いいえ，わたしは　あには　ありませんが，おとうとが　ひとり
　あります。

3 はい，わたしは　あねが　さんにん　あります。

4 いいえ，わたしは　あねは　ありませんが，いもうとが　ふたり
　あります。

5 はい, わたしは いもうとが ひとりと おとうとが ふたり
   あります。

6 いいえ, わたしは あには ありませんが, あねが ふたり あります。

7 はい, わたしは あにが ふたり あります。

8 はい, わたしは おとうとが ひとり あります。

9 いいえ, わたしは あには ありませんが, あねが ふたりと
   おとうとが さんにん あります。

10 いいえ, わたしは おとうとは ありませんが, あにが ふたりと
   あねが ひとり あります。

Drill 5 〔Based on Notes Ⅱ〕

れいのように こたえて ください。
Answer the following questions as shown in the examples.

れい Examples

1 あなたは おにいさんと おねえさんが ありますか。／ ふたり
   ──→はい, あにと あねが ふたりずつ あります。

2 そこに おとこの ことと おんなの こが いますか。／ ひとり
   ──→はい, おとこの ことと おんなの こが ひとりずつ います。

もんだい Exercises

1 あなたは おにいさんと おねえさんが ありますか。／ ふたり ──→

2 そこに おとこの ことと おんなの こが いますか。／ ひとり ──→

3 きょうしつに いすと つくえが ありますか。／ ここのつ ──→

4 えいごと フランスごを べんきょうしましたか。／ ―じかん ──→

5 にほんごの ほんと えいごの ほんを かいましたか。／ ―さつ ──→

6 あなたは おじさんと¹ おばさんが² ありますか。／ ふたり ──→

7 あなたの うちに いぬと ねこが いますか。／ ―ぴき ──→

〔¹おじ uncle, ²おば aunt〕

─475─

8 りょうしんと きょうだいに てがみを かきましたか。／ 一つう ⟶

9 たなかさんと おおきさんに ほんを かりましたか。／ にさつ ⟶

10 あなたは おいと¹ めいが²³² ありますか。／ ふたり ⟶

こたえ Answers ─────────────────

1 はい，あにと あねが ふたりずつ あります。

2 はい，おとこの こと おんなのこが ひとりずつ います。

3 はい，いすと つくえが ここのつずつ あります。

4 はい，えいごと フランスごを 一じかんずつ べんきょうしました。

5 はい，にほんごの ほんと えいごの ほんを 一さつずつ
かいました。

6 はい，おじと おばが ふたりずつ あります。

7 はい，いぬと ねこが 一ぴきずつ います。

8 はい，りょうしんと きょうだいに てがみを 一つうずつ
かきました。

9 はい，たなかさんと おおきさんに ほんを にさつずつ かりました。

10 はい，おいと めいが ふたりずつ あります。

────────────────────────

Drill 6 〔Based on Notes Ⅰ— 3〕

れいのように こたえて ください。
Answer the following questions as shown in the examples.

れい Examples

1 バスで がっこうへ いく。

⟶バスで がっこうへ いき<u>ましょう</u>。

2 あした えいがを みる。

⟶あした えいがを み<u>ましょう</u>。

〔¹おい nephew, ²めい niece〕

もんだい　Exercises

1　バスで　がっこうへ　いく。──→

2　あした　えいがを　みる。──→

3　にほんごの　べんきょうを　する。──→

4　よる　じゅうじに　ねる。──→

5　いっしょに　ビールを　のむ。──→

6　うちで　ピアノを　ひく。──→

7　まいあさ　はやく　おきる。──→

8　あの　みせで　ゆうごはんを　たべる。──→

9　としょかんで　ほんを　よむ。──→

10　ごらくしつで　ピンポンを　する。──→

こたえ　Answers────────────

1　バスで　がっこうへ　いきましょう。

2　あした　えいがを　みましょう。

3　にほんごの　べんきょうを　しましょう。

4　よる　じゅうじに　ねましょう。

5　いっしょに　ビールを　のみましょう。

6　うちで　ピアノを　ひきましょう。

7　まいあさ　はやく　おきましょう。

8　あの　みせで　ゆうごはんを　たべましょう。

9　としょかんで　ほんを　よみましょう。

10　ごらくしつで　ピンポンを　しましょう。

Drill 7　〔Based on Notes I─4〕

れいのように　いいかえて　ください。
Change the following as shown in the examples.

れい　Examples

1　<u>どこかで</u>　おちゃを　のみましょう　／　ゆうごはんを　たべる
　　──→<u>どこかで</u>　ゆうごはんを　たべましょう。

2　<u>だれかと</u>　レコードを　ききましょう。／　うたを　うたう
　　──→<u>だれかと</u>　うたを　うたいましょう。

もんだい　Exercises

1　どこかで　おちゃを　のみましょう。／　ゆうごはんを　たべる　──→

2　だれかと　レコードを　ききましょう。／　うたを　うたう　──→

3　なにか　たべましょう。／　のむ　──→

4　だれかに　にほんごの　ほんを　あげましょう[1]。／　えいごの
　　じびきを　かす　──→

5　だれかと　テニスを　しましょう。／　じゅうどうを　する　──→

6　だれかに　ほんを　あげましょう。／　みせる　──→

7　どこかで　えいがを　みましょう。／　ほんを　かう　──→

8　だれかに　にほんの　しゃしんを　みせましょう。／　フランスの
　　しゃしんを　かす　──→

9　どこかで　ドイツごを　ならいましょう。／　ちゅうごくごを
　　おしえる　──→

10　だれかと　やまに　のぼりましょう[2]。／　プールで　およぐ　──→

こたえ　Answers───────────────

1　どこかで　ゆうごはんを　たべましょう。

2　だれかと　うたを　うたいましょう。

3　なにか　のみましょう。

4　だれかに　えいごの　じびきを　かしましょう。

5　だれかと　じゅうどうを　しましょう。

6　だれかに　ほんを　みせましょう。

〔[1]あげる　to give,　[2]のぼる　to climb〕

7 どこかで ほんを かいましょう。

8 だれかに フランスの しゃしんを かしましょう。

9 どこかで ちゅうごくごを おしえましょう。

10 だれかと プールで およぎましょう。

Drill 8 〔Based on Notes Ⅰ— 5〕

れいのように いいかえて ください。
Change the following as shown in the examples.

れい　Examples

1 いい きっさてん

　　——どこか いい きっさてんを しって いますか。

2 じゅうどうを する ひと

　　——だれか じゅうどうを する ひとを しって いますか。

3 いい ほん

　　——なにか いい ほんを しって いますか。

もんだい　Exercises

1 いい きっさてん ——

2 じゅうどうを する ひと ——

3 いい ほん ——

4 しずかな ところ ——

5 いい にほんごの せんせい ——

6 やすい くつや ——

7 いい カメラ[1] ——

8 ピアノを ひく ひと ——

9 やさしい ドイツごの ほん ——

10 べんりな アパート ——

　　〔[1]カメラ　camera〕

— 479 —

こたえ　Answers ——————————

1　どこか　いい　きっさてんを　しって　いますか。

2　だれか　じゅうどうを　する　ひとを　しって　いますか。

3　なにか　いい　ほんを　しって　いますか。

4　どこか　しずかな　ところを　しって　いますか。

5　だれか　いい　にほんごの　せんせいを　しって　いますか。

6　どこか　やすい　くつやを　しって　いますか。

7　なにか　いい　カメラを　しって　いますか。

8　だれか　ピアノを　ひく　ひとを　しって　いますか。

9　なにか　やさしい　ドイツごの　ほんを　しって　いますか。

10　どこか　べんりな　アパートを　しって　いますか。

——————————

Drill 9　〔Based on Notes I — 8〕

れいのように　こたえて　ください。
Answer the following questions as shown in the examples.

れい　Examples

1　あなたは　よく　えいがを　みますか。／ 一しゅうかん, 一ど
　　——→はい, わたしは　一しゅうかんに　一どぐらい　えいがを
　　　みます。

2　あなたは　よく　コーヒーを　のみますか。／ 一にち, さんど
　　——→はい, わたしは　一にちに　さんどぐらい　コーヒーを　のみます。

もんだい　Exercises

1　あなたは　よく　えいがを　みますか。／ 一しゅうかん, 一ど ——→

2　あなたは　よく　コーヒーを　のみますか。／ 一にち, さんど ——→

3　あなたは　よく　おおさかへ　いきますか。／ ひとつき, 一ど ——→

4　あなたは　よく　テニスを　しますか。／ 一しゅうかん, にど ——→

5　あなたは　よく　ラジオの　ニュースを　ききますか。／ 一にち,

さんど ⟶

6 あなたは よく がいこくへ¹ いきますか。／ ーねん, ーど ⟶

7 あなたは よく この みせへ きますか。／ ふつか, ーど ⟶

8 あなたは よく おんがくを ききますか。／ ーにち, さんど ⟶

9 あなたは よく ピンポンを しますか。／ ひとつき, はちど ⟶

10 あなたは よく ここへ きますか。／ みっか, ーど ⟶

こたえ Answers ────────────

1 はい, わたしは ーしゅうかんに ーどぐらい えいがを みます。

2 はい, わたしは ーにちに さんどぐらい コーヒーを のみます。

3 はい, わたしは ひとつきに ーどぐらい おおさかへ いきます。

4 はい, わたしは ーしゅうかんに にどぐらい テニスを します。

5 はい, わたしは ーにちに さんどぐらい ラジオの ニュースを
  ききます。

6 はい, わたしは ーねんに ーどぐらい がいこくへ いきます。

7 はい, わたしは ふつかに ーどぐらい この みせへ きます。

8 はい, わたしは ーにちに さんどぐらい おんがくを ききます。

9 はい, わたしは ひとつきに はちどぐらい ピンポンを します。

10 はい, わたしは みっかに ーどぐらい ここへ きます。

────────────────

〔¹がいこく foreign country〕

PRONUNCIATION DRILL

Review

Recognition Test: Read the following words, and then listen to the tape.

Write S when the word written below and the corresponding sound you hear on the tape are the same. Write D when they are not.

1. きく _____   11. シャツ _____   21. うんてん _____

2. いっつう _____   12. きみつ _____   22. いっちょう _____

3. くき _____   13. びょういん _____   23. こくがい _____

4. はら _____   14. すいほう _____   24. おばさん _____

5. くし _____   15. さんぎいん _____   25. スト _____

6. きゃつ _____   16. ケース _____

7. らいい _____   17. つみ _____

8. きがん _____   18. かがい _____

9. みつ _____   19. でんぽう _____

10. こぱる _____   20. ひく _____   (Answers on page 511.)

After completing the above, check the correct answers on page 511. If you missed more than two in each group, listen to the lesson or lessons from which the words were taken as indicated in the following chart:

Nos. 3, 16, 24 are from Lesson 1.

Nos. 8, 10, 12, 21 are from Lessons 3 to 7.

Nos. 2, 9, 22 are from Lessons 8 and 9.

Nos. 6, 11, 13 are from Lesson 10.

Nos. 1, 5, 20 are from Lesson 14.

Nos. 4, 7, 10 are from Lesson 11.

Nos. 14, 17, 25 are from Lesson 11.

Nos. 15, 18, 23 are from Lesson 12.

LESSON 20

KEY SENTENCES

- わたしは $\left\{\begin{array}{l}カメラ \\ おかね \\ こども\end{array}\right\}$ が ほしいです。

- わたしは $\left\{\begin{array}{l}カメラ \\ テープレコーダー\end{array}\right\}$ が かいたいです。

- ブラックさんは $\left\{\begin{array}{l}カメラ \\ テレビ\end{array}\right\}$ を ほしがって います。

- パーカーさんは $\left\{\begin{array}{l}テープレコーダー \\ くるま\end{array}\right\}$ を かいたがって
います。

ほんが $\left\{\begin{array}{l}かい \\ よみ \\ かり\end{array}\right\}$ たい

INDEX to NEW WORDS,

EXPRESSIONS and PATTERNS

Dialogue I

しゅみ	hobby
りょこう	trip
(りょこう) が (すきです)	Notes I-1
すきだ	to like
なら	Nara, a place name ⋯ Notes II
とざん	mountain climbing
やまのぼり	mountain climbing
きらいだ	to dislike
それほど	so much, to that extent⋯ Notes II
だいすきだ	to be very fond of ⋯⋯ Notes II
そうですね	Let's see. ⋯⋯⋯⋯⋯ Notes II

Dialogue II

ほしい	to want
(しゃしん) が (とりたい)	Notes I-2
とりたい＜とる	to take
(しゃしん が とり) たい	Notes I-2
もって いる	to possess ⋯⋯⋯⋯⋯ Notes II
かいたい＜かう	to buy
(わたし) が (いちばん ほしい ものは)	Notes I-5
テープレコーダー	tape recorder
ほしがる	to want ⋯⋯⋯⋯⋯ Notes I-3
かいたがる＜かう	to buy

（かい）たがる ……………………………………………………… Notes Ⅰ-3

（パーカーさんも　かいたがって　います）か ……………… Notes Ⅰ-4

したい＜する ……………………………………………………… Notes Ⅰ-4

DIALOGUES

Ⅰ. (Kawamura and Smith are talking about their hobbies.)

⑤ なごや　名古屋
⑥ なら　　奈　良
⑦ きょうと　京　都
⑧ おおさか　大　阪
⑨ こうべ　　神　戸
⑩ ひろしま　広　島
⑪ ふくおか　福　岡
⑫ ながさき　長　崎

① さっぽろ　札　幌
② せんだい　仙　台
③ とうきょう　東　京
④ よこはま　横　浜

1　かわむら	:	あなたは　どんな　しゅみが　ありますか。
2　スミス	:	わたしは　りょこうが　すきです。
3　かわむら	:	もう　きょうとや　ならへ　いきましたか。
4　スミス	:	はい，きょうとへも　ならへも　いきました。
5　かわむら	:	とざんも　すきですか。

Ⅰ	1. Kawamura	:	What is your hobby?
	2. Smith	:	I like to travel.
	3. Kawamura	:	Have you already been to Kyoto and Nara?
	4. Smith	:	Yes, I have been to both Kyoto and Nara.
	5. Kawamura	:	Do you also like mountain climbing?

6　スミス　　　　：　やまのぼりですか。やまのぼりは　きらいでは
　　　　　　　　　　　ありませんが，それほど　すきでは
　　　　　　　　　　　ありません。わたしは　りょこうを　して，
　　　　　　　　　　　ふるい　たてものや　にわなどを　みるのが
　　　　　　　　　　　すきです。あなたは　とざんが　すきですか。

7　かわむら　　　：　ええ，わたしは　だいすきです。

8　スミス　　　　：　とざんの　ほかに　すきな　ものが
　　　　　　　　　　　ありますか。

9　かわむら　　　：　そうですね。おんがくを　きくのも
　　　　　　　　　　　すきです。

Ⅱ．(Lin is asking Miss Black what she wants to buy.)

1　リン　　　　　：　あなたは　いま　なにが　いちばん
　　　　　　　　　　　ほしいですか。

2　ブラック　　　：　そうですね。わたしは　カメラが
　　　　　　　　　　　ほしいです。りょこうを　する　とき
　　　　　　　　　　　しゃしんが　とりたいです。

3　リン　　　　　：　あなたは　カメラを　もって　いませんか。

---

	6. Smith	:	Mountain climbing? I don't dislike it, but I don't particularly like it either. I like to travel and see old buildings and gardens. Do you like mountain climbing?
	7. Kawamura	:	Yes, I like it very much.
	8. Smith	:	Aside from mountain climbing, is there anything else you like to do?
	9. Kawamura	:	Let's see.... I like to listen to music, too.
Ⅱ	1. Lin	:	What do you want most at the moment?
	2. Black	:	Let's see.... I want a camera. I'd like to take pictures when I travel.
	3. Lin	:	Don't you have a camera?

4 ブラック　　　：　ひとつ　ありますが，ふるくて　あまり　よく
　　　　　　　　　　　ないです。もう　すこし　いい　カメラが
　　　　　　　　　　　かいたいです。あなたは　もって　いますか。

5 リン　　　　　：　いいえ，もって　いませんが，カメラは
　　　　　　　　　　　あまり　ほしく　ないです。いま　わたしが
　　　　　　　　　　　いちばん　ほしい　ものは
　　　　　　　　　　　テープレコーダーです。

6 ブラック　　　：　パーカーさんも　テープレコーダーを
　　　　　　　　　　　ほしがって　いますよ。

7 リン　　　　　：　そうですか，パーカーさんも　かいたがって
　　　　　　　　　　　いますか。わたしは　テープレコーダーを
　　　　　　　　　　　かって，うちでも　にほんごの　べんきょうが
　　　　　　　　　　　したいです。

　　　　　　　☆　　　　　☆　　　　　☆

　ブラックさんは　あたらしい　カメラを　ほしがって
います。そして，リンさんと　パーカーさんは
テープレコーダーを　ほしがって　います。

---

4. Black　：　I have one, but it's an old one and not very good. I'd like to buy a little better one. Do you have one?

5. Lin　：　No, I don't, but I don't specially want a camera. What I'd like to have most now is a tape recorder.

6. Black　：　Mr. Parker wants a tape recorder, too.

7. Lin　：　Is that right? Mr. Parker wants to buy one, too? I want to buy a tape recorder so I can use it to study Japanese at home.

　　　　☆　　　　☆　　　　☆

Miss Black wants a new camera. But Lin and Parker want tape recorders.

DRILLS

Drill 1 〔Based on Notes Ⅰ— 1〕

れいのように　こたえて　ください。
Answer the following questions as shown in the examples.

れい　Examples

1　あなたは　なに<u>が</u>　すきですか。／　りょこう
　　——わたしは　りょこう<u>が</u>　すきです。

2　あなたは　なに<u>が</u>　たのしいですか。[1]／　スポーツを　する
　　——わたしは　スポーツを　するの<u>が</u>　たのしいです。

もんだい　Exercises

1　あなたは　なにが　すきですか。／　りょこう　——

2　あなたは　なにが　たのしいですか。／　スポーツを　する　——

3　あなたは　なにが　きらいですか。／　べんきょう　——

4　あなたは　なにが　ほしいですか。／　テープレコーダー　——

5　あなたは　なにが　かなしいですか。[2]／　ははが　いない　——

6　あなたは　なにが　すきですか。／　おんがくを　きく　——

7　あなたは　なにが　ほしいですか。／　いい　まんねんひつ　——

8　あなたは　なにが　きらいですか。／　くすりを　のむ　——

9　あなたは　なにが　たのしいですか。／　きっさてんで　ともだちと
　　はなす　——

10　あなたは　なにが　かなしいですか。／　てがみが　こない　——

こたえ　Answers————————————————

1　わたしは　りょこうが　すきです。

2　わたしは　スポーツを　するのが　たのしいです。

〔[1]たのしい　enjoyable, fun,　[2]かなしい　sad〕

3 わたしは べんきょうが きらいです。

4 わたしは テープレコーダーが ほしいです。

5 わたしは ははが いないのが かなしいです。

6 わたしは おんがくを きくのが すきです。

7 わたしは いい まんねんひつが ほしいです。

8 わたしは くすりを のむのが きらいです。

9 わたしは きっさてんで ともだちと はなすのが たのしいです。

10 わたしは てがみが こないのが かなしいです。

Drill 2 〔Based on Notes Ⅰ— 1〕

れいのように いいかえて ください。
Change the following as shown in the examples.

れい Examples

わたしは まんねんひつが ほしいです。

1 とざん / すき ——→わたしは とざんが すきです。

2 くすりを のむ / きらい ——→わたしは くすりを のむのが
きらいです。

もんだい Exercises

わたしは まんねんひつが ほしいです。

1 とざん / すき ——→

2 くすりを のむ / きらい ——→

3 こどもと あそぶ / たのしい ——→

4 えいわじてん[1] / ほしい ——→

5 ともだちが いない / かなしい ——→

6 えいがを みる / すき ——→

7 いい カメラ / ほしい ——→

〔[1]えいわじてん English-Japanese dictionary〕

8 あの　ひと　／　きらい　──→

9 スポーツを　する　／　たのしい　──→

10 すずめや　つばめ　／　かわいい[1]　──→

こたえ　Answers────────────

1 わたしは　とざんが　すきです。

2 わたしは　くすりを　のむのが　きらいです。

3 わたしは　こどもと　あそぶのが　たのしいです。

4 わたしは　えいわじてんが　ほしいです。

5 わたしは　ともだちが　いないのが　かなしいです。

6 わたしは　えいがを　みるのが　すきです。

7 わたしは　いい　カメラが　ほしいです。

8 わたしは　あの　ひとが　きらいです。

9 わたしは　スポーツを　するのが　たのしいです。

10 わたしは　すずめや　つばめが　かわいいです。

────────────

Drill 3　〔Based on Notes Ⅰ─ 2〕

れいのように　いいかえて　ください。
Change the following as shown in the examples.

れい　Examples

1 わたしは　しゃしんを　とります。

　　──→わたしは　しゃしんが　とりたいです。

2 わたしは　ぎんざへ　いきます。

　　──→わたしは　ぎんざへ　いきたいです。

もんだい　Exercises

1 わたしは　しゃしんを　とります。──→

2 わたしは　ぎんざへ　いきます。──→

〔[1]かわいい　lovely, cute〕

─491─

3 わたしは えいがを みます。 ——→

4 わたしは ごご しちじに うちへ かえります。 ——→

5 わたしは いい とけいを かいます。 ——→

6 わたしは ピアノを ならいます。 ——→

7 わたしは うみで およぎます。 ——→

8 わたしは ともだちと テニスを します。 ——→

9 わたしは はやおきを¹ します。 ——→

10 わたしは あつい コーヒーを のみます。 ——→

こたえ　Answers────────────────

1 わたしは しゃしんが とりたいです。

2 わたしは ぎんざへ いきたいです。

3 わたしは えいがが みたいです。

4 わたしは ごご しちじに うちへ かえりたいです。

5 わたしは いい とけいが かいたいです。

6 わたしは ピアノが ならいたいです。

7 わたしは うみで およぎたいです。

8 わたしは ともだちと テニスが したいです。

9 わたしは はやおきが したいです。

10 わたしは あつい コーヒーが のみたいです。

────────────

Drill 4　〔Based on Notes Ⅰ─2〕

れいのように こたえて ください。
Answer the following questions as shown in the examples.

れい　Examples

1 あなたは ほんが よみたいですか。／ えを かく

　　 ——→いいえ, わたしは えが かきたいです。

〔¹はやおき　early rising〕

2 あなたは おおさかへ いき<u>たい</u>ですか。／ きょうとへ いく

　—→いいえ，わたしは きょうとへ いき<u>たい</u>です。

もんだい　Exercises

1 あなたは ほんが よみたいですか。／ えを かく —→

2 あなたは おおさかへ いきたいですか。／ きょうとへ いく —→

3 あなたは レコードが ききたいですか。／ テレビを みる —→

4 あなたは みかんが たべたいですか。／ りんごを たべる —→

5 あなたは りょこうが したいですか。／ うみで およぐ —→

6 あなたは じゅうどうが ならいたいですか。／ にほんごの

　べんきょうを する —→

7 あなたは テニスが したいですか。／ やまに のぼる —→

8 あなたは テープレコーダーが かいたいですか。／ カメラを

　かう —→

9 あなたは ともだちに てがみが かきたいですか。／ ははに

　てがみを かく —→

10 あなたは でんしゃで いきたいですか。／ くるまで いく —→

こたえ　Answers

1 いいえ，わたしは えが かきたいです。

2 いいえ，わたしは きょうとへ いきたいです。

3 いいえ，わたしは テレビが みたいです。

4 いいえ，わたしは りんごが たべたいです。

5 いいえ，わたしは うみで およぎたいです。

6 いいえ，わたしは にほんごの べんきょうが したいです。

7 いいえ，わたしは やまに のぼりたいです。

8 いいえ，わたしは カメラが かいたいです。

9 いいえ，わたしは ははに てがみが かきたいです。

10 いいえ，わたしは くるまで いきたいです。

Drill 5 〔Based on Notes Ⅰ— 3〕

れいのように いいかえて ください。
Change the following as shown in the examples.

れい Examples

1 わたしは テープレコーダーが ほしいです。

　　—→あの ひとは テープレコーダーを ほし<u>が</u>って いま<u>す</u>。

2 わたしは しんぶんが よみたいです。

　　—→あの ひとは しんぶんを よみた<u>が</u>って います。

もんだい Exercises

1 わたしは テープレコーダーが ほしいです。—→

2 わたしは しんぶんが よみたいです。—→

3 わたしは かいものが したいです。—→

4 わたしは としょかんへ いきたいです。—→

5 わたしは レコードが ききたいです。—→

6 わたしは にほんじんの ともだちが ほしいです。—→

7 わたしは ふるい たてものや にわなどが みたいです。—→

8 わたしは かんわじてんと[1] えいわじてんが かいたいです。—→

9 わたしは テニスも ピンポンも やりたいです。—→

10 わたしは いま とけいが いちばん ほしいです。—→

こたえ Answers ——————————————

1 あの ひとは テープレコーダーを ほしがって います。

2 あの ひとは しんぶんを よみたがって います。

3 あの ひとは かいものを したがって います。

4 あの ひとは としょかんへ いきたがって います。

5 あの ひとは レコードを ききたがって います。

6 あの ひとは にほんじんの ともだちを ほしがって います。

〔[1]かんわじてん the dictionary of Chinese‐Japanese characters〕

7 あの ひとは ふるい たてものや にわなどを みたがって います。

8 あの ひとは かんわじてんと えいわじてんを かいたがって
います。

9 あの ひとは テニスも ピンポンも やりたがって います。

10 あの ひとは いま とけいを いちばん ほしがって います。

Drill 6 〔Based on Notes I — 2, 3〕

れいのように いいかえて ください。
Change the following as shown in the examples.

れい Examples

わたしは えいがが みたいです。

1 あの ひと ⟶あの ひとは えいがを みたがって います。

2 ほんを よむ ⟶あの ひとは ほんを よみたがって います。

3 わたし ⟶わたしは ほんが よみたいです。

4 かいものを する ⟶わたしは かいものが したいです。

もんだい Exercises

わたしは えいがが みたいです。

1 あの ひと ⟶

2 ほんを よむ ⟶

3 わたし ⟶

4 かいものを する ⟶

5 あの ひと ⟶

6 レコードを きく ⟶

7 わたし ⟶

8 えいがを みる ⟶

9 あの ひと ⟶

10 はるやすみに りょこうを する ⟶

こたえ　Answers ─────────────────

1　あの　ひとは　えいがを　みたがって　います。

2　あの　ひとは　ほんを　よみたがって　います。

3　わたしは　ほんが　よみたいです。

4　わたしは　かいものが　したいです。

5　あの　ひとは　かいものを　したがって　います。

6　あの　ひとは　レコードを　ききたがって　います。

7　わたしは　レコードが　ききたいです。

8　わたしは　えいがが　みたいです。

9　あの　ひとは　えいがを　みたがって　います。

10　あの　ひとは　はるやすみに　りょこうを　したがって　います。

───────────────

Drill 7　〔Based on Notes Ⅰ— 4〕

つぎの　ぶんを　イントネーションの　ちがいに　きをつけて，よんで　ください。
Read the following sentences, paying attention to differences in intonation.

1 { ジョンソンさんも　カメラを　かいたがって　いますか？
　 { ジョンソンさんも　カメラを　かいたがって　いますか！

2 { この　かたは　あなたの　おかあさんですか？
　 { この　かたは　あなたの　おかあさんですか！

3 { きのう　とうきょうは　あめでしたか？
　 { きのう　とうきょうは　あめでしたか！

4 { あなたも　じゅうどうを　やりますか？
　 { あなたも　じゅうどうを　やりますか！

5 { ブラックさんは　たちかわに　アパートを　かりましたか？
　 { ブラックさんは　たちかわに　アパートを　かりましたか！

6 { ベルナールさんは　フランスじんですか？
　 { ベルナールさんは　フランスじんですか！

7 { ピエールさんも いい とけいを ほしがって いますか？
   ピエールさんも いい とけいを ほしがって いますか！

8 { この でんしゃは とうきょうゆきですか？
   この でんしゃは とうきょうゆきですか！

9 { スミスさんは レコードを ききたがって いますか？
   スミスさんは レコードを ききたがって いますか！

10 { すずきさんと ベイリーさんは ともだちですか？
    すずきさんと ベイリーさんは ともだちですか！

Drill 8 〔Based on Notes Ⅰ— 4〕

れいのように こたえて ください。
Answer the following questions as shown in the examples.

れい Examples

1 パーカーさんも ほしがって いますよ。

   —→そうですか, パーカーさんも ほしがって いますか！

2 とうきょうは へやだいが たかいですよ。

   —→そうですか, とうきょうは へやだいが たかいですか！

もんだい Exercises

1 パーカーさんも ほしがって いますよ。—→

2 とうきょうは へやだいが たかいですよ。—→

3 ピアノの れんしゅうは おもしろいですよ。—→

4 おおやまさんも くるまに のりたがって いますよ。—→

5 あの かんわじてんは べんりですよ。—→

6 おおたさんは まだ かえって きませんよ。—→

7 きょうとの まちは きれいですよ。—→

8 となりの へやには せきが たくさん ありますよ。—→

9 あの ひとは きょうは やすみですよ。—→

10　にほんの　なつは　とても　あついですよ。 ──→

こたえ　Answers───────────────

1　そうですか，パーカーさんも　ほしがって　いますか！
2　そうですか，とうきょうは　へやだいが　たかいですか！
3　そうですか，ピアノの　れんしゅうは　おもしろいですか！
4　そうですか，おおやまさんも　くるまに　のりたがって　いますか！
5　そうですか，あの　かんわじてんは　べんりですか！
6　そうですか，おおたさんは　まだ　かえって　きませんか！
7　そうですか，きょうとの　まちは　きれいですか！
8　そうですか，となりの　へやには　せきが　たくさん　ありますか！
9　そうですか，あの　ひとは　きょうは　やすみですか！
10　そうですか，にほんの　なつは　とても　あついですか！

PRONUNCIATION DRILL

Review

Recognition Test : Listen to the tape. Circle the last high syllable in each word.

1. アメリカじん
2. この
3. どの
4. ちがいます
5. じむしつ
6. はれる
7. おはよう
8. かいて
9. テニスコート
10. ひるやすみ

11. ほん
12. よるごはん
13. まいばん
14. たんじょうび
15. よかった

Check the correct answers on page 511. Those who missed more than five words are advised to listen to the tapes for the Pronunciation Drills for Lessons 16-18 once again.

REVIEW LESSON III

(Lesson 16 ～ 20)

Index to New Words and Expressions.

みつかる ……………………………………… (to be) found

まがり ……………………………………… renting of a room

（でんわを）かける ………………………… to phone

ばしょ ……………………………………… place

タクシー …………………………………… taxi

あおやま …………………………………… Aoyama, a place name

その（かど） ……………………………………………… Note 1

かど を ひだりに まがる ……… to turn left at the corner

つきあたり …………………………… end of a street

とめる ……………………………………… to stop

ごめんください………………………………………… Note 2

なかの ……………………………………… Nakano, a surname

いらっしゃい …………………………… Welcome ………………………… Note 3

こちら ……………………………………… this………………………………… Note 4

さっそくですが ………………………… This is rather sudden, but ….

おあがり ください ………………… Please come in. ……………… Note 5

おじゃまします ……………………… Thank you. ……………… Note 5

しつれいですが ……………………… Excuse me, but...

きにいる ……………………………… to like

とくに ………………………………… especially

Dialogues

1. (Johnson hasn't found an apartment yet. He asks Yamamoto to help him find one.)

やまもと　：もう　アパートは　みつかりましたか。

ジョンソン：いいえ，まだです。どこかに　いい　アパートは
　　　　　　ありませんか。

やまもと　：ともだちの　うちで　へやを　かして　いますが，まがりは
　　　　　　どうですか。

ジョンソン：いいですよ。

やまもと　：そうですか。

ジョンソン：ええ。

やまもと　：じゃ　ちょっと　まって　いて　ください。いま　でんわを
　　　　　　かけて　きます。

ジョンソン：はい，おねがい　します。わたしは　ここに　います。

2. (A conversation after Yamamoto has telephoned his friend.)

ジョンソン：どうですか。

やまもと　：これから　いきませんか。

ジョンソン：そうですね。ばしょは　どこですか。

やまもと　：あおやまです。

ジョンソン：じゃ　ちかいですね。

やまもと　：ええ，タクシーで　五，六ぷんですよ。

ジョンソン：そうですか。

やまもと　：すぐに　いきませんか。

ジョンソン：そうですね。いきましょう。

3. (A conversation in a taxi.)

やまもと　　：あおやま。

うんてんしゅ：はい。

　　　　　　　…………

やまもと　　：その　かどを　ひだりに　まがって　ください。

うんてんしゅ：はい。

　　　　　　　…………

やまもと　　：つきあたりで　みぎに　まがって　ください。

うんてんしゅ：はい。

　　　　　　　…………

やまもと　　：その　へんで　とめて　ください。

うんてんしゅ：はい。

4. (At the home of Nakano, a friend of Yamamoto's.)

やまもと　：ごめん　ください。

なかの　　：はい。ああ，いらっしゃい。

やまもと　：こちらは　わたしの　ともだちの　ジョンソンさんです。

ジョンソン：ジョンソンです。はじめまして。

なかの　　：なかのです。はじめまして。

やまもと　：さっそくですが，へやを　みせて　くださいませんか。

なかの　　：ええ，どうぞ。どうぞ　おあがり　ください。

ジョンソン：おじゃま　します。

なかの　　：こちらです。どうぞ。

ジョンソン：しずかな　ところですね。

なかの　　：ええ。この　へんは　わりあい　しずかですよ。

ジョンソン：しつれいですが　一かげつ　いくらですか。

なかの　　：二まん五せんえんですが……

ジョンソン：そうですか。

やまもと　：どうですか，ジョンソンさん。

ジョンソン：ええ，きに　いりました。　二まん五せんえんは
　　　　　　たかいですか。

やまもと　：いいえ，それほど　たかく　ありませんよ。とくに　この
　　　　　　へんは　べんりですから。

Comprehension Test.

Based on the dialogues you've just heard on the tape, mark the true statements with a T.

1. Johnson said he didn't want to rent a room.

2. Yamamoto called a friend who had a room for rent.

3. Johnson was with Yamamoto when Yamamoto made the phone call.

4. Yamamoto's house is in Aoyama.

5. Half an hour after the phone call, Yamamoto and Johnson set out.

6. Yamamoto told the taxi driver how to go.

7. Nakano's house is quiet.

8. Aoyama is a relatively quiet area.

9. The rent for the room is 25,000 yen a year.

10. Johnson liked the room.

11. Yamamoto said that 25,000 yen was not a bad price for the room.

12. Aoyama is not conveniently located.

(Answers on page 509.)

Drills

Ⅰ　れいのように　いいかえて　ください。
Change the following as shown in the examples.

れい　Examples

　　　　　　ちょっと　まって　ください。いま　でんわを
　　　　　　かけて　きます。

1　きってを　かう──→ちょっと　まって　ください。いま　きってを
　　　　　　かって　きます。

2　すぐ　いく　──→　ちょっと　まって　ください。いま　すぐ　いって
　　　　　　きます。

もんだい　Exercises

1　きってを　かう──→

2　すぐ　いく──→

3　へやを　みる──→

4　しょくじを　する──→

5　てがみを　だす──→

こたえ　Answers ─────────────────

1　ちょっと　まって　ください。いま　きってを　かって　きます。

2　ちょっと　まって　ください。いま　すぐ　いって　きます。

3　ちょっと　まって　ください。いま　へやを　みて　きます。

4　ちょっと　まって　ください。いま　しょくじを　して　きます。

5　ちょっと　まって　ください。いま　てがみを　だして　きます。

Ⅱ　れいのように　いいかえて　ください。
　　Change the following as shown in the examples.

れい　Examples.

　　　　　　タクシーで　五,　六ぷんですよ。

1　でんしゃで──→でんしゃで　五,　六ぷんですよ。

2　バスで──→　　バスで　五,　六ぷんですよ。

もんだい　Exercises

1　でんしゃで──→

2　バスで──→

3　でんしゃに　のって──→

4　くるまで──→

5　タクシーで　いって──→

こたえ　Answers

1　でんしゃで　五, 六ぷんですよ。

2　バスで　五, 六ぷんですよ。

3　でんしゃに　のって　五, 六ぷんですよ。

4　くるまで　五, 六ぷんですよ。

5　タクシーで　いって　五, 六ぷんですよ。

Ⅲ　れいのように　いいかえて　ください。
Change the following as shown in the examples.

れい　Examples

　　　　こちらは　わたしの　ともだちの　ジョンソンさんです。

1　やまだ──→こちらは　わたしの　ともだちの　やまださんです。

2　さとう──→こちらは　わたしの　ともだちの　さとうさんです。

もんだい　Exercises

1　やまだ──→

2　さとう──→

3　たなか──→

4　まえだ[1]──→

5　かわかみ[2]──→

〔[1]まえだ　surname, [2]かわかみ　surname 〕

こたえ　Answers————————————————

1　こちらは　わたしの　ともだちの　やまださんです。

2　こちらは　わたしの　ともだちの　さとうさんです。

3　こちらは　わたしの　ともだちの　たなかさんです。

4　こちらは　わたしの　ともだちの　まえださんです。

5　こちらは　わたしの　ともだちの　かわかみさんです。

Ⅳ　れいのように　いいかえて　ください。
　　Change the following as shown in the examples.

れい　Examples

　　　　　　　こちらは　わたしの　ともだちの　ジョンソンさんです。

1　アメリカじんの─→こちらは　アメリカじんの　ジョンソンさんです。

2　ハーバードだいがくの¹　がくせいの

　　─→こちらは　ハーバードだいがくの　がくせいの

　　　ジョンソンさんです。

もんだい　Exercises

1　アメリカじんの─→

2　ハーバードだいがくの　がくせいの─→

3　わたしの　せんせいの─→

4　いもうとの　ともだちの─→

5　やまもとさんの　ともだちの─→

こたえ　Answers ————————————————

1　こちらは　アメリカじんの　ジョンソンさんです。

2　こちらは　ハーバードだいがくの　がくせいの　ジョンソンさんです。

3　こちらは　わたしの　せんせいの　ジョンソンさんです。

4　こちらは　いもうとの　ともだちの　ジョンソンさんです。

〔¹ハーバードだいがく　Harvard University〕

5 こちらは　やまもとさんの　ともだちの　ジョンソンさんです。

Ⅴ　れいのように　いいかえて　ください。
Change the following as shown in the examples.

れい　Examples

さっそくですが，へやを　みせて　くださいませんか。

1　ちょっと　よむ。——さっそくですが，ちょっと　よんで
くださいませんか。

2　ほんを　みせる。——さっそくですが，ほんを　みせて
くださいませんか。

もんだい　Exercises

1　ちょっと　よむ。——

2　ほんを　みせる。——

3　なまえを　かく。——

4　すぐに¹　いく。——

5　へやを　みせる。——

こたえ　Answers———————————

1　さっそくですが，ちょっと　よんで　くださいませんか。

2　さっそくですが，ほんを　みせて　くださいませんか。

3　さっそくですが，なまえを　かいて　くださいませんか。

4　さっそくですが，すぐに　いって　くださいませんか。

5　さっそくですが，へやを　みせて　くださいませんか。

〔¹すぐに　immediately 〕

Ⅵ　れいのように　いいかえて　ください。
　　Change the following as shown in the examples.

　れい　Examples

　　　　　しつれいですが，一かげつ　いくらですか。

1　一ねん──→しつれいですが，一ねん　いくらですか。
2　一しゅうかん──→しつれいですが，一しゅうかん　いくらですか。

　もんだい　Exercises

1　一ねん──→
2　一しゅうかん──→
3　一ばん──→
4　一にち──→
5　一じかん──→

　こたえ　Answers───────────────

1　しつれいですが，一ねん　いくらですか。
2　しつれいですが，一しゅうかん　いくらですか。
3　しつれいですが，一ばん　いくらですか。
4　しつれいですが，一にち　いくらですか。
5　しつれいですが，一じかん　いくらですか。

Ⅶ　れいのように　こたえて　ください。
　　Answer the following questions as shown in the examples.

　れい　Examples

1　二まん五せんえんは　たかいですか。

　　──→いいえ，それほど　たかく　ありません。

2　あの　ホテルは　たかいですか。

　　──→いいえ，それほど　たかく　ありません。

もんだい　Exercises

1　二まん五せんえんは　たかいですか。──→

2　あの　ホテルは　たかいですか。──→

3　あの　きっさてんは　たかいですか。──→

4　あそこの　コーヒーは　おいしいですか。──→

5　あの　みせは　しずかですか。──→

6　あおやまは　ここから　ちかいですか。──→

こたえ　Answers ─────────────────

1　いいえ，それほど　たかく　ありません。

2　いいえ，それほど　たかく　ありません。

3　いいえ，それほど　たかく　ありません。

4　いいえ，それほど　おいしく　ありません。

5　いいえ，それほど　しずかでは　ありません。

6　いいえ，それほど　ちかく　ありません。

Answers to the Comprehension Test

1. F	4. F	7. T	10. T
2. T	5. F	8. T	11. T
3. F	6. T	9. F	12. F

Answers to the Recognition Tests

Lesson 1.   A.   1. L   4. L   7. L   10. L
                        2. L   5. S   8. L
                        3. S   6. S   9. S

          B.   1. S   4. L   7. S   10. L
                        2. S   5. L   8. L
                        3. S   6. L   9. S

Lesson 3.   1. ん   4. ん   7. ん   10. 0
               2. 0   5. 0   8. ん
               3. ん   6. 0   9. 0

Lesson 4.   1. ん   4. 0   7. ん   10. 0
               2. 0   5. ん   8. ん
               3. ん   6. 0   9. 0

Lesson 5.   1. 0   4. 0   7. 0   10. 0
               2. 0   5. ん   8. ん
               3. ん   6. ん   9. ん

Lesson 6.   1. A   4. A   7. B   10. B
               2. C   5. A   8. C
               3. B   6. A   9. C

Lesson 8.   1. っ   4. っ   7. っ   10. っ
               2. っ   5. 0   8. 0
               3. 0   6. 0   9. っ

Lesson 9.   1. 0   4. っ   7. っ   10. っ
               2. っ   5. 0   8. 0
               3. 0   6. っ   9. 0

Lesson 10.   1. A   4. B   7. C   10. B
               2. C   5. A   8. B
               3. C   6. A   9. C

Lesson 11. A. 1. つ   4. す   7. す   10. つ
               2. つ   5. つ   8. つ
               3. す   6. つ   9. す

            B. 1. ら   4. れ   7. だ   10. ろ
               2. ら   5. ど   8. で
               3. で   6. だ   9. れ

Lesson 12. 1. が   4. ぎ   7. げ   10. の
            2. な   5. ぐ   8. げ
            3. に   6. ぬ   9. の

Lesson 14. 1. う   4. う   7. う   10. う
            2. い   5. い   8. い
            3. う   6. い   9. い

Lesson 15. 1. F   4. T   7 F   10. T
            2. T   5. F   8. F
            3. F   6. T   9. T

Lesson 17. 1. U   4. A   7. U   10. A
            2. A   5. A   8. A
            3. U   6. U   9. A

Lesson 18. 1. U   4. A
            2. A   5. A
            3. U

Lesson 19. 1. S   8. D   15. D   22. D
            2. D   9. D   16. D   23. D
            3. D   10. D   17. D   24. D
            4. S   11. D   18. S   25. S
            5. D   12. S   19. D
            6. S   13. S   20. S
            7. D   14. S   21. D

Lesson 20.
1. アメリ<u>カ</u>じん
2. こ<u>の</u>
3. <u>ど</u>の
4. ちがい<u>ます</u>
5. じ<u>む</u>しつ
6. はれ<u>る</u>
7. おはよ<u>う</u>
8. かい<u>て</u>
9. テニス<u>コート</u>
10. ひる<u>や</u>すみ
11. <u>ほ</u>ん
12. よるごはん
13. <u>まいばん</u>
14. たん<u>じょ</u>うび
15. <u>よ</u>かった

ン　ワ　ラ　ヤ　マ　ハ　ナ　タ　サ　カ　ア

　　リ　　　　ミ　ヒ　ニ　チ　シ　キ　イ

　　ル　ユ　ム　フ　ヌ　ツ　ス　ク　ウ

　　レ　　　　メ　ヘ　ネ　テ　セ　ケ　エ

　　ヲ　ロ　ヨ　モ　ホ　ノ　ト　ソ　コ　オ